Restaurando a Identidade

Uma nova liberdade para homens e mulheres

Bob Davies | Lori Rentzel

Restaurando a Identidade

Uma nova liberdade para homens e mulheres

Traduzido por

Yolanda M. Krievin

Editora Mundo Cristão
São Paulo

Restaurando a identidade

Categoria: Comportamento/Sexualidade

Publicado pela InterVarsity Press, Illinois, EUA

Supervisão editorial e de produção: Jefferson Magno Costa
Capa: Grace Arruda
Diagramação: Fabiano dos S. Mariano

Os textos das referências bíblicas foram extraídos de *A Bíblia Anotada* (versão *Almeida Revista e Atualizada*), salvo indicação específica.

Dados Internacionais de Catalogação na Publicação (CIP)
(Câmara Brasileira do Livro, SP, Brasil)

Davies, Bob, 1951 -

Restaurando a identidade / Bob Davies e Lori Rentzel: tradução de Yolanda M. Krievin. — São Paulo: Mundo Cristão, 2004.

Título original: Coming out of homosexuality
Título anterior: Deixando o homossexualismo
ISBN 85-7325-125-5

1. Homossexualismo — Aspectos religiosos
Cristianismo I. Rentzel, Lori, 1953 — II. Título

04-0999 CDD-248.8

Índices para catálogo sistemático:
1. Homossexuais: Guia de vida cristã: Religião 248.8
2. Homossexuais: Vida Cristã: Guias de conduta: Religião 248.8

Publicado no Brasil com a devida autorização e com todos os direitos reservados pela:
Editora Mundo Cristão
Rua Antônio Carlos Tacconi, 79, São Paulo, SP, Brasil, CEP 04810-020
Telefone: (11) 2127-4147 — Home page: www.mundocristao.com.br

Editora associada a:
- Associação de Editores Cristãos
- Câmara Brasileira do Livro
- Evangelical Christian Publishers Association

A 1ª edição brasileira foi publicada em dezembro de 1997.

Impresso no Brasil

12 11 10 9 8 7 6 07 08 09 10 11 12 13 14

Dedicatória

A Frank Worthen, fundador de "Amor em Ação"
e um pioneiro do movimento dos ex-gays. Frank,
sua vida tem sido uma inspiração para inúmeros
homens e mulheres em todo o mundo.
Obrigado por abrir o caminho.

Agradecimentos

Damos os mais sinceros agradecimentos a toda a equipe que tornou este livro possível: a Becky Cain, pelas incontáveis horas de transcrição de entrevistas gravadas e também por tomar conta das crianças da Lori enquanto a mamãe ia à biblioteca para escrever; a Pam Davies, pelo seu constante apoio durante todo o processo de dois anos de criação do livro; a Rudy Rentzel, por suas observações úteis e as noites em que tomou conta das crianças; à nossa editora IVP Cindy Bunch-Hotaling, pelo seu entusiástico apoio e experiência desde o momento em que assinamos o contrato.

A Carol Gulley, pela sua generosa contribuição financeira para pagar as despesas deste projeto; à nossa equipe de críticos que nos deu sugestões úteis para o primeiro esboço (Patricia Allan, Michael Babb, Darlene Bogle, Pam Davies, Carol Fryer, Cathy Haas, Ross Hayduk, Dorothy Holmes, Doug Houck, Dave Johnson, Kristy Keith, Dawn Killion, Alan Medinger, Kevin Oshiro, John Paulk, Janine Puls, Brad Sargent, Pat Smith, Jay Stone, Renee Tryon); aos muitos líderes de ministérios junto a ex-gays que contribuíram tanto para que entendêssemos a recuperação do homossexual, especialmente àqueles que bondosamente permitiram que citássemos suas obras e conferências; a todos os antigos homossexuais que corajosamente partilharam conosco os detalhes íntimos de suas vidas a fim de fornecer os casos citados neste livro; aos nossos amigos e cooperadores nos ministérios ao redor do mundo que creram neste projeto e oraram para o seu término bem-sucedido.

Sumário

Considerações sobre *Restaurando a Identidade*

"Finalmente! Alguém disse tudo em um só livro. *Deixando o Homossexualismo* é informativo, instrutivo e cheio de esperanças para o homossexual que deseja mudar. É bíblico sem criticar; é profundo sem ser falso. É extremamente valioso para aqueles que desejam entender melhor o homossexualismo, e de grande encorajamento para aqueles que desejam libertação."

Don Baker, *escritor.*

"Para a pessoa que tem caminhado pelo deserto do homossexualismo, este livro será como um gole de água refrescante. Eu o recomendo."

Rich Buhler, *escritor e apresentador do programa de rádio nacional* "Table Talk".

"Este livro é sincero e encorajador, fazendo (e respondendo) as perguntas difíceis. Acho que será muito útil para os cristãos que lutam contra o homossexualismo e para aqueles que procuram entendê-los e ajudá-los."

Tim Stafford, *escritor.*

"Este é um livro muito completo que lida com todos os possíveis ângulos do problema — bíblico, biológico, psicológico, social e de relacionamento. Um guia valioso para ajudar as pessoas a saírem do sombrio labirinto do homossexualismo."

David A. Seamands, *conselheiro e autor de Healing for Damaged Emotions* (Cura para Emoções Prejudicadas).

"O primeiro livro que temos que é igualmente equilibrado dirigido ao homossexualismo masculino e ao lesbianismo, *Deixando o Homossexualismo* é um recurso notável para o homossexual vencedor e para outros interessados no ministério de cura para os homossexuais. Eu o apreciei especialmente como o livro que nos leva desde as raízes e causas do homossexualismo até o namoro e o casamento."

Alan P. Medinger, *diretor de Regeneração.*

"Só poderíamos desejar que este livro tivesse sido escrito há décadas para dar orientação bíblica prática sobre como sair do homossexualismo. O livro mistura compaixão com realidade, advertências com esperança. Recomendo este livro especialmente para aqueles que lutam com o homossexualismo e estão desesperados por encontrar o caminho."

Erwin W.Lutzer, *Moody Church.*

1

OS HOMOSSEXUAIS PODEM REALMENTE MUDAR?

D*esde a infância Mike Reed sentia-se* diferente *dos outros garotos.* *"Ei,* mariquinha!", zombavam dele no pátio da escola. " Você joga bola igual a uma menina!" Às vezes os ataques iam mais longe do que as palavras, como na vez em que os meninos colocaram alfinetes em seus sapatos com as pontas espetadas de dentro para fora. Em seguida, o cercaram no campo de futebol e o chutaram bastante até ele sangrar. Depois disso, Mike começou a tremer toda vez em que os meninos "valentões" se aproximavam dele.

No colegial, Mike acabou participando de uma peça e começou a andar com os rapazes do teatro. Descobriu que muitos deles também tinham experimentado rejeição dos colegas, e então se uniram para apoio mútuo. Mas ele não contou nem mesmo para os amigos mais íntimos sobre sua crescente atração sexual por outros homens.

Quando Mike teve o seu primeiro encontro homossexual no colégio, achou que finalmente tinha se encontrado. Depois dessa experiência inicial, começou a freqüentar bares gays e se envolveu em inúmeros relacionamentos com outros homens.

Então, Mike "apaixonou-se" por um homem e eles deram início a um relacionamento mais sério. *Isso era o que eu sempre estivera procurando,* Mike pensou. Ele achou que suas necessidades de amor e atenção masculinos haviam sido finalmente atendidas.

Mas o relacionamento "mais sério" durou apenas um ano e então acabou. Mike começou uma busca espiritual que o levou através do misticismo, da ioga, da Ciência Religiosa, da Ciência Cristã e finalmente a Cristo.

"Dois amigos do trabalho me levaram a uma igreja onde ouvi que Jesus morreu pelos meus pecados", ele recorda. "Depois disto comecei a me afastar dos bares gays."

Então, viu um homem atraente na igreja, que já vira antes nos bares. Conversaram depois do culto e sentiram-se instantaneamente atraídos. *Somos gays e também temos uma fé comum em Deus,* Mike pensou. Parecia a base perfeita para um relacionamento e logo se envolveram sexualmente.

Duas semanas depois, ambos se convenceram de que alguma coisa estava errada. Uma noite na cama, o amante de Mike se voltou para ele e disse: "Não podemos mais continuar com isto. É errado". Ele abriu a Bíblia e leu para Mike os textos que mostram que os relacionamentos homossexuais são proibidos.

"As Escrituras me atingiram como um tijolo no meio da testa", ele reconheceu. "Ajoelhamo-nos e pedimos que o Senhor nos ajudasse a nos libertar da homossexualidade."

Mike mudou-se para uma casa com outros dois amigos cristãos que não tiveram experiências gays no passado, e começou com perseverança sua jornada espiritual. Mesmo quando trabalhou em um restaurante a dois quarteirões de um dos bares gays e seus antigos amigos vieram importuná-lo, Mike continuou firme. Ele começou a perceber nos olhos deles a insatisfação e o vazio que antigamente sentia em seu próprio coração.

Finalmente, Mike ouviu falar de "Amor em Ação", um ministério cristão localizado em San Rafael, na Califórnia, especializado em ajudar pessoas a vencer o homossexualismo. Ele se juntou ao seu programa de internato em junho de 1979. Durante os meses seguintes, Mike começou a lidar com as questões profundas de sua vida, como a sua identidade masculina, sentimentos de inferioridade diante de outros homens, disciplina dos seus pensamentos, e a necessidade de fazer amizades sadias com outros homens normais em sua igreja.[1]

Lentamente, através dos diversos anos seguintes, ele começou a experimentar mudanças significativas e duradouras. Suas amizades com outros homens transformaram sua vida de maneira especial, quando Deus os usou para lhe ministrar cura e aceitação. Às vezes ficava desanimado por causa das tentações homossexuais contínuas, mas persistiu na busca de uma transformação.

— Enquanto perseverava, Deus me conduzia, — diz Mike. Ele leu na Bíblia muitas e muitas vezes o quanto Deus o amava e que tinha um propósito para a sua vida. — Uma renovação da minha mente estava acontecendo, mas levou tempo. Precisei ser paciente — recorda.

Ao ganhar confiança, ele lentamente começou a assumir um papel de maior liderança na equipe de cultos em sua igreja. Finalmente, passou a dirigir os cultos regularmente numa congregação de 200 adultos. Embora ainda lutasse às vezes com lembranças do seu envolvimento passado com o homossexualismo, Mike lançou-se a novos desafios e novas amizades. Ele queria tudo o que Deus tivesse planejado para a sua vida.

Então, Mike começou a sair com mulheres que conheceu em sua igreja. Um desses relacionamentos tornou-se um compromisso sério, e, em 1987, Mike se casou. Hoje, ele e sua esposa, Helen, têm três filhos.

Agora, Mike diz que o seu antigo estilo de vida ficou para trás. "Eu me vejo como um homem completo, como uma pessoa forte e estável. Não me vejo como sendo homossexual. Nem penso em mim mesmo como um 'ex-gay'. É uma área na qual penso cada vez menos".

A Mudança é Possível

Mike Reed é apenas uma das centenas de homens que conhecemos pessoalmente e que venceram o homossexualismo. Também estamos familiarizados com inúmeras mulheres que passaram por transformações semelhantes vencendo um passado lésbico.

Starla Allen é um exemplo. "Minha infância foi normal sob muitos aspectos", ela se recorda. "Embora meus pais fossem severos, eu sabia que se amavam. Nosso lar era seguro. Mas, quando olho para trás, estou consciente de diversos acontecimentos que me levaram mais tarde a buscar um relacionamento lésbico."

Quando Starla tinha quatro anos de idade, sua família visitou os seus avós. — Entre os bate-papos, meu avô começou a caçoar de mim e me magoou. Comecei a chorar. Meu pai não soube como reagir. Levou-me a um dos quartos e disse que ficasse lá até conseguir me "recompor". Fiquei envergonhada por estar sendo castigada. *Nunca mais vou demonstrar esse tipo de emoção ao papai,* prometi para mim mesma.

"Quando eu e minha irmã mais nova crescemos, nossos pais nos advertiram acerca dos perigos dos homens, especialmente estranhos," Starla se lembra. "Meu pai me disse uma vez: 'Se alguém magoar a minha menininha, eu o mato'".

Uma noite, quando Starla tinha 13 anos, foi tomar conta do bebê de um casal conhecido. Quando o dono da casa a levou de volta, algumas atitudes dele começaram a deixá-la ansiosa: *Por que ele parou no bar a caminho de minha casa? E por que está entrando nessa estradinha?* O homem parou o carro perto de um lago, com a porta do lado de Starla abrindo para a água. "Por que você está fazendo isto?" ela gritou, quando o homem a prendeu contra o assento do carro. Em pânico, percebeu que não tinha jeito de escapar sem se machucar. Ele a estuprou.

"Eu me lembro da horrível sensação de ser violentada, de ter minhas emoções totalmente ignoradas enquanto ele satisfazia os seus desejos. Fiquei me perguntando se fizera alguma coisa para incentivar sua atitude. Cheguei à conclusão que não. Mesmo assim, sentia-me profundamente envergonhada."

Depois do estupro, Starla também se lembrou das advertências de seu pai acerca dos homens. "Francamente temia que papai pudesse matar aquele cara se eu lhe contasse o que havia acontecido. Se papai o fizesse, poderia ir para a cadeia. Resolvi não contar para ninguém, apenas empurrar toda aquela experiência para bem dentro de mim mesma e esquecê-la."

Os pais de Starla perceberam que ela começou a agir de maneira um tanto dura e "um tanto estranha". Ela usava camisetas folgadas e jeans, dispensava maquiagem, e cortava o seu cabelo curto. Mas atribuíram tudo isto ao comportamento normal da adolescência.

No colégio, Starla tentou namorar. Mas um medo profundamente enraizado e um ódio dos homens já tomara conta de seu coração. "Inconscientemente eu olhava os homens como adversários que deviam ser derrotados. Com essa atitude, meus namoros eram um desastre, o que vinha comprovar que além de não precisar de homens, eles também não precisavam de mim."

Na faculdade, Starla conheceu Kathy, que parecia sua alma gêmea. "Eu lhe ensinei como saltar obstáculos. Ela me ensinou a jogar handebol. Mas o que realmente me incomodava era o fato de ela querer pagar meus refrigerantes depois de um jogo. Sabia que tinha pouco dinheiro, mas ela se oferecia para isso. Uma coisinha sem importância, mas fez-me sentir que eu poderia baixar minha guarda com ela. Quando comecei a me abrir, desenvolvemos uma ligação profundamente emocional. Até cheguei a partilhar com ela a minha experiência de estupro. Gradualmente, uma atração física desenvolveu-se entre nós e nos tornamos amantes.

"Ficamos juntas durante cinco anos. Os primeiros anos foram cheios de romance. Mas, finalmente percebi que estava me sacrificando nesse relacionamento muito mais do que ela. Eu cuidava da casa, fazia compras e cozinhava para que ela pudesse seguir a sua inclinação artística. Depois, ela começou a sair com um homem. Quando reclamei, ela retrucou asperamente: 'Você pode aprender a conviver com isso, ou está tudo acabado.'"

Starla continuou com a sua amante, embora o relacionamento continuasse a esfacelar-se. Desesperada, ela também tentou sair com um moço que conhecia. Mas o seu sofrimento emocional continuou a crescer ao ponto em que o suicídio lhe pareceu uma opção razoável.

"Eu até escolhi o método para me suicidar. No meu vazio, examinei o naufrágio de minha vida. Era só isso que existia? Então lembrei-me das palavras da Mamãe Nelson, uma mulher que dirigia um grupo de meninas no colegial. "Jesus pode realmente transformar sua vida", ela sempre dizia. Eu pensei: *Bem, eu já tentei tudo. Poderia muito bem lhe dar uma chance.* Starla fez uma oração simples: "Deus, se você está lá em cima, eu lhe dou três dias. Aqui está a minha vida. Veja o que pode fazer com ela".

Exatamente três dias depois, Starla procurou a Sra. Nelson e lhe falou sobre a oração. Elas buscaram um lugarzinho sossegado e tiveram uma conversa longa. Então, oraram juntas, e Starla pediu a Deus que perdoasse o seu passado e ajudasse a começar de novo.

Starla mudou-se para o seu próprio apartamento e passava horas sozinha lendo a Bíblia. Achou uma igreja onde sentiu muito amor e aceitação, mesmo depois de ter falado sobre o seu passado com alguns dos membros da igreja. " Meu primeiro ano de cristã foi como uma lua-de-mel. A tentação sexual não era um grande problema. Senti que finalmente havia encontrado Alguém que podia me dar todo o amor de que precisasse."

Através dos anos, a cura de Starla realizou-se de muitas maneiras. "A mudança mais significativa que experimentei foi a libertação do ódio que sentia pelos homens, — ela diz. "Primeiro, cheguei ao ponto de saber que Deus queria apenas que eu *desejasse* perdoar os homens", inclusive o homem que havia me estuprado. Ele sabia que não poderia perdoar emocionalmente, mas apenas queria a minha vontade. O que eu podia fazer era orar: "Muito bem, Deus, vou tentar." "Esse ódio pelos homens era uma fortaleza enorme, mas com o passar do tempo, com oração e até mesmo jejum, senti que minhas atitudes estavam mudando. Finalmente, cheguei ao ponto de conseguir orar pelo homem que me estuprara e o fiz com sinceridade."

Hoje, Starla faz doutorado. Como terapeuta, ela ajuda homens e mulheres a encontrar cura e solução das emoções feridas. Mas a sua experiência a capacita a oferecer ajuda especialmente a outras mulheres que procuram sair de um passado lésbico.

"Relacionamentos íntimos e carinhosos com outros homens e mulheres piedosos foram muito importantes," diz. " A liberdade de falar e partilhar minhas emoções com os outros tem ajudado a remover o cobertor de culpa e acusação sob o qual vivi sufocada por tantos anos. Quando tive certeza que de modo nenhum incentivei aquele homem a me estuprar, não precisei mais esconder a mulher que havia dentro de mim. Estou livre para me vestir, sentir, pensar e reagir de maneira a expressar a minha feminilidade. Estou descobrindo a mulher que foi subjugada dentro de mim por tanto tempo."[2]

Para o homem e a mulher que estão lutando com o homossexualismo, há esperança de cura e nova liberdade em Cristo!

Nós, os autores deste livro, Bob Davies e Lori Rentzel, estamos trabalhando no campo do ministério com ex-gays desde 1979, quando nos engajamos na equipe de "Amor em Ação" em San Rafael, na Califórnia. Ambos estivemos envolvidos na liderança da "Exodus International", uma rede mundial de ministérios com ex-gays. Desde 1985, Bob tem servido como diretor executivo da "Exodus". Apesar das semelhanças no envolvimento em nosso ministério, entramos neste campo de trabalho por motivos muito diferentes.

A História de Lori

Em uma noite de outubro de 1977, comecei o meu turno de conselheira por telefone para uma linha cristã especial de 24 horas atendendo pessoas em crise, em Mineápolis. Enquanto aguardava que os aparelhos começassem a tocar, uma amiga minha colocou um exemplar do boletim do "Amor em Ação" em minhas mãos. "Lori, veja isto".

Li que o "Amor em Ação" estava procurando alguém com capacidade para redigir, experiência em escritório, e interesse em homossexualismo, para trabalhar em seu escritório ministerial e colocar em ordem o material de aconselhamento.

"Parece que sou eu" disse, e minha amiga concordou. Além de aconselhar por telefone numa linha especial, estudei jornalismo na faculdade, trabalhei alguns anos como repórter de jornal, e na época era recepcionista. O mais significativo ainda é que recentemente aprendera muita coisa acerca do homossexualismo, mais do que jamais havia esperado aprender. Através de um relacionamento com uma amiga íntima que estava procurando ajuda cristã para vencer o homossexualismo, havia descoberto que essa ajuda era difícil de encontrar. Para pessoas saindo das drogas, do álcool, ou até mesmo da prostituição, havia grande quantidade de aconselhamento e apoio cristão. Para o homem ou a mulher tentando abandonar o homossexualismo tal aconselhamento quase inexistia.

Além disso, em 1977, qualquer material sobre homossexualismo visto da perspectiva cristã era raro. Alguns poucos artigos equilibrados estavam disponíveis, mas a maioria deles era mal redigida, desencorajadores ou sensacionalistas. ("Fui libertado de dez demônios do homossexualismo, e agora estou totalmente livre!")

Depois de ler o boletim do "Amor em Ação", fiquei entusiasmada pela oportunidade de me envolver pessoalmente na mudança daquela triste situação. Uma troca de cartas e uma visita ao ministério confirmou a todos os envolvidos que eu pertencia ao "Amor em Ação". Por isso, em janeiro de 1979, tomei um jato da "Northwest Orient", trocando a gelada Mineápolis pelas colinas verdejantes de San Rafael, na Califórnia.

Eu acreditava apaixonadamente na cura prometida na Bíblia e na transformação das pessoas que saíam do homossexualismo e do lesbianismo. Meu alvo, quando cheguei ao "Amor em Ação", foi transmitir essa esperança escrevendo. Mas nada que vale à pena vem com facilidade. Envolver-se no ministério com homens e mulheres mudando uma coisa tão profunda como a identidade sexual tem um preço. Eu não permaneci como uma observadora útil mas imparcial por muito tempo. Preparando-me para ministrar aos outros, Deus permitiu que eu enfrentasse os meus próprios e desesperadores pecados íntimos, minhas lutas, opiniões erradas e inseguranças.

Nos anos seguintes, morei nas casas comunitárias do ministério, partilhando a vida diária com homens e mulheres que estavam saindo do homossexualismo e lesbianismo. Passamos inúmeras horas conversando, orando, chorando, partilhando confidências — e, além disso, apenas saindo e nos divertindo juntos. Alguns de meus melhores e mais profundos relacionamentos foram formados naqueles anos.

Ao partilhar moradia e amizades com mulheres que buscavam a cura do lesbianismo, aprendi muito acerca de mim mesma. Áreas frágeis em minha própria identidade sexual vieram à tona. Embora nunca estivesse envolvida em um relacionamento lésbico, passei por um período de diversos meses durante os quais experimentei forte atração sexual e emocional por mulheres. Precisei examinar minhas feridas e atitudes, pedir ajuda e apoio de oração de homens e mulheres cristãos e de confiança que me cercavam.

Essas tentações particulares passaram, mas nunca mais vou considerar a minha sexualidade como uma coisa solidificada. E não passa um ano sem que eu questione, examine e ore sobre alguma faceta do que significa ser uma mulher ou descubra uma nova área de minha sexualidade que precisa ser curada e redefinida. Como mãe de três filhas pequenas, tenho motivação maior para descobrir e abraçar todo o plano de Deus para mim como mulher.

Eu e Bob temos feito muita leitura e pesquisa sobre homossexualismo e lesbianismo, examinando-os de ambos os pontos de vista, o secular *e* o cristão. Ambos experimentamos muita cura em nossas vidas e sexualidade. Mas talvez a melhor coisa que temos para partilhar neste livro é a nossa experiência de viver durante anos "nas trincheiras" com homens e mulheres passando pelo processo torturante e espantoso de serem curados em suas identidades sexuais. Estivemos lá, conversando sobre decisões, engalfinhando-nos com perguntas difíceis, vendo a esperança aparecendo no rosto das pessoas. Temos lutado juntos, partilhando a estrada da cura.

Estamos familiarizados com a dureza dessa viagem, a ponto de evitarmos julgar severamente amigos e consulentes que optaram por retornar ao envolvimento homossexual. Mas temos testemunhado curas sólidas e substanciais em tantos homens e mulheres através dos anos que podemos dizer sem hesitação: "Existe cura para homossexualismo. Para o homem ou mulher que realmente deseja, há esperança e cura em Cristo".

A História de Bob

Não vou me esquecer nunca do dia quando, aos 14 de idade, li um livro para adolescentes sobre "os fatos da vida." Quase no final havia um capítulo que descrevia os sintomas do homossexualismo. Para espanto meu, descobri que todas aquelas características se aplicavam a mim!

Fui criado na igreja; oração, leitura diária da Bíblia e freqüência semanal à Escola Dominical eram hábitos arraigados em mim. *Então como eu poderia ter esse problema?* imaginei.

Em vez de buscar ajuda, escondi meus temores, afastei-me de todos e finalmente parei de freqüentar a igreja. Por que eu iria continuar freqüentando, quando Deus parecia ignorar minhas mais profundas necessidades?

No fim de minha adolescência, enquanto freqüentava o primeiro ano na Universidade de British Columbia, em Vancouver, no Canadá, consegui livros sobre homossexualismo e fiquei conhecendo a grande subcultura gay das cidades norte-americanas. Curioso, comecei a freqüentar livrarias para adultos e a ler revistas homossexuais. Apenas a culpa e o medo me afastaram de buscar encontros sexuais de verdade com outros homens.

Finalmente, diversos anos depois, fiz uma confissão de fé pública e fui aceito como estudante no Seminário de Prairie, em Three Hills, em Alberta, E.U.A. Durante os três anos seguintes, fui espiritualmente fortalecido com uma constante dieta da Palavra de Deus, tanto nas salas de aula como em meus estudos particulares. Minha auto-confiança desabrochou enquanto experimentava amizade íntima com outros homens — uma coisa que eu nunca experimentara antes. Mas mantive meus desejos homossexuais como um segredo profundamente oculto.

Dois anos depois de minha formatura, freqüentei uma escola de treinamento para discipulado na Alemanha dirigida pela JOCUM (Jovens com uma Missão), um ministério evangelístico mundial. Depois do programa de seis meses, comecei a orar acerca de meu futuro. Como Deus queria que eu o servisse?

Numa manhã, durante a oração, eu me vi de volta a minha casa, distribuindo folhetos diante do maior bar gay de Vancouver. Meu coração desfaleceu. *De jeito nenhum,* gemi por dentro. *Farei* qualquer coisa — *exceto isso*!

Nos anos seguintes tentei esquecer minhas contínuas lutas homossexuais. Comecei o treinamento para o campo missionário. Continuava sendo sexualmente virgem, mas o impulso para os relacionamentos homossexuais estava se tornando mais forte. Então, um dia li um livro que mencionava o trabalho do "Amor em Ação", e pedi o seu boletim mensal. Finalmente, em 1978, cheguei à conclusão de que minhas lutas sexuais nunca seriam resolvidas sem alguma ajuda especializada. Escrevi para "Amor em Ação" (cuja sigla em inglês é LIA, "Love in Action") e pedi matrícula para o seu programa de internato. Cheguei ali em 1º de junho de 1979.

Naquele verão, fiz algumas descobertas espantosas. Entendi que, por causa de minhas próprias lutas homossexuais, poderia dar apoio significativo a outros que enfrentavam batalhas semelhantes. E considerando que nunca me havia entregue a práticas sexuais, poderia oferecer valiosos conselhos sobre perseverança e guerra espiritual.

Meu compromisso inicial de verão estendeu-se por seis meses, depois um ano. Antes que percebesse, minha vida havia mudado radicalmente. Comecei a editar o boletim mensal do ministério, escrever nova literatura e falar em seminários locais.

Deus continuou operando em minha vida. Para grande surpresa minha, descobri que o homossexualismo *não* era o meu único problema. Os desejos ilícitos por pessoas do mesmo sexo eram apenas um sintoma externo de ferimentos emocionais mais profundos que precisavam de cura. Através do grupo de apoio do LIA, fui capaz de confessar francamente tais lutas como a insegurança, o medo e a inveja que sentia dos outros homens.

O amor incondicional de minha igreja também foi fundamental para o meu crescimento — especialmente o apoio de homens corretos. Por causa de minha função na equipe de "Amor em Ação", todos conheciam o meu passado. Mas os homens em minha igreja não tinham medo de demonstrar sua aceitação através de um sorriso ou um abraço caloroso.

Durante toda a minha vida lutei contra sentimentos de inferioridade diante de outros homens. Mas, através da afirmação desses homens cristãos, lentamente comecei a sentir-me como mais "um dos rapazes". Havia recebido um pouco dessa reafirmação do mesmo sexo no seminário, e a cura continuava.

Então, aconteceu a maior de todas as surpresas. Em 1984, senti que Deus estava me levando a um casamento. Busquei confirmação e conselho junto ao meu pastor e amigos mais íntimos. Nove meses depois, estava trocando votos matrimoniais com uma bonita morena de olhos castanhos. Uma nova aventura ia começar!

Mas, mesmo no casamento, meu processo de cura continuou. Como homem casado, cresci em meu papel de marido, e amigo de minha esposa, Pam. Como muitos homens que lidaram com o homossexualismo, luto às vezes contra a minha passividade. Ainda odeio confrontações, por isso Deus me dá muitas oportunidades de crescer nessa área (quer isso signifique pedir a um vizinho "macho" do apartamento de cima para abaixar o volume de sua TV às 11 da noite, ou dizer a minha esposa o que eu *realmente* penso acerca de suas idéias para as nossas férias!).

Quer seja enfrentar as raízes de meu homossexualismo ou algum outro desafio em minha caminhada espiritual, sei que o meu crescimento vai continuar por toda a vida. E esse é o mesmo desafio e promessa que cada cristão enfrenta. Nenhum de nós já "chegou". Nisso estamos todos juntos!

O Que Temos Aprendido

Durante os 14 anos passados, conhecemos pessoalmente centenas de homens e mulheres que deixaram para trás o estilo de vida gay e lésbico. Vamos partilhar mais de suas experiências nos próximos capítulos.

Através de nossos anos de envolvimento prático no ministério, aprendemos que cada pessoa que procura vencer o homossexualismo é diferente. Aqueles que saíram do homossexualismo abrangem uma grande variedade de idades, personalidades, ocupações e denominações eclesiásticas.

Alguns ex-gays e antigas lésbicas estiveram antes mergulhados na subcultura homossexual de cidades como San Francisco ou Nova York por várias décadas. Outros enfrentaram uma luta silenciosa, não confiando em ninguém, jamais passando por uma experiência homossexual — mas lutando profundamente com fantasias e desejos por relacionamentos com pessoas do mesmo sexo.

Agora, alguns desses homens e mulheres foram libertados do envolvimento gay há dez ou vinte anos. Eles não estão apenas contendo seus fortes anseios homossexuais ou lésbicos. Houve uma verdadeira solução para essa questão em suas vidas.

Não existe um plano idêntico de ação para cura, nenhum remédio instantâneo ou fórmula mágica. Alguns desses vencedores encontraram toda a ajuda de que precisavam em suas igrejas locais. Muitos outros encontraram apoio em um ministério local de ex-gays, como o “Amor em Ação”, que oferece aconselhamento e grupos de apoio em encontros semanais. Outros ainda, homens e mulheres — aqueles com sintomas profundamente enraizados e precisando de experiência profissional — buscaram terapia psicológica particular adicional.

Este livro não vai responder a todas as suas perguntas. Mas esperamos que sirva como introdução às questões mais importantes que você vai enfrentar quando buscar vencer o homossexualismo. Enquanto estiver lendo sobre como Deus operou nas vidas de outros homens e mulheres, verá outras opiniões e receberá encorajamento para o seu próprio processo de recuperação.

2

EVIDÊNCIAS BÍBLICAS E CIENTÍFICAS PARA A MUDANÇA

"*Uma vez gay, para sempre gay" é um conceito comum na comunidade homossexual.* Muitos gays e lésbicas acham que nasceram homossexuais. Não se lembram que escolheram conscientemente ser atraídos por pessoas do seu próprio sexo. Por isso, a lógica corrente diz que o homossexualismo deve ser genético ou hormonal, e não há nada que possa ser feito a respeito disso.

Tal idéia parece lógica, mas não cremos que se fundamente na verdade. Tanto as Escrituras e muita literatura secular fornecem evidências de que o homossexualismo, apesar de profundamente arragaido e habitualmente praticado, pode ser vencido — como estilo de vida e como identidade.

Buscando a Verdade

O que a Bíblia *realmente* diz acerca do homossexualismo? *Todo* comportamento homossexual é proibido? Ou apenas o relacionamento promíscuo sem amor ou compromisso?

Eu (Bob) enfrentei esta questão sobre a perspectiva bíblica do homossexualismo. Como estudante universitário de 18 anos de idade, descobri uma impressionante coleção de livros sobre homossexualismo na biblioteca da universidade. Alguns desses livros apresentavam a questão do homossexualismo de um ponto de vista "religioso", embora todos eles fossem favoráveis à adoção da prática homossexual como estilo de vida normal.

Numa manhã de sábado, eu estava deitado na cama lendo um desses tratados sobre homossexualismo. Conforme lia página após página de argumentos justificando a prática do sexo entre pessoas do mesmo sexo, minha mente desejou muito crer nas palavras que lia. *Se eu tão-somente pudesse abraçar esse ponto de vista,* pensava, *todo o conflito que sinto dentro de mim se resolveria.*

Mas, por mais que tentasse, uma convicção mais forte recusava-se a arredar o pé de minha consciência: *Este livro está errado. Estes argumentos estão errados. O homossexualismo está errado!*

Lágrimas de frustração me vieram aos olhos quando percebi que, por mais tempo que passasse lendo que o homossexualismo era uma opção aceitável para o cristão, jamais seria capaz de crer nela. Eu conhecia muito bem a posição bíblica sobre o sexo fora do casamento. Quer o sexo acontecesse entre um homem e uma mulher solteiros ou entre dois parceiros do mesmo sexo, a prática sempre seria fornicação ou adultério. Nenhum argumento mudaria o padrão de Deus.

Portanto, eu tinha de tomar uma decisão clara: Obedeceria à Palavra de Deus, ou buscaria reinterpretá-la para atender aos meus desejos sexuais?

PAUSA

Poucas ex-lésbicas e ex-gays aceitaram a posição bíblica sobre o homossexualismo sem alguma luta. Se você ainda sente um conflito interno sobre esse assunto, não fuja da luta. Enfrente-a de cara, e passe algum tempo examinando o problema. Preparamos algumas respostas às interpretações costumeiras pró-gay das Escrituras sobre o homossexualismo no apêndice A. Talvez você queira fazer uma pausa agora e examinar esse material antes de prosseguir na leitura deste capítulo.

A Bíblia e o Homossexualismo

A Bíblia condena a prática homossexual em diversas passagens: Gênesis 19:1-20; Levítico 18:22; 20:13; Juízes 19:1-25; Romanos 1:24-27; 1 Coríntios 6:9-11; e 1 Timóteo 1:9-11. A passagem de Romanos inclui uma proibição específica sobre o envolvimento de homossexuais masculinos e femininos.[1] A Bíblia não faz declarações positivas sobre o homossexualismo. As únicas duas opções confirmadas para os cristãos adultos são o casamento heterossexual ou a abstinência.

A grande maioria de mestres acadêmicos e bíblicos concorda que a Palavra de Deus proíbe práticas homossexuais. Quase todas as traduções atuais aceitáveis da Bíblia também concordam: a prática homossexual é proibida por Deus.

Além disso, há evidências bíblicas explícitas de que Deus pode transformar a vida de uma pessoa envolvida nesse comportamento. Em 1 Coríntios, capítulo seis, o apóstolo Paulo está se dirigindo a homens e mulheres na igreja de Corinto. Ele faz uma lista de muitas formas de comportamento — inclusive o envolvimento homossexual — que impedem a entrada da pessoa no reino de Deus (v. 9). Então Paulo faz uma declaração espantosa: "Tais *fostes* alguns de vós; mas vós vos lavastes, mas fostes santificados, mas fostes justificados, em o nome do Senhor Jesus Cristo e no Espírito do nosso Deus" (v.11, o grifo foi acrescentado).

Paulo conhecia antigos homossexuais na igreja de Corinto! Portanto, a mensagem de que o homossexualismo pode ser mudado não é nova; os homossexuais têm experimentado transformações desde que a Bíblia foi escrita.

A Igreja proibiu relacionamentos homossexuais desde o seu início. Esta posição não é encontrada apenas nas passagens bíblicas, mas também em outras obras da Igreja dos primeiros séculos depois de Cristo. Por exemplo, *The Teaching of the Twelve Apostles* (Os Ensinamentos dos Doze Apóstolos), escrito entre 100 e 150 d.C., é um manual de instruções para cristãos. Algumas das práticas a serem evitadas são: "Não cometerás homicídio, não cometerás adultério, não cometerás atos homossexuais, não roubarás."[2]

Evidências Científicas

Outro apoio para os ministérios dos ex-gays vem, surpreendentemente, dos pesquisadores mundialmente famosos cujos estudos fortalecem a idéia de que o homossexualismo pode ser transformado. Naturalmente, há um grande debate hoje entre os pesquisadores quanto às causas do homossexualismo e o papel que a genética e outros fatores pré-natais poderiam desempenhar.

Nenhum estudo prova conclusivamente que o homossexualismmo é inato (de nascença). Se tal prova existisse, receberia imediatamente publicidade mundial e as discussões existentes acabariam. Apesar da falta de evidências conclusivas, muitas pessoas crêem que o homossexualismo nasce com a pessoa. Certamente isso proporciona uma explicação rápida para o fato de tantas lésbicas e homossexuais se sentirem *diferentes*. Também explicaria por que os sentimentos e a identidade dos homossexuais é difícil de mudar.

Periodicamente, um relatório científico sobre este assunto é publicado e recebe muita atenção da mídia. Por exemplo, na edição da revista *Science* de agosto de 1991, o pesquisador Simon LeVay publicou seu estudo sobre as diferenças na estrutura cerebral entre homens homossexuais e heterossexuais.[3]

Jornais e revistas por todo o país consideraram o estudo como prova adicional de que a tendência homossexual nasce com o homossexual. O estudo de LeVay era interessante, mas não cremos que ofereça quaisquer provas conclusivas de causas genéticas para o homossexualismo.

O estudo tinha diversos pontos fracos evidentes. Primeiro, baseou-se em um pequeno grupo de 35 homens. Segundo, o 19º homem homossexual havia morrido de AIDS, um fator que poderia prejudicar os resultados. Terceiro, o grupo de controle de 16 homens era composto "supostamente de heterossexuais na sua maioria ou totalidade".[4] Era uma grande suposição para um estudo tão importante. Finalmente, causa e efeito não foram estabelecidos. Os homens no estudo se tornaram homossexuais por causa de sua estrutura cerebral, ou a sua estrutura cerebral mudou por causa de seu envolvimento com o homossexualismo? Muitos estudos têm chegado à conclusão de que as células do cérebro mudam por causa das experiências na vida da pessoa.[5] Em resumo, este projeto de pesquisa tinha tantos problemas potenciais que um professor concluiu: "Meus estudantes de primeiro ano de biologia sabiam o suficiente para abandonar este estudo."[6]

O estudo Bailey-Pillard sobre gêmeos também foi largamente publicado na mídia. O psicólogo Michael Bailey da "Northwestern University" e o psiquiatra Richard Pillard da Escola de Medicina da Universidade de Boston provaram que se um gêmeo idêntico é gay, o outro tem duas vezes mais chances de se tornar gay do que se os gêmeos fossem fraternos. (Gêmeos idênticos são iguais geneticamente; mas gêmeos fraternos desenvolvem-se de dois óvulos separados fertilizados por espermatozóides separados, e, por isso, são geneticamente diferentes.)[7]

Este estudo é interessante mas não é conclusivo. Se o homossexualismo é puramente genético, gêmeos idênticos partilham da mesma orientação sexual, quer sejam homossexuais ou heterossexuais, 100% do tempo. Como ambos os gêmeos cresceram no mesmo lar, o impacto ambiental sobre cada um deles não pode ser excluído dos resultados. Um estudo melhor para provar o efeito da genética observaria a incidência do homossexualismo concorrente em gêmeos idênticos criados juntos no mesmo lar versus a incidência em gêmeos idênticos criados separadamente.[8]

Outro Ponto de Vista

Por isso esses estudos criam questões interessantes, mas nenhum fornece qualquer evidência sólida para o homossexualismo inato. Por outro lado, muitos psicólogos especializados crêem que o homossexualismo *não* é inato e pode ser mudado. A mídia popular raramente menciona os resultados desses estudos.

"Recentemente, tive a oportunidade de rever os resultados de psicoterapia com homossexuais e fiquei surpreso com as descobertas," disse o Dr. Reuben Fine, diretor do Centro de New York para Treinamento de Psicanálise. "Se os pacientes forem motivados, seja qual for o procedimento adotado, uma grande porcentagem abandonará o seu homossexualismo. Em relação a isto, a informação pública é da maior importância. As informações erradas espalhadas por certos círculos de que 'o homossexualismo é intratável pela psicoterapia' provoca incalculáveis prejuízos a milhares de homens e mulheres."[9]

Masters e Johnson, pesquisadores de sexo, disseram em seu livro *Homosexuality in Perspective* (Homossexualismo em Perspectiva) que a proporção de sucesso em 81 gays desejosos de receber reorientação (depois de seis anos de acompanhamento), foi de 71,5%.[10] Sua conclusão: "O psicoterapeuta qualificado já não poderia mais fugir à responsabilidade de aceitar o cliente homossexual em tratamento ou enviá-lo a outra fonte aceitável de tratamento."[11]

"O maior desafio no tratamento do homossexualismo do ponto de vista da resistência do paciente tem sido, naturalmente, a idéia equivocada de que a desordem é inata," escreveu o Dr. Charles Socarides, psiquiatra e professor na Faculdade de Medicina Albert Einstein de Nova York, em *American Handbook of Psychiatry* (Manual Americano de Psiquiatria).[12]

O Dr. Irving Bieber serviu como presidente da Faculdade de Medicina de Nova York e dirigiu uma equipe de pesquisas em um estudo de nove anos sobre homossexualismo masculino. Eis o que Bieber e seus colegas concluíram: "Os resultados terapêuticos de nosso estudo apóiam uma perspectiva otimista. Muitos homossexuais tornaram-se exclusivamente heterossexuais no tratamento psicanalítico. Embora esta mudança possa ser mais facilmente atingida por uns do que por outros, a nosso ver, *uma mudança heterossexual é uma possibilidade para todos os homossexuais que estão fortemente motivados a mudar"* (grifo nosso).[13]

Dezessete anos depois, o Dr. Bieber declarou: "Temos acompanhado alguns pacientes que permaneceram exclusivamente heterossexuais por dez anos. A inversão atualmente é calculada de 30% a uns 50% otimistas."[14]

Esses debates são longos e complexos e vão provavelmente continuar durante muitos anos. Estaria além do alcance deste livro entrar em grandes detalhes científicos.

Finalmente, cremos que estudos posteriores vão confirmar o que já sabemos, que a cura é possível para os homossexuais que desejam mudar.

Quanto Tempo Leva?

O tempo para você experimentar mudanças em sua sexualidade depende de diversos fatores.

❑ *Seu compromisso com Cristo e o processo da mudança.* Se você fez uma sólida decisão de seguir a Cristo e acolher bem a obra dele em cada área da vida, inclusive a sua sexualidade, vai começar com vantagem. Os fatores abaixo entrarão em jogo quando você buscar a cura, mas a profundidade do seu compromisso com Cristo vai corresponder fortemente à profundidade de sua cura.

❑ *Seu envolvimento passado homossexual ou lésbico.* Você pode ter estado profundamente envolvido em relacionamentos homossexuais ou lésbicos durante anos, se não décadas. Ou você pode apenas ter pensado em se envolver. Alguns homens se lembram de terem sido atraídos por outros garotos desde a infância. Algumas mulheres nunca tiveram um pensamento ou desejo lésbico até 20 anos depois de casadas.

Nossas experiências sexuais do passado estão todas registradas no cérebro. Elas não são magicamente apagadas no momento em que pedimos perdão a Deus. Apenas um transplante de cérebro as apagaria — o que não é uma perspectiva agradável! Uma parte significativa da luta para sair do homossexualismo está relacionada com lembranças e emoções ligadas aos nossos pecados do passado.

❑ *Seus motivos para se envolver com o homossexualismo em primeiro lugar.* Nossos motivos para buscar o envolvimento sexual diferem grandemente uns dos outros. As questões subliminares que dão lugar aos desejos homossexuais podem ser completamente diferentes de uma pessoa para outra. Por exemplo, algumas mulheres entram no lesbianismo depois de anos de abuso sexual ou qualquer outro trauma nas mãos de pais ou outros homens mais velhos. Seus temores fundamentais e suas motivações para buscar a afeição de outras mulheres podem estar profundamente enraizados e são complexos.

Outras mulheres crescem num ambiente familiar saudável, mas por causa de experiências com o sexo oposto que as desiludiram ou, devido à influência do movimento feminista, elas acabaram se envolvendo em um relacionamento lésbico. Seu processo de recuperação pode ocorrer mais rapidamente.

Semelhantemente, alguns homens têm profundas feridas emocionais que retrocedem à sua tenra infância que precisam ser enfrentadas e curadas. Outros ficam confusos em sua identidade sexual depois de terem sido sexualmente molestados por outro homem, embora antes tivessem impulsos heterossexuais. A situação de cada pessoa é diferente; por isso o caminho de cada pessoa para vencer o homossexualismo também será único.

❑ *Sua participação no processo da mudança.* Alguns antigos homossexuais resolveram, por um período, dedicar grande parte do seu tempo e energia no processo de recuperação. Por exemplo, uma antiga lésbica juntou-se a um grupo de apoio para recuperação de homossexuais, depois passou muitas horas lendo com atenção, diariamente, as instruções e a Bíblia, anotando as descobertas em seu diário e orando com seus novos amigos do grupo. Três anos depois de seu último relacionamento lésbico, estava feliz e casada, sentindo-se segura em sua nova identidade.

❑ *A soberania de Deus.* Um fator no seu processo de recuperação não está sob o seu controle. Por motivos que não sabemos explicar, Deus resolve trabalhar mais depressa em algumas vidas do que em outras.

Um homem casado estava profundamente envolvido com

atividades homossexuais promíscuas, e então se tornou cristão. Literalmente suas tentações homossexuais desapareceram da noite para o dia, e seu casamento heterossexual foi restaurado. (Esta é uma situação muito rara.)

Outros homens e mulheres submetem sua sexualidade a Deus para serem curados e, então, andam em obediência fiel à sua Palavra. Suas experiências mudam, mas a um passo muito mais lento. Quer pese o ritmo da mudança ou o período de tempo envolvido, a mudança genuína vale o esforço.

Por que Eu Me Tornei Heterossexual?

O alvo do ex-gay ou da antiga lésbica é a inteireza em *todas* as áreas da vida, inclusive a capacidade de ter relacionamentos saudáveis e íntimos com o sexo oposto. Esta dinâmica de vida é verdadeira para todos, homens e mulheres, quer sejam solteiros ou casados.

Muitos antigos homossexuais finalmente experimentam o casamento e a paternidade. Esta opção é certamente possível, mas não deveria ser o seu alvo inicial na busca da recuperação. Descobrimos que alguns ex-gays cometem o erro de idealizar o casamento, como se ele fosse resolver todos os seus problemas. Seus amigos casados podem lhe dar uma "contraprova da realidade" nessa fantasia!

Naturalmente, ser casado não prova que o antigo homossexual está "curado". Temos falado com muitas pessoas que estão casadas e ainda lutam com sentimentos e comportamento gays. Vivem com os pés cada um em um mundo diferente, sentindo-se presos na armadilha com uma fachada heterossexual enquanto secretamente anseiam pela intimidade sexual do seu próprio gênero. São em geral desesperadamente infelizes. (Se você está nessa situação, o capítulo 13 foi escrito exatamente para você.) Uma aliança de casamento não significa que a sua questão homossexual está resolvida.

Voltemos à questão. Precisamos esclarecer uma coisa. O que entendemos da palavra *heterossexual*?

Muitas pessoas buscam encaixar-se na normalidade cultural, em vez de buscar o nível de pureza sexual para o qual Deus nos chama. Por exemplo, você pode ficar imaginando se vai experimentar um desejo ardente, forte, apaixonado, olhando para uma pessoa atraente do sexo oposto na praia. É possível, mas isto certamente não é o nosso alvo para a cura. Deus não substitui uma forma de concupiscência por outra.

Em vez da concupiscência, a cura tanto para as mulheres como para os homens significa experimentar interesse sexual pelo sexo oposto, como também amizades sadias com homens e mulheres. Para nós, isto constitui a heterossexualidade verdadeira e piedosa.

Se você experimentar a solução para a sua homossexualidade e Deus finalmente o levar ao casamento, certamente pode esperar um relacionamento sexual gratificante com o seu cônjuge. Experiências sexuais no casamento podem ser tão excitantes para o antigo homossexual quanto o são para qualquer outra pessoa.

A Recuperação É Um Processo

O crescimento espiritual é um processo que leva toda a vida. Trabalhar nas falhas de caráter e nas feridas do passado, nas imaturidades e inseguranças é um processo longo para *todos*, não apenas para o homossexual e a lésbica que estão se recuperando.

Alguns homens e mulheres ex-gays ficam tão presos à questão da homossexualidade que se esquecem de que os outros cristãos também têm um “passado”. Em muitas coisas você não é nada diferente dos outros crentes. Resista à tendência de olhar para os outros na sua igreja como sendo melhores do que você. “Eles parecem que têm tudo ajustado," você suspira. "Olhe, todas as pessoas de minha idade já estão casadas e têm filhos. Eu sou um fracasso!"

Griffin, um ex-gay, estava se sentindo inseguro acerca de seu próprio progresso até que foi a um retiro de fim-de-semana para homens e se familiarizou mais com alguns dos homens de sua igreja. Depois de uma mensagem sobre pureza sexual, muitos homens confessaram suas lutas com a habitual masturbação, pornografia e pensamentos impuros. Um homem casado disse que estava sendo contínua e fortemente tentado a cometer adultério com uma mulher que conhecera no trabalho. Outro homem mais velho partilhou sua história de ter sido abusado quando jovem e sua subseqüente confusão sexual.

Ele percebeu que suas próprias lutas com a auto-imagem e concupiscência como ex-homossexual não eram afinal tão fora do comum. Muitos homens corretos, ele descobriu, lutavam em batalhas parecidas.

Nosso alvo final é nos tornarmos como Jesus Cristo — inteiros e completos em cada aspecto de nosso ser. A homossexualidade é apenas uma manifestação de nossa fragmentação e imperfeição. Conforme nos aproximamos da imagem de Deus, vamos cada vez mais tornando-nos a pessoa que ele criou para nos realizarmos em *todas* as áreas da vida.

3

A DINÂMICA DA TRANSFORMAÇÃO

"*Nossa libertação do homossexualismo vem de uma Pessoa, mais do que de um método*", diz Frank Worthen, que passou mais de 20 anos na homossexualidade antes de abandonar esse estilo de vida e começar o "Amor em Ação" em 1973.

Como Frank descobriu, o interessante no processo de transformação é que a mudança propriamente dita não é o nosso alvo. A mudança é o que *ocorre* quando buscamos um alvo bem mais importante e mais forte: conhecer, amar e "olhar para" Jesus.

"E todos nós com o rosto desvendado, contemplando, como por espelho, a glória do Senhor, somos transformados de glória em glória, na sua própria imagem, como pelo Senhor, o Espírito" (2 Co 3:18).

Ao sair do homossexualismo, nós às vezes focalizamos *com demasiada* intensidade nossos mais íntimos defeitos, incredulidades, feridas passadas e tendências para o pecado.

Olhando para dentro, podemos sentir como se estivéssemos vendo uma poça cada vez mais funda de confusão e desespero.

A libertação e a cura vêm quando olhamos para cima — para Jesus — e entramos cada vez mais profundamente na comunhão com ele. O grito de nosso coração se torna: *Deus, preciso te conhecer. Eu quero te amar e te adorar. Eu quero ser um homem ou uma mulher que reflete a tua imagem. Purifica-me de tudo o que se interpõe entre ti e mim.*

Deus se deleita em responder a uma oração. Ele só entende a combinação complexa de escolhas e circunstâncias que nos têm moldado para nos fazer quem nós somos hoje. Ele está completamente atento às nossas dores e fraquezas, contudo a visão dele de "que nós estamos em Cristo" excede longe nossas forças de imaginação. Seu desejo por nós supera – e de fato inspira – nosso desejo por ele.

Mudança é uma aventura cooperativa entre Deus e nós mesmos pela força do Espírito Santo. A graça dele nos autoriza a fazer as escolhas que conduzem à liberdade em nossa sexualidade e em toda outra área de vida. Nós o buscamos e ele não só revela a nós quem ele é mas quem nós somos.

Alguns de nós lutamos com uma visão distorcida de Deus, e isto torna difícil para nós confiar nele, especialmente em áreas sensíveis como sexualidade e identidade. Nós podemos não estar aptos a separar nossa imagem de Deus de algo que foi abusivo e decepcionante em nosso passado. Quando isto é verdade, nós podemos confessar isto a Deus e pedir-lhe que nos cure deste erro. Ele é poderoso para fazer isto de maneiras que pessoalmente falem conosco e nos garantam a vitória.

Entrega e Mudança

Por que algumas pessoas fazem isto fora da homossexualidade enquanto outros não? Nós pensamos muito sobre esta pergunta, refletindo acerca de muitas pessoas que nós sabemos que fizeram uma parada final e duradoura da homossexualidade e outras que prosseguem.

Um denominador comum entre homens e mulheres que experimentam mudança significativa envolve o objetivo de controle em suas vidas. Estes indivíduos decidiram seguir Cristo e cumprir a sua vontade custe o que custar.

Talvez você escutou sermões sobre "render-se" a Cristo e a maravilha que isto implica sobre as lutas. Uns poucos se revoltaram à idéia inteira de rendição, temendo que eles perderão sua autonomia para o controle de um ditador celestial. Outros dão boas-vindas a este pensamento, esperando ser liberado do desafio constante de fazer escolhas difíceis e decisões.

Basicamente, rendição é um ato de fé. É um passo de compromisso fundo que envolve: (1) dar permissão a Deus para trabalhar em nossa vida do modo que ele agrada, e (2) fazer uma decisão para confiar nele no meio de circunstâncias, acreditando que ele está trabalhando através delas para nosso último bem.

Quando eu (Lori) aceitei Cristo em 1973, meu compromisso era bem relutante. Mentalmente me convenci de que o Cristianismo era verdade, que "Jesus era o Caminho". Mas eu me lembro de ter assistido a uma reunião de oração onde todo mundo estava cantando "A cruz na minha frente, o mundo atrás de mim..." Olhando para aquele círculo de crentes, seus olhos fechados em adoração reverente, eu quis correr para fora da sala. A cruz parecia surgir ante mim. Mas o mundo seguro não estava atrás de mim. De fato, aquela foi uma noite muito importante para mim.

Durante o próximo ano e meio eu me sentia uma miserável. Todos os dias era uma batalha para eu me interessar por Deus. Eu me sentia mais à vontade em uma festinha familiar do que em um estudo bíblico; contudo, eu me via como uma hipócrita em ambos os lugares. Eu sabia o suficiente de Deus para negar a realidade dele, mas meus esforços para coexistir com ele estavam produzindo tensão insuportável.

Finalmente eu pude ver que *ter Cristo em minha vida* não ia ser problema. E o que Deus na verdade estava requerendo de mim era que eu tivesse minha vida em Cristo (Rm 6:11).

O escritor C. S. Lewis disse: "O homem caído simplesmente não é uma criatura defeituosa que precisa de melhoria: ele é um rebelde que tem que baixar os braços".[1] Eu fiz uma decisão para vir a Deus nos termos dele — rendição incondicional. *Deus, eu quero seu caminho*, eu orei. *Eu quero Jesus para ser Senhor da minha vida*. E eu entendo assim.

O alívio que me veio foi excelente. Enquanto eu encontrava desafios difíceis e escolhas dolorosas, a vida cristã se tornava uma alegria. Deus e eu estávamos agora no mesmo time, enfrentando a batalha juntos. Ele é minha rocha, meu aliado, mais que meu inimigo.

Todos os cristãos enfrentam a decisão de aceitar ou rejeitar o senhorio de Cristo. Porém, o homossexual antigo enfrenta isto mais cedo que a maioria.

Deixar o homossexualismo integralmente requer cura emocional profunda e um reestruturação de nossa identidade inteira. Como nosso Criador, Deus é o único que sabe restabelecer nossa personalidade. Para completar este trabalho de cura, ele pede nossa cooperação.

Nossas tendências naturais são jogar fora a mesa operacional, correr quando deveríamos descansar, e deixar de levar nossos antibióticos o mais rápido possível. A graça e o poder para resistir estas tendências vêm quando nós conseguimos conhecer melhor o Senhor, aprendendo a confiar no cuidado dele por nós.

Há momentos em que as pressões sobre a vida parecem intoleráveis. Mas estas são ocasiões em que Deus permanece fiel ao compromisso que nós fizemos com ele. No meio de aflição e dificuldades extremas, ele nos mostra sua capacidade infinita de decidir situações impossíveis.

A Escolha para Se Render

Para alguns homossexuais antigos, estar face-a-face com a decisão de render-se profundamente a Cristo pode acontecer em momentos inesperados e de modos inesperados.

Estava na igreja numa manhã do domingo em setembro de 1978, eu (Bob), e aprendi muito ouvindo um conhecido evangelista. Eu gastei o resto do dia lendo a sua autobiografia, que contava histórias das aventuras dele compartilhando Cristo ao redor do globo. Naquela noite eu fui à igreja cheio de expectativa, pronto para escutar um testemunho desafiador.

Mas as coisas não aconteceram como eu havia esperado. Durante o culto, eu pude sentir o compromisso profundo do evangelista para com Jesus Cristo. Eu ouvi falar das mil almas que ele havia ganhado para Cristo, e eu me sentia condenado sobre meu próprio compromisso.

Senhor, eu orei, *eu quero usar minha vida de tal modo que ela possa contar como a vida daquele homem está contando para teu reino*. Em meu espírito eu ouvi uma pergunta inesperada: "E você está disposto a pagar o preço?"

Eu ponderei aquela pergunta durante os próximos três dias.

Sentia Deus desafiando-me a lhe ceder toda a minha vida, de um modo muito mais profundo do que eu fizera antes. Eu sentia o *spotlight* dele procurando em uma área escura de minha vida – minha homossexualidade – área que eu havia mantido cuidadosamente escondida de todo o mundo. Durante anos, eu havia feito muitas orações: *Deus, por favor leve este problema para fora, e se tu curares minha homossexualidade, eu serei um cristão vibrante. E minha vida realmente contará para o teu reino.*

Mas nenhuma de minhas orações passadas parecia fazer muita diferença.

Agora eu soube que Deus estava me chamando para um compromisso mais profundo do que qualquer coisa que eu havia experimentado, e eu não gostei disto. Eu quis me pendurar na... em quê? Na minha antiga homossexualidade? Não, realmente. Mas havia algo que me impedia de uma entrega total.

Talvez fosse o orgulho. E medo? Sim, eu ficava assustado com o que Deus perguntaria. Talvez algum dia eu teria que contar a outros sobre minhas lutas de homossexual. Meu coração batia por tal possibilidade.

Durante os próximos vários dias eu lutei, firmemente resistindo ao desafio de Deus. Finalmente, nas horas tardias de uma noite de verão, eu me rendi. *Ok, Senhor, eu lhe darei esta área de vida.* Esta declaração simples marcou um ponto principal em minha vida.

Minha decisão não me libertou imediatamente da homossexualidade; antes, ela abriu-me para Deus começar a trabalhar de um modo mais profundo. Desde aquele dia em 1978 Deus tem gradualmente dominado minha vida, uma transformação que afetou minha carreira, minha personalidade e minha sexualidade, gradualmente.

PAUSA

Você já deu a Deus permissão específica para operar em *cada* área de sua vida, inclusive sua sexualidade? Reserve alguns minutos para anotar quaisquer temores que você tenha acerca dessa decisão. Entregar o controle dessas áreas a Deus vai fazer com que ele opere de maneira nova em sua vida.

Submetendo a Nossa Homossexualidade

Agora vamos examinar aplicações específicas deste princípio à questão da recuperação do homossexualismo e do lesbianismo.

❑ *Submeter-se a Cristo significa aprender a lhe obedecer um passo de cada vez no processo da recuperação.* Para alguns este passo pode significar abrir-se pela primeira vez a um outro indivíduo com referência a sua homossexualidade.

Jim disse: "Tenho orado durante anos contra esses sentimentos, mas nada tem funcionado." Mas ele jamais confessou suas lutas a alguém, exceto Deus. Assim como Jim, muitas pessoas não vão considerar essa opção de falar com outra pessoa. Eles a descartam como impossível por causa de sua posição na igreja, sua preeminência em uma pequena comunidade, ou seu temor de perder um emprego, um casamento, uma família.

Essas preocupações são legítimas, mas todos nós precisamos de apoio e incentivo dos outros. Há poder na confissão mútua. "Se, porém, andarmos na luz como ele está na luz, mantemos comunhão uns com os outros, e o sangue de Jesus, seu Filho, nos purifica de todo pecado" (1 Jo 1:7).

❑ *Reconhecer o senhorio de Cristo significa confiar em seu momento para a recuperação.* O pensamento "Deus-faça-isto-agora-ou-dia-tal" é um buraco sem fundo no processo de cura. Pense na resposta de um médico se um doente canceroso lhe dissesse: "Dou-lhe dois meses para me curar. Se o seu tratamento não eliminar todos os sintomas do câncer, vou desistir." Da mesma maneira, não podemos colocar limites de tempo para o nosso processo de cura. Deus tem um horário diferente para cada um de nós.

❑ *Submeter-se a Cristo significa perseverar apesar das emoções dolorosas ou atrações poderosas.* Podemos experimentar raiva intensa, tristeza ou inveja, e contudo progredir maravilhosamente em nosso processo de cura. Às vezes, Deus espera até que tenhamos desenvolvido um nível sólido de confiança nele antes de permitir que tais emoções venham à tona. Igualmente, podemos nos encontrar sobrepujados com sentimentos de desejos homossexuais ou lésbicos. Eles podem vir de muitas fontes, inclusive de ataques satânicos ou fadiga. Ou eles podem vir à superfície junto com muitos outros sentimentos reprimidos. Quando essas emoções aparecem, podemos reconhecê-las, orar pedindo força a Deus para lidar com elas, e então procurar compreensão e cura para os assuntos subjacentes.

Caminhos de Transformação

Através dos anos, os cristãos têm tido hábitos pecaminosos a ser vencidos e incredulidades a ser substituídas pela verdade. A mesma disciplina cristã que os ajudou vai nos ajudar também.

❑ *Permanecendo na presença de Deus.* Uma disciplina poderosa e um canal de cura é aprender a estar na presença de Deus: aquietando-nos diante de Deus, repousando nele, desfrutando da comunhão com ele. "Aquietai-vos, e sabei que eu sou Deus" (Sl 46:10).

Podemos estar na presença de Deus enquanto trabalhamos, fazemos uma visita, tomamos banho de chuveiro ou picamos legumes para o jantar. Eu (Lori) gosto de me aquietar diante de Deus preparando-me para períodos de oração e intercessão. Às vezes fico tão relaxada na presença de Deus que não consigo colocar minhas orações em palavras, mas me afasto na certeza de que as petições do meu coração foram ouvidas.

Outro aspecto maravilhoso de praticar a presença de Deus é o que a escritora e conferencista Leanne Payne descreve como "ouvir a palavra de cura". Seu livro *The Broken Image* (A Imagem Quebrada) é um grande recurso sobre a eficácia da oração de cura para vencer a homossexualidade e o lesbianismo.

Sobre ouvir Deus, ela diz: "Assim, na Presença, ouvindo a palavra que o Espírito envia, a cura espiritual e psicológica acontece. Nosso Senhor envia uma palavra — de alegria, de juízo, de instrução, de orientação. E essa palavra, se escondida em um coração obediente, vai operar na integração dessa personalidade. Quando ouço e obedeço, *eu me transformo.*"[2]

Quando ouvimos a Deus, reservando um tempo para estar em sua presença, descobrimos nossa verdadeira identidade em Cristo.

❑ *Orando por nós.* Em nossos períodos pessoais de oração, precisamos ser honestos com Deus acerca de nossos pensamentos homossexuais ou lésbicos, desejos e lutas. Ele não ficará chocado com as confissões de envolvimento na masturbação, pornografia ou outros pecados sexuais. Nada que façamos ou digamos é surpresa para ele. Confessar os nossos pecados e falhas a Deus é a única maneira de sermos perdoados (1 Jo 1:9), e cada um de nós precisa apresentar-se a ele limpo todos os dias, livre do peso da condenação do nosso passado.

Porém, a maioria de nós passa por períodos em que a oração parece um peso. Podemos aliviar isso sendo mais específicos em nossas orações, deixando que Deus conheça nossos desejos mais profundos, nossas esperanças sobre como ele vai operar em nossas vidas. Muitas pessoas anotam suas orações, deixando um espaço em branco para escrever a data em que Deus respondeu aquela oração e como. (Não se esqueça de rever a sua lista e registrar as respostas!)

Outros têm encontrado incentivo em recursos visuais que lembram que Deus responde a oração. Jane, por exemplo, mantém um grande vaso perto de sua cama. Quando Deus responde uma oração específica, ela coloca uma bolinha colorida no vaso. Conforme as semanas vêm e vão, Jane tem ficado perplexa com o número de bolinhas que agora se encontram em seu quarto de dormir como um lembrete colorido do interesse de Deus em sua vida.

❑ *Orando pelos outros.* Podemos sentir a necessidade de orar por nossos antigos amigos que ainda estão ativamente envolvidos no homossexualismo. Às vezes, eles não estão interessados em ouvir acerca de nossa decisão de buscar mudança. A oração é uma forma poderosa de alcançá-los, quer estejam cientes disso ou não.

Eis algumas idéias específicas de orar por velhos amigos. Escreva os nomes daqueles que você pensa e que ainda estejam envolvidos com o homossexualismo. Peça a Deus que abra os olhos deles à verdade sobre onde sua escolha sexual vai levá-los. Ore para que Deus prolongue as vidas de seus amigos que têm AIDS, e peça que ele coloque cristãos que possam amá-los e que partilhem com eles as verdades sobre a eternidade de maneira que não seja condenadora. *Se você acabou de abandonar o estilo de vida gay, não está suficientemente forte para voltar e testemunhar a seus amigos. Mas você pode ser muito eficiente na oração.* Transforme suas preocupações em pedidos de oração.

❑ *Louvando e Adorando.* "Os indivíduos que têm maior chance de abandonar o homossexualismo," diz Frank Worthen, "são aqueles que se entusiasmam com Deus, que antecipam o que ele vai fazer a seguir em suas vidas. Eles vêem Deus trabalhando até mesmo em pequenos detalhes da vida deles, e seus corações estão cheios de louvor."

Os salmos, particularmente os hinos de Davi, ilustram o poderoso efeito de libertar emoções profundas para com o Senhor através da música. Eis como a música desempenhou um papel de cura ajudando uma mulher a sair do estilo de vida lésbico.

A infância de Débora foi marcada por traumas, inclusive repetidos episódios de abuso sexual. Ela cresceu "emocionalmente gelada", com pouco senso de limites ou segurança. Mesmo depois de se tornar cristã, Débora cambaleou de um relacionamento pecaminoso para outro. Então, depois de experimentar a presença de Deus de maneira nova em um retiro de mulheres, o Senhor lhe deu uma chave para destrancar suas emoções: cantar.

"Deus me mostrou que se eu cantasse apesar de minhas feridas e sentimentos, eles viriam à tona e seriam curados." Um dia, enquanto estava cantando hinos de louvor, Débora teve uma grande experiência: "O louvor de Deus explodiu em meu coração como nunca. Tive a maravilhosa sensação de ser um bebê recém-nascido, acalentado nos braços de papai. Eu me senti aquecida e segura, e levantei os olhos para ver os olhos amorosos de Deus pela primeira vez."

Mais tarde, Débora correu por um campo com os braços estendidos, gritando e rindo em sua nova descoberta do amor de Deus Pai. "Papai me ama! Meu pai me ama!" ela gritava repetidas vezes, com seu coração explodindo de alegria. Deus se revelara a ela de maneira nova, direta e profunda.[3]

❑ *Estudando a Bíblia.* Jack era um ávido leitor da Bíblia, mas descobriu que tinha problemas em se lembrar de versículos específicos. Alguém sugeriu que iniciasse uma "concordância pessoal". Ele comprou um caderno pautado, e então começou a prestar atenção em versículos específicos que se aplicavam às suas lutas. Jack os anotava no seu caderno sob diferentes títulos. Ele lutava contra fantasias homossexuais, por isso prestava atenção a versículos que pudesse anotar sob o título "Vida dos Pensamentos". Também lutava contra a pornografia, por isso registrou versículos tais como: "Não porei coisa injusta diante dos meus olhos" (Sl 101:3) em outra seção. Jack também adaptava ligeiramente versículos para aplicá-los diretamente à sua situação: "Fiz aliança com meus olhos; como, pois, os fixaria eu libidinosamente em um homem?" (Jó 31:1). Jack descobriu que havia *muitos* versículos que não mencionavam especificamente a homossexualidade, mas que eram aplicáveis às suas lutas diárias.

Outros possíveis títulos para uma concordância pessoal incluíam as questões básicas da homossexualidade e as emoções com as quais você está lidando durante esse período de sua vida (sentimento de inferioridade, medo dos outros cristãos, solidão, frustração sexual, masturbação, medo, relacionamentos saudáveis, feminilidade, relacionamento com os pais).

O ponto central aqui é personalizar as Escrituras para a sua própria vida e lutas. Embora seja útil ler e até mesmo memorizar a Bíblia, a chave é a *aplicação*. Os princípios bíblicos e as considerações devem ser trabalhados em sua vida antes de você começar a perceber mudanças efetivas.[4]

❑ *Um Diário.* Registrar nossos pensamentos em um diário é uma maneira excelente de observar o nosso progresso. Todos nós sentimos a tendência de achar às vezes que estamos estagnados. Se pudermos retroceder e ler diários antigos, imediatamente perceberemos nosso crescimento. "Um diário é um bom mapa de estrada para ver como nos saímos," diz Débora, que mantém um diário desde o colégio.

Num diário você registra suas emoções e impressões sobre o que Deus está fazendo em sua vida. Algumas pessoas escrevem todos os dias em seus diários, outras semanalmente e outras algumas vezes por mês. Você pode incluir poemas e orações a Deus, como também alvos espirituais para a próxima semana, mês ou ano.

Esta atividade é especialmente recomendada para aqueles que não têm agora uma pessoa com a qual possam falar de seus problemas. Escrever os seus pensamentos e orações é um excelente método de auto-terapia. "Você descobrirá profundezas de cura que não encontrará na presença de outra pessoa," diz uma ex-lésbica. "O jornal oferece uma tremenda oportunidade de entrar na intimidade do Senhor."

"Você vai descobrir que enquanto anota os seus problemas, muitas vezes descobre as respostas bem diante de você," diz Jeff Konrad, um ex-homossexual e autor de *You Don't Have to Be Gay* (Você Não Precisa Ser Gay). "Nem posso começar a contar a você quantas vezes fui ao meu diário e reli seções dele para encorajamento. Havia dias deprimentes quando eu não me sentia bem e estava pensando: *De que adianta, fracassei de novo.* Mas, depois de ler partes de meu diário, podia ver quanto tinha avançado. Uma porção de coisas havia mudado; eu crescera de muitas maneiras."[5]

Uma Rede de Apoio Cristão

Quando examinamos a questão por que algumas pessoas conseguem sair do homossexualismo enquanto outras não conseguem, temos observado duas características inter-relacionadas e comuns àqueles que têm sucesso: (1) a extensão da separação de sua rede de apoio gay, e (2) a qualidade do seu envolvimento com uma igreja local.

Deus nos fez criaturas sociais. A maioria, até mesmo os introvertidos, não se sente feliz e em completo isolamento dos outros. Todos nós desejamos passar alguns momentos em companhia de outras pessoas que partilham dos nossos interesses, quer seja filiar-se ao clube de saúde local, freqüentar as reuniões dos AA, apoiar um determinado candidato político, ou juntar-se a um grupo de música ou de teatro local. Através do envolvimento em grupo, nossas necessidades locais são atendidas e nossos interesses e habilidades são reforçados.

Quando você sai da homossexualidade, pode ficar um imenso vácuo deixado na sua vida social. Algum outro grupo de pessoas deve substituir seu ex-círculo social gay, ou você será atraído de volta. Poucas pessoas, se é que existem, abandonam o homossexualismo por si mesmas. Quase todos os ex-gays que conhecemos fizeram esta difícil transição com o forte apoio de amigos cristãos. A maior parte dessas amizades significativas se formou através do envolvimento na igreja local. *Se o seu relacionamento com outros cristãos não se tornar mais forte (e mais estável) do que o sua relação com os amigos gays, você provavelmente retornará ao envolvimento homossexual.* É uma declaração incisiva, mas descobrimos que é verdadeira com quase todos os ex-gays que conhecemos através dos anos. A comunidade gay não quer dissidentes. Cristo também não. A quem você deseja servir?

Para você, como cristão, a igreja é o lugar natural para encontrar uma rede nova de amigos que dão apoio para a sua jornada de cura. O comportamento homossexual, como qualquer outro pecado, é vencido pelo poder de Deus. Deus usa pessoas nesse processo, e ele tem estabelecido a igreja local como um lugar de cura e apoio interpessoal. Em Hebreus 10:25, este princípio encontra-se claramente exposto: "Não deixemos de congregar-nos, como é costume de alguns; antes, façamos admoestações." A Bíblia nos exorta a nos unirmos a outros cristãos. Isto é especialmente vital para o homem e para a mulher que estão saindo do homossexualismo.

Envolvimento com a Igreja

Talvez você não tenha freqüentado a igreja durante anos. Ou talvez vá a uma igreja, mas ninguém sabe a respeito de suas lutas homossexuais. Talvez você já tenha um grupo de amigos que lhe dá apoio, mas duvida que mais pessoas na sua igreja precisam saber sobre suas lutas sexuais.

Talvez você se encontre na mesma situação de Tim, o homem que escreveu esta carta: "Estou no ponto do desespero total. A homossexualidade tem sido uma luta silenciosa em minha vida. Durante os três anos passados, sucumbi a uma vida dupla — brincando de igreja e vivendo como homossexual ativo. Minha situação é desesperadora e fútil. Não há ninguém em minha igreja com quem eu tenha a liberdade de confidenciar acerca de minha situação."

Se você é como Tim e milhares de homens e mulheres como ele, tem quatro opções:

❑ *Manter silêncio e continuar em sua igreja.* Suas lutas sexuais provavelmente não vão mudar. Você não vencerá sua homossexualidade e tem, enfim, todas as chances de sair da igreja totalmente desanimado.

❑ *Permanecer em sua igreja e confiar em um líder da igreja.* Através dos anos, eu (Bob) falei a dezenas de pastores e outros líderes de igreja que estão ansiosos em ajudar os membros de suas congregações que lutam contra a homossexualidade. Com freqüência, esses pastores não têm muita experiência para tratar do assunto, mas estão ansiosos por aprender. Abrir-se com um pastor, diácono ou professor de adultos na Escola Dominical talvez seja a melhor atitude na busca de respostas.

❑ *Permanecer em sua igreja e encontrar ajuda fora da igreja.* Para o bem da família (esposa, filhos) ou muitos outros motivos, alguns homens e mulheres ex-gays acham que sair de uma igreja que não é capaz de ajudá-los não é uma opção, pelo menos por enquanto. Para essas pessoas, a melhor solução é encontrar aconselhamento ou apoio parecido fora da igreja. Por exemplo, eles permanecem fazendo parte de uma igreja, freqüentando os cultos de domingo, mas vão a um grupo de apoio para ex-gays semanalmente, ou consultam um conselheiro profissional em uma agência cristã local.

❑ *Procurar uma nova igreja.* Esta opção deveria ser a última a considerar. Procurar uma nova igreja pode se tornar uma experiência exaustiva, frustrante e demorada. Mas, se vencer a homossexualidade for um alvo prioritário neste período de sua vida, vale à pena o investimento de tempo em procurar uma igreja sadia onde você possa fazer significativos progressos em sua caminhada espiritual.

Questões sobre Confissão

Alguns ex-gays e antigas lésbicas ficaram surpresos com a reação positiva quando contaram a seu pastor acerca de suas lutas homossexuais. Janice filiou-se a uma igreja local e tornou-se ativa no ministério com pessoas idosas, o que lhe dava grande alegria. Mas com o passar do tempo, sentiu que uma parte importante de sua vida estava sendo cuidadosamente escondida dos outros. Isto a aborrecia secretamente.

"Eu comecei a experimentar tentações cada vez maiores na área da homossexualidade," Janice se recorda. "Por muito tempo eu esperei que o Senhor simplesmente resolvesse o meu problema, e assim eu não teria de contar a ninguém."

Uma noite Janice recebeu um telefonema inesperado que mudou a sua vida. No outro lado era um homem que ela não conhecia. Acusava Janice de ser lésbica e a ameaçava com violência física. Janice disse ao homem: "Agora eu sou cristã," e desligou.

Mas ficou aterrorizada — não tanto pelo que o homem pudesse fazer, mas porque a sua igreja poderia descobrir sobre seu passado. A semana inteira a voz no telefone a perseguiu. Finalmente, desesperada, decidiu ir falar com o seu pastor.

Recebeu uma reação inesperada.

"Meu pastor sentiu-se encorajado com o meu testemunho," Janice recorda, "e achava que eu deveria partilhá-lo com toda a igreja. Não fiquei muito entusiasmada com a idéia."

Mas, embora as palavras do pastor a deixassem nervosa, quanto mais Janice pensava e orava sobre a proposta dele, mais sentia-se convencida de que a sugestão era exatamente o que Deus queria que ela fizesse.

Chegou o dia do culto e Janice sentiu uma paz profunda por dentro. "Sabia que Jesus estava comigo. O Espírito Santo me deu ousadia para partilhar minha história e a maioria das pessoas a recebeu com amor. E eu experimentei uma imensa liberdade nessa área da minha vida que há muito desejava."

Janice diz que, através da experiência de partilhar com a igreja, ela descobriu a verdade das Escrituras: "Eles, pois o venceram (a Satanás) por causa do sangue do Cordeiro e por causa da palavra do testemunho" (Ap 12:11).

John Smid também teve muitas experiências positivas quando começou a contar à sua igreja em Omaha, Nebraska, sobre o seu passado homossexual. John recorda, entretanto, que também teve alguns medos. "Como fazia parte do grupo de solteiros de minha igreja, fui convidado a conferências de fim-de-semana onde precisei dividir um quarto e até mesmo uma cama com outro homem do grupo.

"Nunca me esquecerei da primeira noite em que dormi com outro homem da igreja na mesma cama. Fiquei totalmente paralisado, certificando-me de que não ultrapassaria uma linha imaginária do meio da cama. *Eu não quero que Don pense que alguma coisa estranha está se passando,* eu pensava. *Se ele conhecesse o meu passado, não haveria de querer partilhar o mesmo quarto comigo — muito menos a mesma cama.*

No princípio, John foi cauteloso sobre o que contava de seu passado porque tinha receio de que não seria convidado para os eventos dos retiros masculinos. Mas descobriu que tais medos eram sem fundamento. "Descobri que aqueles que realmente se importavam comigo como irmãos em Cristo disseram que meu passado homossexual não lhes fazia nenhuma diferença. Ainda queriam ser meus amigos."

John sentiu um grande alívio quando deixou que os outros homens soubessem acerca de suas lutas. Seus amigos se tornaram seus companheiros de oração quando continuou a trabalhar os problemas fundamentais que o levaram ao homossexualismo.[7]

4

EXPONDO AS RAÍZES

As gigantescas sequóias do litoral da Califórnia são fascinantes. Cada árvore parece um gigante vivo, que respira com vida e personalidade próprias. Quando uma tempestade ou um incêndio derruba uma delas, há uma sensação de que caiu "um gigante" — especialmente quando se examina o incrível sistema de raízes que apóia aqueles monólitos.

As raízes, embora superficiais, podem espalhar-se por centenas de metros em todas as direções, entretecendo-se com o sistema de raízes de outros gigantes. As impressionantes árvores que as pessoas vêem são apenas metade da história. Embaixo da terra jaz toda uma "floresta", fornecendo nutrientes e apoio para as gigantescas sequóias, mantendo cada árvore firmemente no lugar.

Para o cristão que está saindo da homossexualidade ou do lesbianismo, o problema gay pode parecer tão grande em sua vida como uma gigantesca sequóia: enorme, óbvio, inabalável, imutável. Mas, exatamente como o sistema de raízes por baixo da floresta das sequóias, o homossexualismo também tem raízes. Muitas coisas por baixo da superfície de nossas vidas alimentam a identidade gay e a mantém firme no lugar. Conforme essas raízes são identificadas e tratadas, através da orientação de Deus e no seu tempo, a homossexualidade se torna cada vez menos firmemente estabelecida. Mesmo a identidade lésbica ou homossexual, tão abrangente e tão enraizada, vai submeter-se à cura paciente, persistente e gentil de Deus.

Por que Estudar as Raízes?

Antes dos anos setenta, não havia ministérios criados especificamente para ajudar as pessoas a sair da homossexualidade. Os cristãos que lutavam contra as tentações gays ou lésbicas encontravam certa medida de cura simplesmente utilizando as disciplinas básicas cristãs — oração, estudo bíblico, comunhão — às suas vidas. Alguns encontravam forças para se absterem da atividade homossexual, mas poucos viam quaisquer mudanças significativas na intensidade de seus sentimentos homossexuais ou na maneira pela qual viam a si mesmos. Muitos criam que o melhor que poderiam esperar era tornarem-se, cerrando os dentes, homossexuais cristãos, abstinentes.

Por volta de 1973, começaram a surgir ministérios especializados para ex-gays. Esses grupos examinaram mais atentamente a questão: "Um homossexual pode realmente mudar?" Antigas lésbicas e gays não se contentavam em cerrar os dentes, afogando constantemente tentações sexuais esmagadoras para ganhar a etiqueta de "bom cristão". Se Jesus era real — e eles criam que era — queriam ver o poder dele operando em suas vidas.

Conversando com homens e mulheres que procuravam uma saída do homossexualismo, líderes de ministérios com ex-gays começaram a perceber fatores comuns nos antecedentes de pessoas que vinham pedir ajuda.

As áreas principais onde estes padrões emergiam eram:

- ❑ desenvolvimento precoce na infância
- ❑ antecedentes familiares
- ❑ temperamento e interesses
- ❑ pressão dos colegas
- ❑ abuso sexual

Conforme os indivíduos começavam a examinar essas áreas de suas vidas, lidando com oração e franqueza com os sentimentos e feridas sob a superfície, gradualmente experimentavam mudanças espantosas.

As histórias e introspecções deste capítulo são chaves para abrir as cadeias da identidade, sentimentos e comportamentos lésbicos e homossexuais. Não examinamos as raízes do desenvolvimento homossexual para dragar a sujeira de nossa infância ou jogar a culpa sobre nossos pais. Fazemo-lo porque *entender o desenvolvimento do homossexual aponta o caminho da verdadeira solução.*

Podemos olhar para trás e ver o que foi responsável pelo que não somos. Quando trazemos à luz nossos próprios atos e atitudes errados, podemos confessar nossa culpa e receber o perdão de Deus. Onde fomos vítimas das circunstâncias e dos atos cruéis de outras pessoas, podemos ganhar entendimento e aprender a perdoar.

Antes de mais nada, não cremos que a homossexualidade nasça com a pessoa. Fundamentamos nossas crenças nos ensinamentos da Bíblia sobre o homossexualismo, apoiados pela falta de provas científicas conclusivas para tal teoria (veja o capítulo dois). Mas mesmo se as tendências homossexuais fossem uma característica herdada, não as interpretaríamos como um endosso para o envolvimento gay ou lésbico. Muitos estudos têm indicado que as tendências para o alcoolismo ou para a depressão são herdadas. Mas não abraçamos o alcoolismo e a depressão como estilos de vida "alternativos aceitáveis". Antes, tentamos ajudar as pessoas que sofrem dessas tendências a encontrar cura e recuperação.

Enquanto rejeitamos a visão de que a homossexualidade é geneticamente determinada, reconhecemos que as circunstâncias e pressões que forçam um homem ou uma mulher a concluir "Eu sou gay" ou "Eu sou lésbica" podem ser traçadas através de cada estágio do crescimento e desenvolvimento de um indivíduo. Vamos examinar o que pode acontecer em cada um desses estágios: infância e meninice, anos da escola primária, puberdade e adolescência, e juventude.

Vila Sésamo, Sr. Rogers e Identidade Sexual

Até onde podemos perceber, ouvir e sentir — no nascimento, ou até mesmo no ventre materno — começamos a receber informações que nos dizem quem somos. Muito antes de podermos articular nossos sentimentos ou até mesmo organizar um pensamento, podemos sentir paz, calor, conforto, amor. Podemos também detectar distúrbios, tensão, ira e medo. Todos nós ouvimos histórias sobre crianças órfãs que realmente morreram por falta de apoio e afeto caloroso, mesmo quando suas necessidades físicas de alimento e abrigo foram atendidas. Deus nos criou como seres físicos, emotivos e espirituais, e isto se torna evidente desde o comecinho de nossas vidas. Embora os acontecimentos desses primeiros anos não sejam a *causa* de nos tornarmos lésbicos ou homossexuais, podem armar o palco para os problemas se desenvolverem mais tarde na vida.

Teoricamente, o primeiro ou os dois primeiros anos de vida de uma criança desenvolvem um laço profundo e seguro de amor com a mãe, o que leva a um *senso sadio de identidade pessoal*. O psicólogo Erik Erikson chama a isto de desenvolvimento de "confiança básica,"[1] enquanto a escritora e professora Leanne Payne considera o processo algo como "iniciar um sentimento de ser".[2] Com um sólido senso de identidade e uma certeza de que as suas necessidades de amor e cuidado serão atendidas, uma criança tem um bom fundamento para o crescimento e desenvolvimento futuros.

Quando este fundamento é desfeito, a criança fica vulnerável a todos os tipos de problemas. Os bebês que não recebem "confiança básica" vêem o mundo como um lugar amedrontador e imprevisível. Quando não experimentam segurança com suas próprias mães, tendem a considerar todos os novos acontecimentos e pessoas com expectativa negativa. Dependendo do temperamento da criança, isto pode ser expresso por retraimento, apatia e passividade, ou por intensa agressão e emoção descontroladas. Crianças que não experimentam um "senso de ser" crescem sentindo um vazio ou lacuna íntimos, uma "ansiedade de separação". Isto pode manifestar-se mais tarde na vida através de um impulso irresistível de ligar-se com outra pessoa e descobrir nela a sua identidade.

Deixar de adquirir a "confiança básica" ou um "sentimento de ser" são condições encontradas em toda a sociedade e não provocam, por si mesmas, a homossexualidade ou o lesbianismo. Mas crianças que começam a vida com falta deste fundamento são extraordinariamente vulneráveis a todos os desarranjos do desenvolvimento, inclusive aqueles que moldam suas identidades sexuais.

Enquanto uma falha nos laços com a mãe afeta profundamente tanto os bebês masculinos como os femininos, a identidade sexual parece ser mais visivelmente formada por *interrupção dos laços com o genitor do mesmo sexo*: menininhas que não têm ligação profunda com a mamãe, meninos que se sentem separados e alienados do papai.[3]

A história de Terri é uma ilustração em dose dupla deste problema: "Para início de conversa, eu fui adotada. Minha verdadeira mãe tinha 15 anos de idade, e vivia entre seis irmãos. Uma porção de vergonha daquele segredo cercou a gravidez. Seus pais nem sabiam o que havia acontecido; nem o rapaz de quem ela engravidou. Depois de meu nascimento, passei vários meses em lares adotivos, e não tenho idéia do que aconteceu comigo ali. Mamãe e papai me adotaram quando eu tinha quatro meses de idade."

"Recentemente, minha mãe me entregou o meu álbum de bebê, e eu o li todo. Quando eu tinha dois anos, ela escreveu: 'Terri tem apenas meninos para brincar com ela, e está ficando bastante rude.' Eu diria que fui uma criança difícil de criar. Ela nunca me disse: 'Eu te amo.' Eu penso que nós nem mesmo tínhamos algum tipo de relacionamento. Sentia mais o amor e a afeição do papai, por isso me identifiquei com ele e me tornei sua auxiliar, a sua sombra.

"Freqüentemente, eu era confundida com um menino. Em meu retrato do Jardim da Infância estou usando uma gravata e um chapéu do exército. Penso que minha identidade sexual estava em perigo desde muito pequena."

Meninos pequenos podem perder seus pais por causa de morte ou divórcio, acontecimentos traumáticos que deixam o garotinho ansiando por amor e proteção de um homem. Mas muitos homens que lutam contra a homossexualidade cresceram com pais normais, "bons rapazes", mas emocionalmente distantes e neutros.

"Papai era dono da agência Chevrolet local," lembrase Phil. "As pessoas em nossa pequena cidade gostavam dele e o respeitavam. Minhas duas irmãs nasceram no início da década de cinqüenta, e eu cheguei alguns anos depois. Papai ficou muito entusiasmado em ganhar o 'seu menino'. Ele tinha grandes sonhos de nós dois jogando futebol e pegando trutas.

"Eu queria agradar papai, mas ele realmente não ficava muito em casa. Como adulto, entendi como o seu negócio exigia muito dele. Mas, como garoto, só sabia que ele não estava ali. Então, quando ele tentava brincar comigo, eu era tímido e não tinha coordenação. O zelo inicial de papai pela minha masculinidade logo se transformou em vergonha. Eu não era o filho que ele desejava."

Três anos depois que Phil nasceu, chegou o seu irmão Max, e então os problemas de Phil realmente começaram. "Desde o momento em que Max começou a andar, parecia e agia como uma miniatura de zagueiro. Eu observava a fisionomia do papai iluminada quando ele o jogava para cima. 'Este é o meu garoto!' E o que é que isso provocava em mim? *Papai não gosta de mim*, eu pensava, com meu coração ardendo de vergonha e desapontamento. Dali em diante, eu me retirei quase exclusivamente para a companhia de mamãe e minhas irmãs."

Muitas pessoas experimentam algum grau de rejeição em seus primeiros anos de vida. Mas quando um garotinho falha em se ligar ao seu pai e uma menininha não consegue relacionar-se intimamente com a mãe, está lançado o fundamento para futuras lutas de identidade sexual.

Temperamento e Interesses

O temperamento inato também exerce papel importante. Meninos que nascem com uma natureza sensível, intuitiva e artística podem ser mais vulneráveis aos desarranjos no relacionamento com o pai. Na verdade, se um garotinho assim experimentar rejeição e for exposto ao ridículo por seu pai, podemos apostar que terá lutas de identidade sexual mais tarde. Contudo, se este "déficit de amor"[4] for preenchido de maneira significativa por um avô, um padrasto ou um irmão mais velho amorosos, os efeitos negativos podem ser minimizados.

O que aconteceu com Phil é típico: A mãe percebe que o filho está sendo rejeitado (ou negligenciado) pelo pai, sente compaixão e lhe dá amor e atenção extras. "Mães sufocantes" costumam ser tidas como culpadas pela homossexualidade de seus filhos. É verdade que uma mãe excessivamente íntima e dominadora que procura atender às necessidades emocionais de seu filho, necessidades que o seu marido não atende, pode prejudicar a masculinidade de seu filho. Contudo, mais freqüentemente, uma mãe está apenas tentando "estar lá" para o seu filho, para compensar a ausência ou falta de interesse do pai. Quando o garotinho é sensível, torna-se fácil para ele imitar sua mãe, adotando seus gestos, sua maneira de falar e toda a sua perspectiva de vida. Enquanto isso, a fome que o menino sente de amor, orientação e proteção de um homem continua crescendo.[5]

Temperamento inato e estrutura física afetam também o desenvolvimento precoce das meninas. Com freqüência, espera-se que uma filha seja meiga e dócil, mas algumas nascem falando alto, chutando e com a aparência de quem está pronto para treinar para o triatlo. Se os pais da menina também forem agressivos e atléticos, ou pelo menos gostarem dessas características, provavelmente ela vai crescer sendo uma mulher heterossexual forte e confiante. Mas, às vezes, uma mãe terá de lutar para aceitar uma filha agressiva e ativa, e a menininha vai sentir a ambivalência de sua mãe. Sentindo-se ferida e rejeitada, a menina pode mais tarde afastar-se de sua mãe, desligando-se da fonte de amor que ela precisa para ajudá-la a adquirir a sua própria identidade feminina. Em troca, ela fica com um déficit de amor do mesmo sexo, o que a deixa vulnerável a futuros envolvimentos lésbicos.

Os anos da Escola Primária: Barbie Versus Sargento Tainha

"Paus e pedras podem quebrar meus ossos, mas palavras nunca me atingirão." Esse ditado não contém nenhum grãozinho de verdade! Os arranhões, esfoladuras e ossos quebrados que ganhamos no pátio do recreio provavelmente já sararam todos. Mas os nomes cruéis e as observações maldosas que foram lançadas contra nós ali podem continuar soando aos nossos ouvidos, machucando e levando-nos a nos encolhermos de vergonha.

No primeiro grau, o lar e a família ainda desempenham papel forte na formação de nossa identidade, mas é o momento quando as poderosas forças da pressão dos colegas fazem-se valer. Se o "molde" de nossa identidade sexual for estabelecido nos anos pré-escolares, o primeiro grau é o período quando ele começa a ser preenchido de cimento fresco.

Um garotinho já afastado do seu pai provavelmente está recebendo agora o mesmo tratamento de seus colegas, junto com alguns rótulos e apelidos maldosos: "Ralph é um ________________" (preencha com mariquinha, boboca, moleirão, choramingas, ou pior ainda, uma menininha).

Em vez de enfrentar a humilhação que certamente vão encontrar na equipe esportiva, Ralph e outros como ele geralmente desenvolvem passatempos solitários: leitura, desenho, música, computadores, televisão. Eles podem cultivar a amizade das meninas, aprendendo a pular corda, apresentando-se para brincar de casinha. Ou, então, se juntam a outros meninos tímidos e retraídos e até começam a ter algumas experiências sexuais.

Para as meninas, os anos do primeiro grau geralmente apresentam poderosos acontecimentos que contribuem para envolvimento lésbico posterior. Nos primeiros anos da escola primária, uma menina extrovertida provavelmente não vai ser caçoada ou rejeitada pelas outras meninas. Mas a nossa cultura sexualmente orientada apressa nossas crianças para uma puberdade prematura. No segundo ou terceiro ano, a maioria das menininhas está preocupada em ser bonitinha, popular, terem roupas da moda e rir dos namoradinhos. (Na verdade, muita coisa já está em andamento no Jardim da Infância.) A menina que não partilha desses interesses, que realmente prefere esportes, bagunças e amizades com os meninos, começa a sentir-se desligada das outras.

Terri se lembra de receber a mensagem de todos os adultos à sua volta de que agia mais como menino do que menina. "Ela é muito levada!", eles comentavam.

"Eram comentários bem-humorados," Terri recorda, "mas eu absorvia tudo o que eles diziam. Eu não sabia quem eu era. Sentia-me rejeitada como menina. Parecia que eu deveria ter nascido um menino."

Em casa, as meninas dessa idade (entre os cinco e os dez anos) podem encontrar outros padrões fortes que aumentam a vulnerabilidade para um envolvimento lésbico futuro.

A situação de Patty tipifica um desses padrões. "Eu era a mais velha de três meninas. Meu pai era mestre de obras de uma firma construtora local; minha mãe ficava em casa e cuidava de mim e de minhas irmãs. Papai era trabalhador e bom provedor, mas seu gênio mesquinho e temperamento explosivo dominavam a casa.

"Mamãe tinha pavor dele. Ela era magra e miúda, nem sempre com boa saúde. Embora fosse doce e amorosa, nunca nos pareceu como mãe. Quando eu tinha seis anos, ela passou para mim a obrigação de tomar muitas decisões e o cuidado de minhas irmãs.

"Nos fins de semana papai bebia e, tarde da noite, a tempestade desabava. Ele gritava para minha mãe: 'Emma, você é uma idiota. Eu me mato de trabalhar a semana inteira para cuidar desta família, e você não consegue nem manter esta casa limpa. Você é um caso perdido.'"

"Eu e minhas irmãs recebíamos o mesmo tratamento. Elas choravam e se encolhiam como mamãe. Mas eu ficava tão irada, que sentia um calor subindo pelo meu peito, passando pelo rosto, até que meu couro cabeludo tinia e minha cabeça parecia que ia explodir. 'Seu grande bobo!' eu gritava. 'Por que você não nos deixa em paz?'"

"É estranho, mas isso o silenciava. Logo depois de minha explosão, papai saía batendo a porta da frente e ia para o bar ou para a casa de um amigo para passar a noite ali. Mamãe e minhas irmãs olhavam para mim com enorme admiração. Eu pensava: *Sou o verdadeiro protetor desta família.* Fantasiava a morte de meu pai, como arranjaria um emprego e sustentaria minha mãe e minhas irmãs. *Homens*! eu pensava. *Quem precisa deles?*"

Por sua vez, Mary era filha única, abrigada e protegida pelos pais, que tinham quarenta e poucos anos quando ela nasceu. "Toda a minha família era governada pelo temor de assumir riscos. Papai trabalhava há anos no departamento de empréstimos do banco e, até eu nascer, mamãe vendia flores em uma floricultura. Eles pensavam que não iam ter filhos nunca e ficaram entusiasmados quando eu nasci.

"Mas viviam amedrontados com alguma coisa que pudesse acontecer à sua 'menininha', e eu absorvi todas as fobias deles. Odiava jogos e meninos rudes — até o grupo de meninas da vizinhança me parecia selvagem demais e assustador. Na segunda série, ficava tão isolada que ninguém queria brincar comigo. Eu gostava de meu pequeno mundo seguro com mamãe e papai, mas uma enorme solidão se enraizou em meu coração. Desejava amizades, mas isso parecia completamente fora do meu alcance. Acho que esse isolamento ajudou-me a cair mais tarde na dependência emocional e finalmente, nos relacionamentos lésbicos."

Abuso Sexual

Enquanto a dinâmica familiar, o temperamento e a pressão dos colegas moldam fortemente a identidade sexual da pessoa, o fator comum que mais poderosamente impulsiona uma menina para a identidade lésbica é o abuso sexual: incesto, estupro ou molestamento.

O abuso sexual abrange *qualquer* tipo de intercâmbio sexual entre uma criança e uma pessoa maior, mais forte ou mais velha. O espectro do comportamento abusivo vai de um olhar demorado, com ou sem comentários verbais, até o toque e o beijo impróprios, o sexo oral e anal, e a penetração vaginal.

O incesto, que nós definimos como contato sexual com uma pessoa da família, parente ou responsável pela criança, é a forma mais comum e mais prejudicial de abuso sexual. Geralmente, o criminoso é um homem — pai, padrasto, tio ou irmão mais velho — embora mulheres também possam abusar de crianças.

O incesto opera terrível devastação porque a criança é traída e violada pela pessoa em quem ela deveria confiar para cuidar dela e protegê-la. Geralmente a criança molestada pensa: *Eu devo ser uma pessoa horrível para que uma coisa dessas aconteça comigo!* A pessoa que abusa dela pode ameaçar de machucá-la ou até mesmo de matá-la se ela divulgar o "nosso segredo".

Incapaz de lidar com o trauma de tais acontecimentos, a criança pode minimizar o abuso ou até mesmo reprimi-lo completamente. O tremendo volume de raiva, sofrimento e indignação vai para o subsolo, emergindo mais tarde em uma variedade de escolhas, uma das quais para as mulheres pode ser uma total rejeição dos homens e um apego exclusivo às mulheres em busca de amor e afirmação.

Aqui, Bárbara conta a sua história: "Nossa família parecia muito comum exteriormente. Mamãe era uma enfermeira que supervisionava o turno das três da tarde às 11 h da noite em um hospital. Era uma senhora animada, ativa e ocupada — não perdia muito tempo com emoções. Eu a admirava e queria ser como ela, mas achava que ela nunca me notava.

Parecia que eu nunca conseguia dela atenção, abraços, estímulo."

O pai de Bárbara era professor de ciências e treinador de beisebol. Filha única, Bárbara ia para o escritório dele depois das aulas para voltar de carro para casa. Na primavera, ele a levava para os treinos de beisebol. "Papai era mais carinhoso do que mamãe," ela se lembra. "Eu me sentia mais íntima com ele."

No verão, entre a quinta e sexta séries, Bárbara começou a amadurecer fisicamente. "Usava camisetas folgadas e jeans, esperando que ninguém percebesse essas mudanças. Papai começou a se distanciar de mim. Às vezes, eu o pegava olhando para mim de maneira estranha."

Uma noite, Bárbara estava estendida no sofá vendo televisão. Sua mãe estava no trabalho, e ela estava em casa sozinha com o seu pai. "Papai entrou e perguntou se podia sentar ao meu lado. Eu puxei as pernas para lhe dar lugar. Ele se sentou e, então, pegou minhas pernas e as esticou no seu colo, acariciando meus joelhos. No princípio me pareceu agradável, mas conforme eu assistia o filme, ele começou a passar as mãos para cima e para baixo de minhas pernas. Quando fiquei nervosa e me sentei, ele riu e disse: 'O que foi? Já não posso mais demonstrar amor à minha menininha?'"

As coisas começaram aí. "Papai começou a me contar como era solitário e como precisava de mim para lhe fazer companhia enquanto mamãe estava trabalhando. Eu não sabia o que pensar! Eu também me sentia solitária e embora o afeto do papai fosse incômodo, não queria magoá-lo nem deixá-lo bravo comigo."

Gradualmente, as noites no sofá progrediram em mais toques e, então, beijos. "Quando cheguei à sétima série, eu parecia ter 19. Papai disse que era sua obrigação de pai me ensinar acerca do amor e do sexo. Ele o fez, de todas as formas."

O incesto continuou por três anos. Bárbara odiava e desprezava aquele relacionamento sexual com o pai. Ela se sentia como uma "verdadeira monstruosidade, fazendo de conta que era uma menina normal por fora, mas por dentro sentindo que era a verdadeira esposa de meu pai".

Grande parte do ódio de Bárbara foi dirigido à sua mãe. *Como ela pode me abandonar assim nas mãos do papai?* ela imaginava. *Será que ela não percebe o que está acontecendo?* Quando Bárbara gritava e xingava sua mãe por coisinhas insignificantes, o seu pai a defendia: "Bárbara é uma típica adolescente — todas as adolescentes brigam com as suas mães." *É verdade,* Bárbara gritava por dentro. *Mas não são todas as adolescentes que fazem sexo com seus pais.*

"Conforme fui passando mais tempo com minhas amigas na escola, percebi como a minha situação com meu pai era estranha e horrível. Em vez de ter pena dele comecei a ameaçá-lo de contar à mamãe se os avanços sexuais continuassem. E comecei a ficar fora até tarde quase todas as noites, estudando na biblioteca ou na casa de amigas. Meu alvo principal era sobreviver até a formatura, quando poderia desaparecer para sempre."

As experiências sexuais de Bárbara com o seu pai influenciaram profundamente sua identidade sexual, causando-lhe desejos heterossexuais associados com sentimentos de vergonha e violação. Vamos ver a conclusão da história de Bárbara mais adiante neste capítulo.

O abuso sexual exerce grande impacto na identidade sexual do indivíduo em muitos níveis. No capítulo dez, vamos examinar a dinâmica e solução deste assunto, que afeta muitos homens também.

Últimas Séries do 1º e 2º Graus: Ataques Hormonais

A instalação da puberdade pode ser o último capítulo de uma novela de mistério: finalmente você descobre a quê todas aquelas dicas levaram!

Muitas pessoas com antecedentes lésbicos ou gays sentiam-se diferentes ou talvez poderiam ser rotuladas de "estranhos" desde uma tenra idade. Mas esses rótulos atingem o significado pleno geralmente nos últimos anos do primeiro grau, quando os primeiros ataques de forte atração sexual começam a surgir — e parecem surgir na direção errada.

Tom se lembra de como as meninas eram suas amigas íntimas durante o primeiro grau. "Eu jogava três-marias, brincava de casinha, pulava corda — tudo o que elas faziam — e me entendia bem com todas elas. As meninas me faziam sentir seguro e confortável. Os meninos pareciam estranhos e intimidantes. Assim, nos últimos anos do primeiro grau, a maior parte dos meninos começou a se interessar por meninas que pareciam diferentes e fascinantes. Para mim, as meninas eram familiares. Os meninos eram diferentes e fascinantes, e meus sentimentos de atração sexual eram para eles."

Aos 12 anos de idade, quando Tom chegou à conclusão de que era homossexual, decidiu nunca contar a ninguém a sua descoberta. Ele orou para que os sentimentos fossem "uma fase passageira" que finalmente desaparecessem.

Ainda que a nossa cultura seja superficialmente mais tolerante com a homossexualidade do que já foi, a maioria dos meninos do primeiro grau não quer ser gay. Muitos adolescentes que descobrem atração pelo mesmo sexo fazem como Tom: reprimem os sentimentos, ignoram-nos e esperam que passem. Até mesmo aqueles que agem como homossexuais resistem em aceitar o rótulo de "gay". Alguns começam a sair com o sexo oposto na esperança de afogar os seus sentimentos homossexuais. (Muitos meninos e meninas experimentam a homossexualidade durante os últimos anos do primeiro grau. Isso não significa de maneira nenhuma que serão gays, e geralmente seus *sen-*

timentos de atração sexual são heterossexualmente dirigidos.

Durante a infância, Janine Puls, uma assistente social e ex-líder do grupo "Ministério da Corrente no Deserto" em Los Angeles, sofreu abuso de meninos mais velhos e homens em diferentes ocasiões. Apesar de seus temores, ela começou a ter encontros durante o 2º grau. Mas esses relacionamentos heterossexuais apenas pareciam lhe proporcionar mais dor e sofrimento. Janine lembra-se de uma noite em particular: "Eu tinha um encontro para ir dançar. Era muito bacana, uma noite especial em um barco na Baía de San Francisco. Comprei um vestido novo para a ocasião. Então, no último instante, meu parceiro telefonou e cancelou o convite. Foi tão doloroso que me fechei emocionalmente. Decidi: 'Não estarei mais à disposição dos homens para marcar encontros depois disto.'" Esta experiência deu a Janine mais um empurrão na direção dos relacionamentos com o mesmo sexo. Finalmente, ela abandonou os homens completamente, ficando vulnerável aos relacionamentos lésbicos.

Durante todo o 2º grau, Jack ria e pilheriava com os outros rapazes sobre garotas e sexo, mas, secretamente, sentia pouca atração sexual pelas mulheres. Ele esperava que "a garota certa" aparecesse e o curasse de sua falta de interesse.

"Através do meu envolvimento com a equipe do livro do ano da escola, conheci Cindy, e começamos a namorar. Saíamos em quatro com um outro casal que trabalhava no livro do ano. Eles faziam sexo, por isso eu e Cindy também começamos a dormir juntos. Quando percebi que não tinha prazer em me envolver sexualmente com Cindy, fiquei realmente deprimido. Tinha de admitir para mim mesmo que me sentia muito mais atraído sexualmente pelos homens do que por mulheres. Meu desapontamento com Cindy confirmou o que eu comecei a suspeitar desde os meus primeiros anos de adolescência: eu devia ser gay."

2º Grau e Depois

O último passo no desenvolvimento de uma identidade lésbica ou homossexual vem na década após o 2º grau, quando todos os tipos de opções são expostos diante de nós. Longe das influências repressoras dos pais e das pessoas com as quais fomos criados, muitos de nós usam esses anos para experimentar qualquer coisa na busca de orientação e identidade em nossas vidas.

Para os jovens adultos, ir à faculdade ou envolver-se no mundo do trabalho abre uma diversidade de caminhos de auto-expressão. Se uma mulher tem qualquer inclinação para sentimentos lésbicos, agora é o momento em que ela está pronta para "buscar". Outras mulheres refreiam o envolvimento físico, mas criam relacionamentos inadequadamente íntimos e exclusivos com outras mulheres — chamados de "dependência emocional" (veja o capítulo nove). Colegas de quarto na Universidade, grupos feministas, esportes femininos, o departamento de teatro, ministérios cristãos universitários, são muitos — mulheres com as quais temos conversado encontraram sua primeira amante em todos esses lugares. E, apesar dos regulamentos militares, as forças armadas fornecem um ambiente natural para o ingresso no estilo de vida lésbico.

Foi o que aconteceu com Bárbara, que escapou dos avanços indesejáveis de seu pai quando saiu de casa depois do 2º grau: "Na faculdade, tentei namorar homens, mas quando estava com eles, voltavam os sentimentos de vergonha e repulsa que sentia com meu pai. Sentia-me atraída por amigas mulheres que eram competentes e agressivas, como minha mãe. Mas procurava aquelas que, diferentes de minha mãe, me oferecessem simpatia, atenção e apoio emocional."

No fim do seu primeiro ano de faculdade, Bárbara teve o seu primeiro relacionamento lésbico. "Quando estava com um homem sentia-me estranha e desconfortável, mas estar com uma mulher era maravilhosamente normal para mim, como se finalmente eu tivesse encontrado o que precisava."

Para muitos homens a maior decisão depois do 2º grau é se vai ou não "sair da toca" e identificar-se francamente como gay, ou manter uma *imagem correta* enquanto secretamente vai (envolver-se em comportamento homossexual) ou tentar afogar completamente os sentimentos homossexuais.

"No 2º grau, eu me angustiava por causa dos meus sentimentos sexuais," Rick se lembra. "Odiava a idéia de ser gay, por isso saía com garotas e experimentava os esportes, embora não fosse muito atlético. Qualquer coisa para ocultar o que estava se passando comigo. Quando fui para a faculdade, um grupo de gays tinha um escritório na união estudantil. Comecei a passar por lá, observando casualmente no começo. Não queria que alguém soubesse que estava interessado."

Algumas semanas depois Rick estava almoçando na lanchonete do campus. "Um dos líderes do grupo gay aproximou-se de minha mesa e disse: 'Eu sou Jim. Posso me sentar com você?' Eu quase engasguei com o meu cheeseburguer. Mas ele sentou-se mesmo assim. Depois de alguns minutos de conversa generalizada, ele disse: 'Tenho visto você por aí. Não sei se você vai se interessar, mas eu e meu colega de quarto estamos dando uma festinha hoje à noite. Aqui está o nosso endereço.'

"Ele escreveu em um pedaço de papel e deixou na minha bandeja. 'Vejo você depois, espero,' ele disse, e saiu da lanchonete. Fiquei aterrorizado — e interessadíssimo."

Depois de uma tarde de debate interno agonizador, Rick foi ao endereço anotado naquele pedaço de papel. "Minhas mãos estavam suando e meu coração batendo forte. Subi e toquei a campainha. Jim abriu a porta e sorriu. 'Entre,' ele disse. Eu entrei. Naquela noite, passei direto de uma linha para outra."

Estes exemplos são apenas alguns poucos modos como homens e mulheres tomaram a decisão: "Eu sou gay" ou "eu sou lésbica". Pressões de nossa cultura, de indivíduos que conhecemos e de nossa própria vulnerabilidade convergem para nos levar a tomar essa decisão. Uma vez lá dentro, sair se torna cada vez mais impensável.

O que induziria qualquer um de nós a abandonar um mundo que é confortável e aceito (pelo menos superficialmente), um mundo que parece atender todas as nossas necessidades emocionais, sociais e sexuais? É uma boa pergunta. No próximo capítulo vamos examinar algumas pessoas que decidiram deixar a homossexualidade e ficar sabendo por que tentaram uma mudança tão radical.

5

DIZENDO ADEUS

Um dos momentos mais emocionantes no filme "O Mágico de Oz" acontece quando o tornado levanta Dorothy, Totó e a casa da planície do Kansas, desolada, simples, em preto e branco, e os deixa em Oz. Dorothy leva alguns segundos para se recompor depois de aterrissar com aquele grande baque. Então, cautelosamente, abre a porta e espia um mundo todo novo... colorido!

Para algumas pessoas, vir a Cristo é como pousar em Oz. Comumente, existências enfadonhas são subitamente banhadas de cor e significado novo e vibrante.

Mas muitas pessoas que estão abandonando o estilo de vida lésbico ou gay para seguir a Cristo sentem como se estivessem experimentando o *Mágico de Oz* ao contrário. Seu compromisso com a vontade de Deus arrastou-as para longe do mundo teatral, estimulante, multicolorido do seu estilo de vida e as fez cair ruidosamente nas planícies chatas, pobres, em preto e branco do cristianismo. É assim que muitos se sentem.

Bill Hernandez, diretor de "The Healing Center" (Centro de Cura) na "Vineyard Christian Fellowship" (Comunidade Cristã da Vinha) em San Francisco, lembra-se o que experimentou quando abandonou o estilo de vida gay em 1978.

"Eu estive onde muitos gays considerariam o topo do seu estilo de vida. Meu amante, Grant, era atraente, calmo, muito masculino e financeiramente bem-sucedido. E era fiel. Ele queria um relacionamento para toda a vida.

"Morávamos em um apartamento com vista panorâmica para o Lago Merritt, em Oakland, com as luzes da cidade tremeluzindo por trás. Nosso apartamento era lindo: carpete branco espesso e imaculado; uma cozinha de azulejos reluzentes; móveis de carvalho caros.

"Nossa situação, sob diversos aspectos, era ideal — exceto eu. Eu me tornei cristão na U. C. Berkeley, antes de adotar esse estilo de vida. Agora, sentia que Deus estava me chamando para voltar para ele. Percebia em vislumbres do estilo de vida gay, como era tolo e destrutivo na realidade. Eu sabia que ser gay atrapalhava meu relacionamento com Jesus e, por mais confortável que me sentisse com Grant, precisava sair daquela."

Bill trabalhava com Nancy, uma mulher cristã que freqüentemente lhe falava acerca de sua igreja na vizinha San Rafael, que tinha um ministério para pessoas que estavam saindo do homossexualismo. "Meus ouvidos se aguçavam com isso," Bill se lembra. "Pensando que estava revelando meu mais profundo segredo, disse a Nancy: 'Você sabe, eu tenho esses antecedentes.' Ela simplesmente olhou para mim e disse: 'Eu sabia o tempo todo.'"

Bill visitou o ministério e fez planos para visitar uma das suas reuniões de grupo. Ele atravessou de carro a ponte Richmond-San Rafael e começou a procurar o local da reunião, um apartamento localizado acima de uma loja de produtos naturais.

"Estacionei o carro, passei por um monte de lixo que transbordava e exalava mau cheiro, e subi alguns degraus que rangiam e balançavam, e que precisavam de pintura. No alto da escada havia um espelho antigo, rachado e sujo de lama. Minha mente voltou para os espelhos reluzentes que cobriam uma parede de nosso quarto de dormir, do chão ao teto, no apartamento. *Talvez fosse melhor ir embora*, pensei, mas alguma coisa dentro de mim insistiu que continuasse.

"Entrei em uma sala-de-estar cheia de móveis dilapidados que não combinavam entre si. Diversas pessoas encontravam-se ali: Cindy, trajando uma roupa de caubói de poliéster negro com pespontos brancos, de aparência valentona, dedilhando um violão, com uma bota pontuda apoiada sobre o sofá; Craig, um homem de meia-idade com cabelos castanho-claros, examinando-me com olhos penetrantes; Jim, o líder do estudo bíblico, enfeitado com correntes douradas e gesticulando afetadamente.

"Atravessei a sala e me assentei perto de um homem jovem de cabelos escuros com intensos olhos castanhos que mantinha sua mão enfaixada em um balde de água gelada. 'Sou Paul,' ele disse. 'O que aconteceu com a sua mão?' perguntei. 'Oh!,' ele respondeu. 'Ontem à noite, minhas tentações homossexuais foram tão fortes, que eu enfiei meu dedo na parede.'"

Bill passou os olhos pela sala, comparando a cena diante dele com o seu apartamento acarpetado de branco e o amante "perfeito" em Oakland. "Eu odiei admitir, mas alguma coisa ali naquele ambiente deprimente com os seus estranhos habitantes estava me atraindo. Pela primeira vez em meses senti paz interior. Era como se Deus estivesse dizendo: 'É aqui que eu quero que você esteja.'"

Desgosto e Desorientação

Sempre que perdemos alguma coisa ou alguém importante para nós, a perda fica profundamente registrada em nosso íntimo. Quando esta perda afeta a nossa vida com força, nós sofremos. Para as pessoas que estão saindo da homossexualidade a perda pode ser multifacetada: uma rede de amigos, uma identidade, possivelmente um amante, uma situação segura, esperanças de ter um relacionamento romântico ou sexual (pelo menos, o tipo que preferimos). A mudança, geralmente, é dramática e total, e o sofrimento que se segue pode ser devastador.

Se você está no ponto de dar esse passo ou se você recentemente deixou o estilo de vida gay ou lésbico, você tem de se dar permissão para sofrer. Esse pode ser um passo crítico para a sua cura. Como cristãos, cometemos um sério erro quando transmitimos afoitamente a mensagem: "Se você tiver fé em Deus, ele vai ajudá-lo a agüentar qualquer coisa. Apenas louve o Senhor em suas provações."

Quando os outros vêem o estilo de vida ou o relacionamento que você está abandonando por ser pecaminoso ou negativo, talvez achem difícil reconhecer a sua necessidade de chorar. Cristãos honestos geralmente não conseguem imaginar, em primeiro lugar, por que você gostava de um estilo de vida homossexual; eles presumem que você está feliz por ter-se livrado daquilo. Talvez eles não entendam *nada* por que uma noite de estudo bíblico não entusiasma você tanto quanto uma noite com os seus amigos gays ou amigas lésbicas.

Por favor, não permita que a culpa e as pressões externas privem você de sua necessidade de chorar por aquelas coisas das quais você sente falta. Deus deseja ministrar às feridas e necessidades que você trouxer diante dele.

PAUSA

Anote as coisas de seu relacionamento homossexual passado das quais você sente falta. Peça a Deus que substitua esses anseios com seus novos desejos para a sua vida.

A vida cristã e o seu crescente relacionamento com Deus vai fornecer momentos de excitação, alegria, consolo e paz. Mas ainda haverá lágrimas e solidão, horas e até mesmo dias de ansiedade ou depressão. Esses momentos precisam ser aceitos e experimentados como parte normal de quaisquer mudanças maiores na vida.

"Depois que abandonei o estilo de vida," Bill Hernandez se lembra, "lidei com depressão e rejeição por cerca de dois anos. De um lado, Deus estava me abençoando, ensinando-me acerca dele e sua Palavra de maneiras espantosas. Basicamente eu tinha paz. Entretanto, mais ou menos a cada seis semanas eu sentia ansiedade e solidão que se avolumavam dentro de mim e me faziam ficar com dor de cabeça. Eu sentia falta de meu amante e, bem lá no fundo, pronunciava o nome dele. Eu pensava: *Apenas Grant pode me ajudar a superar este sentimento.*"

Durante os primeiros meses depois de deixar aquele estilo de vida, Bill fazia viagens ocasionais para visitar seu ex-amante do outro lado da baía. "Geralmente nós nos envolvíamos sexualmente de novo. Sempre que isso acontecia, ficava arrasado e me sentia indigno. Mas podia me voltar para o Senhor com os meus sentimentos. Ele não me rejeitava. Ele me perdoava e me enchia de novas esperanças."

Bill se lembra: “Quanto mais experimentava o amor de Deus, mais confiante ficava. Finalmente as viagens para ver meu ex-amante acabaram completamente. A segurança e a paz que tinha em Jesus era mais real do que qualquer envolvimento homossexual podia me oferecer.”

Altos e Baixos Emocionais

Donna teve experiências semelhantes nos primeiros meses depois de se converter e abandonar o estilo de vida lésbico. “Eu me mudei do apartamento de minha amante e fui morar com um casal cristão que conhecia. Eu tinha o meu próprio quarto no subsolo da casa deles, e passava uma porção de tempo ali, tocando meu violão, orando, cantando e, às vezes, chorando.

“Eu estava sobre uma montanha-russa. Um dia acordava estourando de entusiasmo, desfrutando tal sentimento da presença de Deus que ficava animada o dia todo. Falava constantemente do Senhor com pessoas no laboratório médico onde trabalhava. No dia seguinte, podia estar dirigindo pela estrada e ouvir uma canção no rádio, como ‘Você precisava de mim’ de Anne Murray. Pensamentos e imagens de minha ex-amante vinham à tona e eu ficava arrasada. Lágrimas desciam por minha face, e eu orava para que não me envolvesse em um acidente de carro. Então, no restante do dia eu nadava em lembranças, sentindo saudades de minha vida passada.

“Graças a Deus, eu tinha Mark e Christine, o casal com o qual morava, para descarregar. Eles me aceitavam quer estivesse bem ou mal, e eu acho que meus momentos de entusiasmo eram às vezes mais difíceis de agüentar do que minhas “fossas”. O amor e a dedicação deles me arrastaram por aqueles primeiros meses difíceis.”

As emoções turbulentas de Donna não foram anormais nos primeiros meses, ou até mesmo anos, de abandono da homossexualidade. Esses sentimentos são assustadores porque flutuam de maneira muito selvagem, até mesmo violenta.

Às vezes, a nova sensação de bem-estar e liberdade pode ser intoxicante e eufórica. Phil se lembra: "No começo, quando abandonei aquele estilo de vida, experimentei verdadeira libertação dos desejos homossexuais. Eu ouvia histórias de como as pessoas retornavam à atividade homossexual, e sentia pena delas. Sentia-me tão livre que desejava contar a todos: 'Você não precisa ser gay! Jesus pode libertá-lo — ele o fez por mim.' Eu, na verdade, voltei e transmiti a meus amigos gays a minha entusiástica mensagem de esperança. Eles achavam que eu tinha me libertado completamente."

Os desejos gays de Phil retornaram semanas depois, às vezes com incrível intensidade. Embora ele não atendesse àqueles sentimentos e se voltasse para amigos cristãos e para o Senhor em busca de apoio, ele disse: "Definitivamente, desci do meu pedestal."

HIV e AIDS

Um dos aspectos mais assustadores em se tratando do envolvimento homossexual passado — especialmente para os homens — é a questão de estar ou não infectado com o vírus HIV. Qualquer atividade sexual que tenha envolvido a troca de fluídos corporais expõe o indivíduo (masculino ou feminino) ao risco de infecção. E os cientistas sabem que o vírus pode permanecer no corpo de uma pessoa por dez ou mais anos antes de se instalar a fase sintomática da enfermidade (como a ARC e a AIDS).

Os ex-gays devem fazer o teste do HIV? Muitos técnicos da área da saúde recomendam o teste, pois as evidências são crescentes de que um tratamento precoce adia a instalação da doença propriamente dita. Além disso, embora fazer o teste provavelmente represente o seu medo maior, viver com a ameaça da incerteza durante anos é contraproducente para uma existência alegre e pacífica. Saber se você é soropositivo ou não permite que se faça as mudanças de estilo de vida apropriadas, como alteração da dieta e exercícios. Também o capacita, se for apropriado, partilhar o fato com sua família e amigos mais íntimos que podem lhe dar o apoio emocional para enfrentar as incertezas do futuro. Achamos que é *essencial* fazer o teste HIV se você for casado, ou se está interessado em iniciar um namoro.

Como Lidar com o Seu Ex

Devo abandonar meu amante? Talvez esta seja a maior preocupação agora se você esteve envolvido em um relacionamento significativo a longo prazo. Talvez você até tenha interrompido o aspecto sexual do seu relacionamento. Mas agora você fica imaginando: *Temos de nos separar, ou podemos permanecer amigos*?

Veja como um homem expressou o dilema: "Estou tentando mudar minha vida gay, mas tenho quase 40 anos de idade. Estou vivendo com outro homem, e o amo. Nós dois queremos permanecer juntos como cristãos para apoio e companheirismo, mas mudando nossa vida sexual. Acho que podemos fazê-lo, embora todos estejam contra. Poderá funcionar?"

É uma decisão muito importante. Há princípios na Palavra de Deus que ajudarão você a saber o que fazer. Primeiro, sua vida espiritual é a principal prioridade para a sua vida de cristão. Qualquer coisa que se interponha entre você e Deus deve ser removida. Você está crescendo como cristão através dessa amizade ou está retrocedendo aos antigos hábitos e sentimentos através de sua influência?

O seu amigo partilha seu compromisso de abandonar o homossexualismo? As Escrituras advertem contra "amizades" com pessoas que rejeitam a verdade de Deus (veja 2 Co 6:14). Isto não inclui apenas viver junto mas também ter uma amizade íntima. O seu amigo está obedecendo a Deus ou vivendo na desobediência? "Nós vos ordenamos... que vos aparteis de todo irmão que ande desordenadamente, e não segundo a tradição que de nós recebestes", Paulo diz em 2 Tessalonicenses 3:6.

Se você e seu ex-amante ainda estão caindo na imoralidade sexual — mesmo de vez em quando — então a separação é obrigatória. A Bíblia nos ordena que fujamos "da impureza (imoralidade)" (1 Co 6:18).

Este princípio também se aplica a envolvimentos emocionais que sejam excessivos. Um dos sinais de perigo é a exclusividade: se ambos, você e seu ex-amante, não estão buscando relacionamentos *significativos* com outras pessoas (especialmente amigos do mesmo sexo), então sua amizade contínua é prejudicial e deve ser interrompida. Outro sinal de perigo é usar expressões impróprias de afeto (tais como beijar, dar longos abraços, fazer massagens e carícias). Sua necessidade de afeto e amizade é legítima, mas esses não são modos sadios de obtê-los.

Você é capaz de se abrir acerca dessa amizade com os outros? Se você está ocultando certos aspectos de seu relacionamento com outros amigos ("Estamos muito bem," você diz, embora mal consiga refrear-se de um envolvimento sexual), então o relacionamento provavelmente vai acabar em desastre. Seu relacionamento deve ser aberto ao juízo dos outros, especialmente de um pastor ou conselheiro com experiência em problemas de ex-gays. Sua situação pode parecer inocente para você, mas os de fora têm uma visão objetiva. Eles podem perceber dinâmicas e efeitos em seu relacionamento que são invisíveis para você.

Você e seu ex-amante devem separar-se? Não há resposta simples que se encaixe em todas as situações. Dedique a esse assunto considerável avaliação e oração, e procure aconselhamento espiritual. Provavelmente, nenhum outro fato em seus primeiros meses de decisão de abandonar o homossexualismo terá tal impacto sobre o seu sucesso ou fracasso.

Solidão

A decisão de seguir a Cristo — ou abandonar a vida homossexual ou um amante como parte dessa decisão — pode apresentar um paradoxo interessante: o final de um tipo de solidão e o início de outro.

Quando eu (Lori) pedi a Cristo no início para entrar em minha vida, fiquei surpresa pela mudança radical dentro de mim. Embora tivesse crescido basicamente como agnóstica, combati um terrível sentimento de alienação. Eu me sentia diferente e separada de Deus e das outras pessoas, até mesmo — ou talvez especialmente — das minhas amigas mais íntimas. Não era um sentimento que expusesse em palavras; simplesmente gorgolejava por baixo da superfície da minha vida, colorindo minhas perspectivas e influenciando todas as minhas decisões. Quando tinha 19 anos, pedi a Cristo que entrasse em meu coração porque acreditava ser a coisa certa a fazer. Que prêmio inesperado foi descobrir que minha desolação íntima desapareceu como geada derretendo no sol da manhã! Jesus estava lá dentro, habitando em mim pelo poder do Espírito Santo. Enquanto a solidão antes me fazia ficar sozinha com meus próprios pensamentos, agora ela se tornava uma oportunidade de comunhão da mais rica espécie — com o Senhor. Ficar sozinha não significava ficar automaticamente solitária.

Mas havia um outro lado em tudo isso. Eu precisava de amigos! Precisava de novos lugares para ir, gente com quem estar. Uma de minhas melhores amigas se tornou cristã junto comigo, o que era confortador. Mas Linda parecia se sair melhor do que eu na vida cristã. Ambas tínhamos 19 anos, trabalhávamos no jornal de nossa pequena cidade natal em

Minnesota. Antes de nos tornarmos cristãs, ambas tínhamos uma vida social ativa que acontecia ao redor dos lares de nossos amigos não-cristãos, mas mais particularmente, o "K-V Bar and Lounge", um bar local onde pessoas da nossa idade se reuniam para estarem juntas, beber cerveja e conversar. Mas eu e Linda sabíamos que, para evitar as velhas amizades e atividades que não nos eram saudáveis, nossa freqüência ao K-V teria de ser interrompida.

Eu me lembro de uma quinta-feira, por volta das nove horas da noite, não muitas semanas depois de termos orado e aceito a Cristo. Eu e Linda estávamos em casa, bordando e assistindo televisão. Eu podia imaginar a multidão no K-V começando a se reunir. Alguns de meus antigos amigos do colégio provavelmente estariam em casa para o fim-de-semana. E aquele rapaz, o Dave, com quem eu havia conversado algumas semanas atrás? Provavelmente estaria no K-V agora, procurando por mim. Olhei para Linda, que serenamente continuava bordando. Subitamente, explodi em lágrimas.

— Eu queria estar no bar, — disse soluçando. Linda olhou para mim com simpatia e disse: — Sei como você está se sentindo. Eu também fico triste quando sou tentada a fazer coisas que sei que Deus não aprova. Olhei para ela, incrédula, e disse: — Eu não estou triste porque me sinto tentada a fazer uma coisa que Deus não aprova. Estou triste porque queria ir ao bar, e você não iria comigo.

Poder Oculto na Solidão

A solidão é uma parte muito presente na transformação de qualquer vida, especialmente para sair do homossexualismo ou lesbianismo. Pode parecer o seu pior inimigo, aproximando-se furtivamente a qualquer momento de descuido, ameaçando derrotá-lo. O segredo da solidão é que ela contém uma das chaves mais poderosas para mudança de vida. Em lugar de ser o seu maior inimigo, pode ser o seu aliado quando você está procurando mudar e crescer.

Nossa disposição de suportar a solidão — experimentar o sentimento de abandonar o conhecido pelo desconhecido, caminhar por território nada familiar, às vezes hostil, sozinho, cheio de temores, mas confiando em Deus — é a ponte que atravessamos para chegar à nova vida em Cristo.

Esta viagem pela solidão é uma faceta que a Bíblia chama de "morrer para o eu". Deixamos partir o velho para que o novo possa entrar (Cl 3:9-10). A semente de nosso antigo estilo de vida, nossa antiga segurança, cai e morre para que nossa vida nova possa surgir (Jo 12:24).

Por outro lado, eu (Lori) não creio que precisamos suportar mais solidão do que o necessário. Quando a solidão nos abate, a depressão, a letargia e a auto-piedade geralmente vêm com ela. Aqui está uma porção de maneiras através das quais outras pessoas lidaram com a solidão.

❑ *Planeje os fins-de-semana com antecedência.* Uma mulher disse: "Lá pelo meio da semana, começo a planejar o fim-de-semana, não apenas para preencher as horas, mas para fazer coisas que realmente gosto. Combino com amigos para passarmos momentos juntos assistindo televisão, compro entradas para um concerto ou saio para jantar fora. Se esperar até sexta-feira à noite para fazer planos, estarei cansada demais para começar qualquer coisa. Além disso, se um amigo me disser 'não' à minha sugestão, fico menos ressentida com esse 'não' na quarta-feira do que na sexta-feira"

❑ *Adote uma nova atitude para os momentos em que ficar sozinha.* Espere-os — planeje-os. Tenha uma coleção de "coisas que mal consiga esperar para fazer quando ficar sozinha". Conscientize-se de que sua própria companhia, como também a companhia de Jesus, é uma das melhores que você já desfrutou.

❑ *Ouça música.* Estique-se no sofá ou no chão, ponha os fones nos ouvidos e realmente desfrute a música.

❑ *Leia.* Eu (Lori) gosto de ler. Quando Cristo voltar, tenho certeza de que estarei lendo. Ajuda se você colocar diversos livros alinhados para aquela noite; pelo menos um deles vai despertar o seu interesse.

❑ *Trate a você mesma como alguém especial.* Quando comer sozinha, não requente apenas um prato para comer na frente da TV (a não ser que você realmente goste disso), mas prepare uma refeição especial, coloque uma toalha, acenda uma vela. Agradeça ao Senhor por sua refeição e convide-o para participar dela.

❑ *Transforme o seu lar em um verdadeiro ninho.* Invista tempo, esforço e dinheiro (não é preciso muito) para transformar sua moradia em um lugar quente e acolhedor. Procure meios de expressar sua criatividade e individualidade em sua casa: construa uma bela estante de madeira para guardar seus livros prediletos; criativamente exponha qualquer coleção ou passatempo: arte, pedras, fotografias, etc.

❑ *Ponha em dia telefonemas e cartas.*

❑ *Use o tempo em que estiver sozinha para fortalecer os relacionamentos familiares,* telefonando, escrevendo, visitando pessoalmente se possível.

❑ *Vá fazer compras.* Em uma noite chuvosa de sexta-feira, eu (Lori) me diverti muito fazendo compras. Encontrei um belo par de botas que se tornou a peça principal do meu guarda-roupa. Pessoas que me conheceram há dez anos ainda se lembram daquelas botas.

❑ *Passeie por livrarias.* Reserve tempo sufiente para gastá-lo em uma livraria, folheando volumes interessantes, arranjando idéias, desfrutando o cheiro de livros novos. Uma livraria com uma cafeteria é melhor ainda.

❑ *Exercite-se.* Vá a uma academia, saia para correr, ou dê uma caminhada agradável, lentamente.

❑ *Telefone para alguém e pergunte se pode lhe fazer uma visita.* Alugue um filme e leve um lanche.

❑ *Procure um grupo de pessoas solteiras, um grupo de apoio ou um estudo bíblico,* que geralmente são programados para sexta-feira ou sábado à noite. Se você descobrir um que realmente lhe interesse, junte-se a ele. Pode ser um excelente trampolim para a socialização.

❑ *Convide alguém para ir ao cinema com você.* Talvez uma pessoa que normalmente você não pensaria em convidar.

❑ *Tire uma soneca ou vá dormir mais cedo.*

❑ *Limpe a casa.* Se você conseguir começar, vai ficar admirada com o que vai fazer e como vai organizar as principais áreas de seu lar. Isto sempre leva a um sentimento bom, energizador depois.

❑ *Dê um passeio de carro.*

❑ *Leia o jornal de domingo em uma lanchonete.*

❑ *Explore liquidações e lojas de coisas usadas.* Você não sabe que grandes compras e curiosidades interessantes você vai descobrir.

❑ *Toque música.* Pratique o seu instrumento predileto. Toque violão e cante. Aprenda novas posições.

❑ *Procure oportunidades de ajudar os outros.* Existem oportunidades abundantes em sua vizinhança para ministrar a crianças, pessoas solitárias, cidadãos idosos, ou pais sozinhos. Verifique em sua agência de serviço social local a necessidade de voluntários.

❑ Finalmente, ou talvez o mais importante, *cultive seu relacionamento com o Senhor.* Ore, mergulhe na Bíblia, leia clássicos cristãos, medite nas Escrituras ou pense no caráter de Deus — pare simplesmente e relaxe na presença de Deus. São coisas importantes para fazer quando estiver sozinho e mesmo quando não estiver. Seu atual relacionamento com o Senhor firma o fundamento do que está por vir. Não permita que estas oportunidades de tempo que você tem para ficar sozinho com Deus passem despercebidas.

Quando reconhecemos que a solidão é inevitável — e que não estamos sozinhos quando ficamos sós — podemos relaxar. Crescemos quando caminhamos sozinhos. E quando crescemos, ficamos prontos para ministrar aos outros com sensibilidade e compreensão.

Tempo de Transição

Durante este estágio de sua vida apegue-se a um pensamento importante: é temporário. A vida será sempre assim? Claro que não. Será que você sempre vai se sentir assim? De modo nenhum! Você está em um estágio transitório. Qualquer grande mudança na vida é estressante. Sua tristeza, solidão e outras emoções são normais. Esses sentimentos que você está experimentando são reais e válidos, mas não vão durar para sempre.

Diversos anos atrás, eu (Bob) passei por uma grande cirurgia abdominal para tratar de um defeito de nascença nos intestinos. Quando acordei, senti-me maravilhoso — até que o efeito dos anestésicos passou. Então, comecei a chamar as enfermeiras a cada três horas para tomar uma injeção de morfina. Eu sei o que é dor! Foi terrível na hora de trocar os lençóis ou quando me levantei e dei meus primeiros passos no dia seguinte. Levei meses para recuperar minhas forças e me sentir normal de novo. Agora eu mal me lembro da agonia do período da recuperação.

Deixar o homossexualismo é uma coisa parecida a uma grande operação espiritual. Talvez você tenha abandonado uma extensa rede social. Sua identidade está tumultuada. Todo o seu mundo ficou de cabeça para baixo (ou talvez de cabeça para cima!) Em qualquer dos casos, as emoções que se agitam lá dentro estão de acordo com a situação. Permita-se experimentá-las, mas não se permita imaginar que a vida será sempre assim. Não será. Ou, então, que aquilo que você deixou para trás é, em última análise, o melhor. Não é.

6

QUEBRANDO PADRÕES VICIADOS

Cliff tinha cerca de dez anos quando viu sua primeira revista pornográfica. Aconteceu no porão de uma casa vizinha, onde um menino de 14 anos mostrou a revista a diversos meninos mais novos.

Depois dessa experiência, Cliff começou a olhar revistas semelhantes na banca de jornais. Quando estava com 15 anos, ao examinar rapidamente o último número da revista *Playgirl*, conscientizou-se de que estava muito mais interessado em olhar fotografias de homens do que de mulheres. Também se entregava regularmente à masturbação, utilizando as imagens que havia visto nas revistas como alimento para suas fantasias.

A luta contra a masturbação e a pornografia permaneceu como padrão na vida de Cliff por toda a década seguinte. Durante esse tempo foi um membro de igreja fiel. Formou-se em uma grande faculdade cristã, e então foi contratado como ministro de música de tempo integral em uma grande igreja do subúrbio. Mas todas as suas atividades espirituais não pareciam inibir seus fortes desejos homossexuais.

Muitas vezes ele fazia votos de parar com a leitura de pornografia. Mas sua resolução durava uma ou duas semanas, e então ele voltava aos seus antigos padrões. Uma vez se reprimiu por seis meses, depois encontrou uma revista velha no toalete de uma loja de departamentos. Na semana seguinte, Cliff já estava em uma livraria para adultos, examinando as edições mais atuais da mesma revista que havia encontrado no banheiro.

Numa noite de sábado, ele alugou o seu primeiro vídeo para adultos. Depois disso sua resistência se desvaneceu, e ele começou a assistir muitos filmes daquele tipo todas as semanas. Cliff desejava desesperadamente parar com o seu pecado sexual, mas estava preso — exatamente como muitos outros homens e mulheres saindo do homossexualismo e lesbianismo.

O Dilema dos Sentimentos Sexuais

Como os homens e mulheres controlam seu comportamento sexual? É realmente possível impedir os pensamentos impuros? Como encontrar pureza em nossos desejos sexuais quando consentimos nos relacionamentos homossexuais durante muitos anos?

"Eu não conseguia imaginar minha vida sem uma amante, ou sem um relacionamento sexual," confessou Maggie, que esteve envolvida no estilo de vida lésbico por um período de dez anos. "Os períodos em que ficava sozinha entre uma e outra parceira eram agonizantes. Precisava de companhia todas as noites, às vezes até mesmo a de homens. Quando abandonei esse modo de vida, imaginei que teria de viver sem sexo pelo resto de minha vida. Mas era deprimente demais pensar assim."

Por que Deus simplesmente não elimina todo o nosso desejo sexual, como quando arrancamos o plugue de uma tomada? Porque a nossa sexualidade é parte integrante de nossa humanidade, que ele declarou ser "boa" (Gn 1:31). Nossos anseios sexuais ficaram distorcidos, mas são, mesmo assim, uma criação maravilhosa e parte poderosa do que somos como seres humanos.

Nossa sexualidade nos arranca do isolacionismo. Fomos criados para nos relacionarmos com outros seres humanos — e parte desse companheirismo no casamento é sexual. "Não é bom que o homem esteja só," Deus disse acerca de Adão, e ele criou Eva como sua companheira (Gn 2:18). A neutralidade sexual tornaria o mundo enfadonho.

Portanto, é bom lembrar que *nosso impulso sexual é bom, não mau.* Podemos com facilidade cair no erro de considerar nossos sentimentos sexuais como "o inimigo", uma parte infeliz de nosso ser que nos mantém derrotados em nossa caminhada cristã. *Se eu pelo menos pudesse ser assexuado, sem impulso sexual,* podemos pensar, *então realmente conseguiria ser um cristão amadurecido.* Mas Deus não nos fez uma lobotomia parcial, para então nos chamar de cristãos estáveis porque não experimentamos mais certas tentações.

A maturidade vem quando aprendemos a controlar nossa sexualidade. Exatamente como os músculos de nossos corpos são fortalecidos pelo exercício, também a nossa força espiritual é edificada pelo exercício do auto-controle e da maturidade em nossas escolhas sexuais.

Aí está outra consideração importante: *Nossos sentimentos homossexuais e lésbicos apontam para necessidades emocionais mais profundas.* Através dos anos eu (Bob) tenho perguntado a muitas pessoas que venceram a homossexualidade o que as impeliu para os relacionamentos lésbicos ou homossexuais. Muitas delas admitiram que não estavam logo de início interessadas em sexo, embora esse pudesse ser certamente um fator. Geralmente, essas pessoas apresentaram outros motivos: queriam a atenção dos outros, procuravam afirmação, desejavam companheirismo, fugiam do tédio, queriam intimidade com alguém, procuravam excitação.

Grande parte desses motivos não é sexual. É social e emocional. *Portanto, essas necessidades podem ser potencialmente atendidas através de relacionamentos não sexuais.* Na verdade, considerando que a homossexualidade é, em suas raízes, um sintoma de necessidades emocionais não resolvidas, vamos continuar lutando contra os sentimentos homossexuais até que esses anseios emocionais sejam atendidos.

Finalmente, nossas necessidades mais profundas são resolvidas através de um relacionamento com Deus. Ele nos criou desse jeito; nenhum ser humano pode atingir-nos tão profundamente como ele, para resolver nossas necessidades íntimas de comunhão e intimidade com os outros. Precisamos de pessoas para atender nossas necessidades sociais e emocionais de companheirismo e amizade. Essas necessidades são universais e poderosas. Elas *devem* ser atendidas antes de sentirmos liberdade em nossa sexualidade (vamos falar mais sobre relacionamentos íntimos e sadios com pessoas do mesmo sexo no capítulo nove). Até que essas necessidades emocionais sejam satisfeitas, vamos continuar lutando contra desejos sexuais impróprios.

Tentação Versus Pecado

Será pecado ter sentimentos homossexuais ou lésbicos? Será que Deus condena uma pessoa por ela se sentir atraída por outra pessoa do próprio sexo? Não, ser tentado não é o mesmo que pecar. Deus não nos condena pelos nossos sentimentos.

Todos os homens e mulheres têm sentimentos sexuais. Todos nós experimentamos atrações sexuais diariamente. Pessoas casadas podem se sentir atraídas por indivíduos outros que não o seu cônjuge. Esses sentimentos são pecado?

A Bíblia faz distinção cuidadosa entre tais sentimentos e pecado. Sentimentos impróprios, na terminologia bíblica, se encaixam na categoria de "tentação". As tentações não são pecado. Ceder à tentação é que é.

Muitos, se não a maioria, homens e mulheres saindo da homossexualidade, inclinam-se a esquecer esta importante distinção entre tentação e pecado. Sofrem condenação contínua, sentimentos de baixeza, pensando que Deus os desaprova por causa de seus sentimentos ou atração por pessoas do mesmo sexo. Nada poderia estar mais longe da verdade. Deus entende nossas lutas. Ele sabe que a nossa energia sexual não se inverte subitamente quando nos casamos e se focaliza sobre o nosso cônjuge pelo restante de nossa vida.

Todos os cristãos têm de lidar com a atração e com sentimentos sexuais inpróprios. Aqueles entre nós que estão vencendo a homossexualidade não são diferentes; não pertencemos a uma subclasse diferente do restante da igreja. As lutas sexuais fazem parte do ser humano!

Jesus, em sua humanidade, experimentou tentações. Até mesmo tentações sexuais. "Porque não temos sumo sacerdote (Jesus) que não possa compadecer-se das nossas fraquezas, antes foi ele tentado *em todas as cousas*, à nossa semelhança, mas sem pecado" (Hb 4:15, o grifo foi acrescentado). Esta passagem torna clara a diferença entre *tentação* (uma coisa que Jesus experimentou) e *pecado* (uma coisa que ele não praticou).

Quando as tentações do homossexual ou da lésbica se tornam pecado? O livro de Tiago lança luz sobre esta importante questão: "Ao contrário, cada um é tentado pela sua própria cobiça, quando esta o atrai e seduz. Então a cobiça, *depois de haver concebido, dá a luz o pecado*" (Tg 1:14:15, o grifo foi acrescentado). Sempre há um período de intervalo entre a concepção e o nascimento. Um pensamento homossexual quando nos ocorre pode ser morto ou alimentado.

Se ele crescer, dá nascimento ao pecado. É aí que a nossa capacidade de escolha entra em ação.

Podemos escolher se os pensamentos homossexuais (tentações) vão se transformar em pecado. Se nós os nutrirmos, desenvolver-se-ão em concupiscência. Simplesmente definida, a concupiscência é o desejo de ter o que não é meu por direito. O corpo de outra pessoa não me pertence. Portanto, não tenho o direito de usá-lo para o meu prazer sexual.

Naturalmente, a concupiscência envolve mais do que apenas sexo. Podemos desejar intimidade emocional e buscá-la criando relacionamentos que evitam o sexo genital mas são crivados de laços profundos e exclusivos que são impróprios.

Nós podemos cobiçar até mesmo as "coisas boas" como matrimônio e crianças. Estas experiências de vida podem ser maravilhosas, mas nós não as possuiremos a menos que Deus no-las ofereça.

Podemos até mesmo desejar alguma outra coisa que parece boa: uma ausência total de sentimentos homossexuais e lésbicos. "Se eu não puder ser totalmente curado," algumas pessoas nos têm dito, "então não estou interessado!" Que erro trágico. Este tipo de idéia "tudo-ou-nada" não leva em consideração que sair da homossexualidade é um *processo.* Quando perseveramos, Deus nos recompensa com crescimento e maturidade. Mas essas qualidades levam tempo para se desenvolverem; elas vêm através da persistência e da perseverança. A mudança ocorre lentamente, como o sol se move lentamente pelo céu. Temos de ser pacientes conosco — e com o processo de recuperação.

De volta às raízes

Sentimentos homossexuais ou lésbicos não são pecado. Muitas vezes somos alvo deles, mas não devemos nos entregar a eles. Isto não significa que devemos simplesmente aceitar os nossos sentimentos homossexuais como um "espinho na carne" sem tentar vencê-los. Como já vimos, os desejos homossexuais geralmente são sintoma de necessidades emocionais que não foram atendidas. Portanto, comece a atender essas exigências através de relacionamentos apropriados. Por que ir em busca de frustração sexual quando você pode ter a realização emocional?

No capítulo quatro discutimos alguns padrões comuns nas vidas de homens e mulheres que cresceram até experimentar anseios impróprios para com o mesmo sexo. Entender esses padrões é simplesmente teoria, a não ser que comecemos a dar passos para preencher as necessidades emocionais e relacionais que deram lugar às nossas lutas com a homossexualidade.

Preencher essas necessidades básicas não vai erradicar automaticamente os seus desejos homossexuais ou lésbicos. Outros fatores (inclusive padrões errados de pensamento e guerra espiritual), que vamos discutir no próximo capítulo, estão operando para mantê-los vivos. Contudo, muitos homens e mulheres descobrem que seus desejos homossexuais ou lésbicos *diminuíram de intensidade* quando suas necessidades emocionais foram satisfeitas através de relacionamentos sadios. Quanto mais profundos e mais satisfatórios emocionalmente forem esses vínculos, menos seremos tentados a corresponder àquelas necessidades emocionais através de atos sexuais impróprios ou de dependência emocional.

Enfrentando a Tentação Sexual

Não podemos fugir ao estímulo sexual em nossa cultura — a não ser que nos escondamos em casa com um saco enfiado na cabeça! Atualmente, os estímulos sexuais estão por toda parte onde quer que olhemos — televisão, cinema, revistas e jornais. Nosso jornal local em San Francisco até já levou os seus leitores aos quartos dos fundos de bares sadomasoquistas lésbicos.

Então, o que fazer?

❑ *Aguarde a tentação sexual.* Você já sabe que faz parte da vida. Portanto aceite essa realidade e mantenha em mente a importante diferença entre tentação homossexual e pecado. Esteja preparado para a tentação; você não pode viver no mundo de hoje esperando evitá-la totalmente. Todas as manhãs peça a Deus que proteja a sua mente quando você sair para enfrentar o mundo e o que está lá fora.

❑ *Identifique seu gatilho para a tentação.* Cada um tem padrões de tentação. Alguns são atacados com pensamentos sexuais quando acordam ou um pouco antes de adormecer. Outros são suscetíveis quando estão cansados, no final do dia, ou durante períodos de estresse.

São fatores periódicos. Os homens tendem a lutar mais no verão, quando todos se vestem com pouca roupa e o estímulo visual aumenta. Outros temem os feriados da "família" como o Natal ou o Dia das Mães, quando os sentimentos de solidão podem levar a tentações sexuais irresistíveis. Para as mulheres (e alguns homens), os níveis de tentação também podem acompanhar um ciclo mensal com as mudanças hormonais do organismo.

PAUSA

Comece observando mais atentamente seus próprios padrões. Anote suas tentações sexuais por um período de diversas semanas (ou mais). Quais as piores horas do dia? Que dias da semana? Do mês? Do ano?

Muitos ex-gays têm encontrado ajuda quando observam atentamente seus gatilhos sexuais. Essas fontes de tentação aumentada podem ser físicas (enfermidade, cansaço, estresse, pressão) ou emocionais (medo, angústia, tristeza, humilhação, vitimização, vazio, rejeição, sentimentos esmagadores).[1]

Os gatilhos também podem ser de origem espiritual. Às vezes, as tentações vêm "do nada" sem nenhum estímulo emocional ou físico que você possa identificar. As tentações podem vir de Satanás, o nosso inimigo (veja 2 Co 11:3). Mas geralmente esses sussurros do inimigo vêm junto com alguma vulnerabilidade física ou emocional. Jesus, por exemplo, estivera no deserto jejuando por 40 dias quando finalmente Satanás lhe apareceu (Mt 4:2-3).

❑ *Desenvolva estratégias preventivas.* Assuma o controle do seu ambiente até onde for possível. Você não pode controlar o tipo de revistas expostas em sua banca de jornais. Mas você pode escolher ir até um supermercado maior onde não se vende pornografia. Sim, é chato ficar em uma fila de caixa, mas o que é mais importante? Seu processo de recuperação ou esperar alguns minutos a mais? (Você pode utilizar o tempo em que espera na fila para rever seus padrões de tentação naquele dia!).

Você também não pode controlar o fato de que um dos seus colegas de trabalho, por exemplo, seja sexualmente atraente para você. Mas você pode confessar essa atração a um amigo cristão maduro ou a um companheiro de oração, pedindo-lhe para interceder por você e mantê-lo controlado no que se refere a esse relacionamento. Algumas pessoas encontram alívio quando oram pelas pessoas pelas quais sentem atração, em vez de fantasiar a respeito delas. Eu (Lori) afasto as tentações de fantasiar lembrando-me de como fico arrasada espiritualmente quando me entrego a vãs imaginações. Embora a fantasia proporcione algum prazer imediato, as conseqüências são opressivas e realmente não valem à pena.

Identificando os Gatilhos: Necessidades Emocionais e Tentação

Eu (Bob) percebi a íntima relação entre tentação homossexual e emoções cerca de um ano depois que cheguei ao "Amor em Ação". Eu estava em casa em Vancouver, no Canadá, e fui a um culto de domingo à noite na igreja. Percebi que meus olhos estavam sendo atraídos para quase todos os homens que caminhavam pela rua enquanto eu dirigia. Meu nível de tentação era claramente mais elevado do que de costume.

Não tive tempo para analisar a situação na hora, mas depois pensei a respeito dela. *O que é que estava acontecendo*? perguntei a mim mesmo. *O que é que eu estava sentindo naquele momento*?

Percebi que estava me sentindo nervoso e inseguro. Naquele domingo à noite, eu estava indo para a minha igreja-mãe a fim de partilhar publicamente o meu testemunho, de como lidei com o homossexualismo em minha vida. Aquelas pessoas tinham sido a minha família espiritual por diversos anos imediatamente antes de minha mudança para a Califórnia. Mas eu estava preocupado que me rejeitassem. Estava me sentindo extremamente vulnerável.

O culto da noite correu bem; nenhum dos meus temores se materializou. Mas a experiência toda me ensinou uma importante lição. *O que estou sentindo neste momento*? é uma pergunta importante para ser feita quando estiver sendo tentado. Que necessidades emocionais estão sendo expressas através da tentação sexual? Quando a necessidade emocional é identificada, você pode começar a descobrir caminhos alternativos para atendê-la.

Identificando Gatilhos: Fetiches e Parcialismo

Muitas pessoas já ouviram falar de fetiches, que são objetos inanimados que se tornam fonte de estímulo sexual. Exemplos comuns são tipos de tecidos (seda, couro), artigos de roupa (roupa de baixo, calçados) ou quaisquer outros objetos que se tornaram ligados ao estímulo sexual. Menos pessoas ouviram falar de *parcialismo*, o termo utilizado para indicar partes não sexuais do corpo que provocam estímulo (como o nariz, os pés, os bíceps, o bigode ou as pernas).[2]

Esses padrões de despertamento sexual são muito mais comuns nos homens do que nas mulheres, e são muito resistentes à mudança. Portanto, não fique desanimado com os padrões resistentes do passado; os padrões de estímulo vão diminuir normalmente com o passar do tempo. Faça uma escolha consciente de resistir a tais pensamentos quando vierem à mente, sem se sentir condenado por tê-los. Também transforme em hábito orar contra qualquer influência espiritual que possa despertá-los.

Se você perceber que está consistentemente nutrindo lembranças de um relacionamento do passado, talvez esteja na hora de assumir alguma ação ofensiva espiritual. Com outra pessoa por testemunha, renuncie verbalmente o relacionamento, pedindo a Deus perdão pelos atos sexuais com aquela pessoa no passado. Peça a Deus que rompa com os laços emocionais e sexuais formados naquele relacionamento. E ore pela libertação dessa pessoa do homossexualismo ou lesbianismo.

Homens, orem por discernimento em seus parcialismos particulares. Conscientizem-se de que são grandemente simbólicos de suas próprias necessidades e sentimentos de insuficiência. Partes específicas do corpo podem representar o que estamos buscando — mas sentindo falta — em nós mesmos:

- ❑ *Braços.* Força, proteção, estabilidade emocional (sentimo-nos vulneráveis, desprotegidos).
- ❑ *Peito.* Figura paterna, maturidade (queremos sustento, intimidade, aconchego, afeto, amor).
- ❑ *Genitais.* Potência, masculinidade (sentimo-nos inadequados em nosso senso de masculinidade).[3]

Mulheres são atraídas por mulheres com certas qualidades emocionais ou tipos de personalidade. Contudo, as características físicas podem ter um forte atrativo para elas também. Algumas mulheres, particularmente aquelas que experimentaram uma falta de apoio da parte de sua mãe, são atraídas por mulheres com seios grandes. Uma ex-lésbica chamada Anna disse: "Quando conheço uma mulher com grandes olhos castanhos e doces, sei que estou em perigo." Sua primeira amante tinha grandes olhos castanhos, e esta característica despertava a atração em Anna quando a encontrava em outras mulheres.

Qualquer coisa que sintamos falta em nós mesmos, nos atrairá em outra pessoa. Mas fazer sexo com outros de nosso próprio gênero jamais aumentará a nossa própria masculinidade ou feminilidade. Os relacionamentos homossexuais são tão eficientes quanto beber água salgada; ambas atividades nos deixam insatisfeitos, com mais sede ainda.

PAUSA

Você se sente atraído para o mesmo tipo de pessoa muitas vezes seguidas? Peça a Deus que mostre a você a dinâmica oculta nessa atração. Por exemplo, essa pessoa lhe lembra o seu primeiro amante? Experiências sexuais iniciais podem influenciar fortemente atrações sexuais futuras.

Identificando Gatilhos: Inveja

Muita atração pelo mesmo sexo está enraizada na inveja. Comparamo-nos com os outros quanto à nossa aparência física, estabilidade emocional ou maturidade espiritual — e percebemos nossa carência. Então começamos a lutar com a atração sexual por eles.

Conversando com muitas pessoas, descobrimos padrões comuns nessa luta contra a inveja. Geralmente, nossa atração se encaixa em duas categorias:

- *Atributos físicos.* Somos de estatura baixa e somos atraídos por quem é alto; somos morenos e somos atraídos por alguém que é claro; somos gordos e somos atraídos por alguém que é esguio e atlético.

Algumas qualidades físicas não são mutáveis (por exemplo, a estatura). Se quisermos combater a inveja temos de aceitar nossas características imutáveis, sabendo que Deus planejou cada detalhe de nossa aparência física (Sl 139:15-16).

Outras características físicas podem ser mudadas (por exemplo, o peso). Se temos excesso de peso e somos constantemente atraídos pelo tipo atlético, temos de decidir quanto tempo e esforço estamos dispostos a colocar em nosso programa de melhoria física.

- *Personalidade.* Sentimo-nos inseguros e somos atraídos por alguém que tem auto-confiança; somos tímidos e somos atraídos pelo extrovertido. Certos fatos acerca de nossa personalidade nunca vão mudar substancialmente. Se somos sossegados, nunca seremos "a alma da festa". Mas podemos ainda amadurecer e crescer em nossa personalidade de modo que tenhamos confiança e força internas que talvez nos faltem agora.

"Sempre fui sossegado," admite Brian. "Percebo que provavelmente nunca serei aquele que diverte os outros, o palhaço das reuniões sociais. Mas não me incomodo. Eu me tornei muito mais confiante por dentro. Consigo falar quando preciso. E homens com personalidade extrovertida já não são mais a fonte de inveja e fantasia de minha parte."

Arrebentando Laços

Geralmente qualidades físicas podem manter vivas associações passadas em nossas emoções. Um aspecto importante para abandonar o passado é *limpar o nosso ambiente.* Este princípio inclui os símbolos óbvios de nosso passado: pornografia, brinquedos eróticos, revistas e livros gays ou lésbicos, pôsters sobre sexo.

Porém, milhares de outros objetos podem provocar fortes elos emocionais com o passado que devemos abandonar orando:

- *Lembranças.* Objetos de viagens especiais com um ex-amante; braceletes, relógios ou outros presentes significativos dos amigos gays; fotografias homossexuais (especialmente em poses sedutoras), filmes, videotapes.
- *Gravações, tapes, CDs.* Gravações de cantores gays ou heróis de grupos pró-gays, filmes com temas gays, gravações que promovem a imoralidade ou sensualidade imprópria, canções que são especiais para você e certo amigo gay ou amante.
- *Papelaria.* Cartões de membresia e boletins de igrejas e outras organizações pró-gay, cartões para descontos em estabelecimentos lésbicos, o livrinho preto com números telefônicos de ex-amigos homossexuais, ou certificados de "união sagrada".
- *Roupas.* Convide o Espírito Santo (e talvez também um conselheiro ou amigo cristão com discernimento) para lhe mostrar a verdade a respeito de seu guarda-roupa. Talvez você procure itens tais como roupas usadas no intuito de seduzir os outros; acessórios comprados por causa de sua associação com a moda gay; roupa de baixo ou lingerie sensual que desencadeia sensações concupiscentes erradas; jaquetas ou calças de couro que lhe fazem lembrar determinados bares, pessoas ou práticas sexuais imorais.

Quando eu (Lori) me tornei cristã, tinha uma blusa branca predileta que comprara para usar em bares e festas. Embora fosse relativamente modesta — não exatamente alguma coisa que a cantora Madonna desejaria tomar emprestado — eu já não me sentia bem quando a usava. Na verdade, eu sentia o Espírito Santo me incentivando a desfazer-me dela. Mas era nova, e eu gostava dela, por isso decidi mantê-la. Alguns dias depois, minha mãe, terminando de lavar algumas peças de roupa, mostrou minha camisa especial, pedindo desculpas: "Lori, não sei como esta blusa foi lavada junto com minhas toalhas vermelhas novas." Olhei para a blusa, desfigurada e coberta de manchas cor de sangue, e dei risada. Devia ter dado ouvidos ao Espírito Santo quando ele me falou.

❑ *Apetrechos domésticos e carros.* Às vezes até mesmo objetos maiores na sua casa ou apartamento devem ser dados ou vendidos por causa de sua forte associação com uma pessoa ou acontecimento que você precisa deixar para trás. Uma mulher doou toda a sua mobília a uma instituição de caridade quando mudou da casa que havia partilhado com uma amante de longa data. Outro homem decidiu vender o seu conversível esporte vermelho-cereja quando abandonou aquele tipo de vida. Ele havia comprado o carro especificamente para ajudá-lo a conseguir parceiros sexuais homens enquanto dirigia pelas ruas da cidade.

"Liberto" da Homossexualidade?

Será que encontramos alívio imediato dos habituais padrões de comportamento? Muitas pessoas procuram soluções rápidas. Alguns homens e mulheres ex-gays foram profundamente feridos por conselheiros que tentaram expulsar "um espírito de homossexualidade", apresentando esse livramento como uma solução imediata para as lutas com a homossexualidade. Mais tarde, caso a pessoa torne a experimentar atrações pelo mesmo sexo, pode surgir desânimo, confusão e desespero esmagador.

Por outro lado, alguns antigos homossexuais são perseguidos por pensamentos e hábitos obsessivos que parecem inalterados pela disciplina e pelas estratégias que discutimos neste livro. Alguns desses homens e mulheres estiveram envolvidos em práticas ocultas enquanto viviam o estilo de vida gay, inclusive o uso de drogas "para abrir a mente". Outros estiveram engajados em pesados rituais sadomasoquistas; outros ainda tiveram união sexual com feiticeiras ou bruxos gays. Qualquer uma dessas atividades pode potencialmente abrir a pessoa para a opressão demoníaca, que precisa de atenção especial de um pastor experiente ou um conselheiro cristão.

Uma mulher conta a respeito das diferenças que a libertação operou na vida dela. Mesmo depois de abandonar suas amigas lésbicas, ela sofria com pesadelos e insistentes "vozes acusadoras" em sua cabeça, dizendo-lhe que nunca ficaria livre do lesbianismo. Ela também sentia "incrível dor emocional" que sempre estivera presa dentro dela. Sentia-se esmagada por tentações sexuais. Ela também esteve envolvida em diversas atividades relacionadas com o ocultismo.

Em desespero, foi procurar oração e libertação. Quando sua conselheira começou a orar, ela foi tomada por uma raiva fora do comum. "Pare! Pare essa mulher! Mate-a!" as vozes internas gritavam. "Pegue a mesa e mate-a." Quando a mulher e sua conselheira começaram a orar em voz alta contra os poderes demoníacos, ela sentiu alívio dentro dela. Em uma sessão de cinco horas de acompanhamento, ela renunciou verbalmente aos espíritos da homossexualidade, da ira, da concupiscência, da feitiçaria e muitos outros.

Quando saiu da sessão de libertação, seu espírito estava nas alturas. Ela sentiu uma dramática diferença dentro dela e sabia que Deus a tinha libertado de um jeito que nunca antes experimentara. Talvez o mais importante, entretanto, foi a sua percepção de que a libertação não era o final de suas lutas. "Estar livre tirou minha percepção de que o acontecido naquelas cinco horas representava apenas a cirurgia. Uma vida toda de escolhas — escolhas difíceis de andar em obediência ao Espírito de Deus — estava à minha frente." A libertação pode dar um início novo, mas não é uma cura instantânea.

Até agora neste capítulo falamos acerca de princípios gerais de tentação. Agora vamos aplicar essas perspectivas aos diversos problemas comuns.

Masturbação

"A masturbação é pecado?" é geralmente a primeira pergunta discutida na maioria dos livros que tratam desse assunto. Cada um tem diferentes opiniões; contudo, a maioria concorda em uma coisa: a Bíblia silencia sobre a prática da masturbação.[4]

Aqui está uma pergunta relevante a fazer neste ponto: "Como a masturbação está afetando meu processo de recuperação?" Ela está levando você a novos níveis de libertação — ou arrastando-o de volta aos antigos padrões de pensamento?

Muitos ex-gays e ex-lésbicas acham que a masturbação é uma influência negativa em seu processo de cura porque está sempre acompanhada de fantasias lésbicas ou gays. Obviamente, quando essas lembranças ou fantasias são reforçadas, não faremos muito progresso em fugir da inclinação homossexual.

Para muitos, a masturbação também é um vício. Em termos bíblicos, corremos o risco de nos tornar "escravos do pecado" (Rm 6:6). O viciado em masturbação passa a não ter mais controle sobre a prática. Sua sexualidade o governa, em vez de ele ter controle sobre seu apetite sexual.

Alguns homens e mulheres descobriram que a culpa e a separação de Deus que sentem depois da masturbação os deixam expostos à guerra espiritual em outros pontos. Este hábito pode desencadear a tentação em outras áreas mais públicas do pecado sexual.

A masturbação pode ser comparada aos excessos com comidas nada saudáveis. Satisfaz o apetite físico do momento mas geralmente deixa-o sentindo-se mal e vazio. Por isso é que Deus criou o sexo para que fosse mais do que um alívio de tensão. Ele quer que o sexo nos proporcione amor, compromisso e que seja duradouro no relacionamento conjugal. A masturbação carece dessas qualidades.

Temos visto que muitos ex-gays querem parar com essa prática. Por que é tão difícil de vencer? Porque são muitas as motivações complexas que provocam esse padrão de comportamento.

- *Motivação física.* Os homens têm uma contínua produção de sêmen, que fica armazenado em dois "depósitos" internos chamados vesículas seminais. Quando estão cheias, o impulso sexual vem à tona e o desejo de algum tipo de alívio aumenta fortemente na mente do homem sem nenhum encorajamento pecaminoso da parte dele.

Com as mulheres também existem dificuldades. Em um determinado período de seu ciclo menstrual, níveis mais elevados de hormônios (andrógenos e possivelmente estrógenos) despertam o desejo sexual na mulher, aumentando a tentação de se masturbar. Atravessar esses dias pode tornar-se extremamente difícil para muitas mulheres.

Esses fatos físicos significam que a masturbação é inevitável? Não. Mas explicam, em parte, por que a masturbação é uma luta tão comum.

- *Motivações emocionais.* A masturbação também está ligada às nossas necessidades emocionais. Se você duvida disso, observe quando o seu desejo de masturbar-se é mais forte. Tipicamente, a luta se intensifica quando você estiver experimentando certas emoções, tais como solidão, medo, ira ou tédio. A masturbação não acrescenta nada na solução desses sentimentos.

Passos

A maioria das pessoas quer vencer o desejo de masturbar-se. Que passos pode dar na realização deste alvo?[5]

❏ *Não faça provisão para a carne.* Às vezes precisamos ser práticos na luta contra o pecado. Podemos nos predispor à tentação sem mesmo percebê-lo.

Larry chegou à conclusão de que sempre se masturbava depois de se barbear de manhã. Depois do chuveiro ficava na frente do espelho, nu, quando então a tentação vinha. Outros homens descobriram um comportamento semelhante. Muitos rapazes são visualmente estimulados pela nudez — mesmo a própria. Larry descobriu que estas tentações diminuíram quando ele deu o simples passo de vestir um roupão antes de se barbear.

Outros são comumente tentados exatamente quando estão indo para a cama. Se for o seu caso, comece anotando o que você esteve lendo ou assistindo na televisão exatamente antes da hora de dormir. O que você assimilou foi proveitoso? Considere atividades alternativas possíveis: um pequeno período devocional ou ouvir músicas de adoração antes de apagar a luz.

❏ *Procure as raízes emocionais.* Quando sentir o desejo de masturbar-se, pergunte-se: *O que estou sentindo neste momento*? Está se sentindo solitário? Aborrecido? Cansado? Irado? Frustrado? Ansioso? Deprimido?

Qualquer uma dessas emoções podem se transformar em um gatilho para a tentação. Mas um alívio físico não resolverá a necessidade emocional básica. Uma vez identificadas as emoções que está experimentando, comece a buscar a Deus para receber sabedoria prática de como melhor atender à sua necessidade.

Talvez uma noite você esteja se sentindo solitário. Portanto você tem de tomar a iniciativa de procurar alguém, telefonar a um colega do trabalho ou escrever a um antigo amigo do seu grupo de faculdade. Se você precisa de consolo, talvez precise enrolar-se no seu cobertor predileto com uma xícara de chocolate e desfrutar o seu filme favorito.

Estes são somente exemplos de como nós podemos começar a encontrar nossas necessidades de modos apropriados, em lugar de se masturbando para entorpecer nossos sentimentos. Nós temos que desejar sentir – e buscar solução – para a dor emocional subjacente que induz à fuga em masturbação.

❑ *Procure partilhar com alguém.* Problemas como a masturbação ganham força se mantidos em segredo. Quando o problema é trazido à luz e partilhado com outra pessoa, há uma nova força para vencê-lo.

"Confessai, pois, os vossos pecados uns aos outros" e "Andai na luz" são duas exortações conhecidas (Tg 5:16 e 1 Jo 1:7). Infelizmente, muito poucos cristãos estão dispostos a abrir esta área particular de suas vidas aos outros. Mas a masturbação é quase uma luta universal entre pessoas solitárias, particularmente homens. Portanto é uma área ideal para prestarmos contas mutuamente entre cristãos — e não significa necessariamente a confissão das lutas homossexuais se você ainda não está preparado para se abrir nessa área com companheiros crentes.

❑ *Coloque a questão na devida perspectiva.* Quase todas as pessoas solitárias (e muitas casadas) têm lutado contra a masturbação. Portanto, você não é o único, nem é uma pessoa má ou um caso espiritual para se jogar no lixo. Você é simplesmente uma pessoa comum com uma luta comum.

Seja realista. Se esteve se entregando a este comportamento há anos, não espere que a tentação desapareça da noite para o dia. Vai precisar de esforço consistente e maturidade emocional para vencer. Se o seu hábito está diminuindo em freqüência, ótimo! Sinta-se encorajado porque está fazendo progressos. E peça a Deus que lhe dê um desejo crescente de agradá-lo em *todas* as áreas de sua vida.

Pornografia

A tentação para a pornografia é uma luta comum, especialmente entre homens ex-gays. Geralmente, é utilizada para substituir os relacionamentos de carne-e-osso. A pornografia pode se transformar em uma obsessão, dando uma sensação de bem-estar físico muito parecido com as drogas e o álcool.[6]

Um passo importante para se obter vitória, tal como na masturbação e outros hábitos relacionados com o sexo, é identificar o gatilho e desenvolver estratégias de prevenção. As mesmas estratégias que você utilizar para acabar com o hábito da masturbação vão funcionar com a pornografia também. Confessar a um amigo amadurecido ou líder de igreja é *essencial.* Para os homens e as mulheres casados, seu confidente deveria ser o cônjuge. Detalhes descritivos são desnecessários, mas a promessa de confessar todos os futuros episódios de consumo pornográfico lhe dará um nível maior de resistência quando a tentação subitamente o atacar.

Naturalmente, você deve cancelar suas assinaturas de publicações gays que alimentam a concupiscência sexual. Você não precisa conhecer os últimos boatos sobre a subcultura homossexual e lésbica. Atualmente muitos jornais das grandes cidades contêm bastante notícias sobre a comunidade gay para mantê-lo mais do que informado sobre acontecimentos significativos.

Se você não consegue parar de olhar as revistas proibidas quando pára na banca da esquina, faça uma escolha deliberada e evite os lugares que as vendam. Se você gosta de ler revistas de atualidades, faça uma assinatura para entrega a domicílio, ou vá à sua livraria local, que provavelmente tem uma seleção excelente de periódicos atuais. Se você está disposto a trabalhar nisso, você *pode* encontrar libertação, embora talvez tenha de lutar com força e por muito tempo para vencer a batalha.

Sexo Anônimo

Para muitos homens gays a maioria de suas experiências sexuais foram com outros homens que não passavam de estranhos ou conhecidos ocasionais. "No início eu sonhava com um relacionamento a longo prazo", confessou Byron. "Mas depois que alguns relacionamentos com amantes se acabaram, eu desisti. Depois disso, ficava feliz em simplesmente ter relação sexual com um homem por uma noite."

Sexo casual pode proporcionar prazer físico e satisfação temporária. Mas geralmente, no decorrer do tempo, uma série de encontros anônimos deixa a pessoa sentindo-se usada e deprimida. Você fica imaginando: *Ninguém me ama por nada além do que o físico*? E, com o passar dos anos, torna-se cada vez mais difícil encontrar tais ligações com homens desejáveis.

Cremos que o sexo casual, e sua raiz, é uma fuga da intimidade emocional. Ficar durante uma noite com alguém é uma pseudo intimidade que dá a falsa sensação de estar perto de outra pessoa. Mas ela tem uma dimensão única — puramente física — sem as dinâmicas profundas, emocionais e relacionais que Deus pretendeu como contexto para a satisfação sexual humana.

Para sair desse padrão de comportamento, devemos estar prontos a abandonar esse modelo ou essa falsa intimidade e começar a investir numa intimidade verdadeira. Devemos nos despir de nossas fachadas e permitir que nossos amigos cristãos vejam a pessoa real. Para alguns de nós isso constitui um imenso passo de fé a ser dado.

"Passei toda a minha vida fazendo-de-conta que tudo estava no devido lugar," diz Byron. "Eu ficava aterrorizado em deixar as pessoas conhecerem o meu 'verdadeiro eu'. E se eles não gostarem do que eu realmente sou por dentro?"

Muitas pessoas inclinadas ao sexo ocasional têm uma luta séria com a auto-estima; têm uma visão tão baixa de si mesmas que sinceramente crêem que ninguém vai gostar delas se as falhas de seu verdadeiro caráter forem conhecidas. Antes de assumir o risco de trazer à luz os relacionamentos verdadeiros, passam a vida inteira caçando sombras encantadoras. Acabam nas trevas, sozinhas e frustradas.

Se você esteve inclinado ao sexo ocasional, o único caminho para sair é assumir o risco — saia de suas paredes de pseudoperfeição e deixe as pessoas conhecerem a verdadeira pessoa que Deus criou para você ser. Muitos ex-gays que assumiram esse risco descobriram que seus esforços foram ricamente recompensados.

"Eu nunca realmente me abri para os outros até cerca de dois anos atrás," Byron explica. "Foi aterrorizador — mas sabia que era o único caminho de fuga do meu depressivo senso de isolamento. Fiquei surpreso com os resultados. Agora mal posso lembrar como minha vida era solitária. Encontrei diversos amigos genuínos, e somos capazes de expressar nosso amor e afeto uns pelos outros de maneira saudável. Embora eu ainda ocasionalmente sinta um impulso para ficar com alguém por uma noite, descobri que esse tipo de tentação está diminuindo cada vez mais em minha vida. Estou realmente entusiasmado sobre até onde o Senhor já me trouxe."

7

O QUE VOCÊ ESTÁ PENSANDO?

Você vai vencer a homossexualidade com sucesso? A resposta a essa pergunta depende do que acontece em sua mente. Sua vida intelectual é o campo de batalha onde a vitória é realmente ganha ou perdida.

Algumas tentativas de vencer a tentação sexual — chuveiros frios para fugir da masturbação, trocar de emprego para afastar-se de um colega atraente, mudar para um apartamento novo para evitar um vizinho gay — podem ser soluções apenas temporárias. Se os motivos fundamentais para a tentação homossexual não forem descobertos e resolvidos, essas soluções são como colocar uma rolha no bico de uma torneira que pinga. A pressão da água continua aumentando, e em algum momento a rolha é lançada fora e a água sai borbulhando. Uma solução melhor é desligar a água na sua fonte. Semelhantemente, temos de ir à fonte de nossas tentações contínuas para nos libertarmos delas.

O Campo de Batalha Interior

Vencer a guerra de sua vida interior será um dos desafios mais difíceis de sua vida cristã. Talvez você tenha experimentado a derrota nesta área por tanto tempo que fica imaginando se a vitória é afinal possível.

Em Romanos 12:2 Paulo nos ordena: "E não vos conformeis com este século, mas transformai-vos pela renovação da vossa mente." Aplicar suas palavras à nossa situação significa que, para quebrar a mentalidade e a prática do estilo de vida homossexual, temos de mudar de pensamento.

Homens e mulheres ex-gays têm de lutar esta batalha em três frentes principais:

❑ *Lembranças do passado.* Não é fora do comum que um homem ex-gay tenha tido dúzias, se não centenas, de encontros sexuais no passado. Outros homens ex-gays e antigas lésbicas tiveram relacionamentos a longo prazo; poucos não tiveram experiências sexuais reais, mas podem ter consentido em atividades relacionadas com a homossexualidade, tais como ver revistas e filmes pornográficos. Mas quer nossas experiências homossexuais tenham sido extensivas ou limitadas, todos nós temos lembranças do passado a vencer.

❑ *Fantasias sexuais.* Nossa imaginação é um dom incrível de Deus com potencial tremendo para o bem ou para o mal. Fantasias imorais podem ser especialmente perturbadoras para aqueles com poucas experiências homossexuais verdadeiras, que passaram anos sonhando acordados com relacionamentos eróticos e românticos imaginários com pessoas do mesmo sexo.

❑ *Padrões de pensamento distorcidos.* Temos também áreas não sexuais onde podemos lutar mentalmente, tais como os pensamentos sobre o nosso relacionamento com Deus *(Deus me odeia porque sou gay)*, pensamentos sobre o nosso relacionamento com outras pessoas *(Nunca serei capaz de me relacionar com outras mulheres)* e pensamentos sobre nosso futuro *(Eu sempre serei gay)*. Se esses padrões de pensamento não mudarem, seremos continuamente derrotados e ficaremos desanimados em nosso processo de recuperação.

Fantasias

Com freqüência medimos o sucesso de alguém na luta contra o homossexualismo pelo modo como ele ou ela agem em público. Uma avaliação mais exata de libertação é o que acontece quando nossa mente está ociosa. Para onde as nossas fantasias nos levam então?

Todos nós muitas vezes temos pensamentos que não são piedosos. Quando isso acontece, temos três opções: indulgência, repressão ou substituição.[1] Obviamente, entregar-se a fantasias homossexuais é pecado. Isso significa que temos duas outras opções racionais:

- *Repressão.* Muitos livros cristãos sugerem diversas técnicas para derrotar a concupiscência que, à primeira vista, parecem muito espirituais. Eis uma que é comum: Quando você for tentado a fantasiar pensamentos impuros, recite um versículo bíblico apropriado.

Esta espécie de estratégia é eficiente para o momento, mas as técnicas de "repressão" não são soluções a longo prazo. Para derrotar padrões de pensamento entranhados, você tem de lidar com as necessidades emocionais e espirituais subjacentes, alimentando-as.

Não estamos tentando minimizar a importância de conhecer a Palavra de Deus. Contudo, falamos com muitas pessoas que foram orientadas a "simplesmente orar mais" ou "recitar um versículo quando forem tentadas". Seus conselheiros não os levaram mais ao fundo, e essas pessoas finalmente retornaram às atividades homossexuais desanimadas, porque suas tentações não diminuíram com o tempo.

Agora vamos comparar essa solução com uma resposta mais eficiente:

❑ *Substituição.* As mentiras de nosso passado devem ser substituídas com as verdades da Palavra de Deus. Ler a Bíblia é essencial, mas não apenas para podermos recitar um versículo como se fosse um "mantra mágico" no meio da tentação. Antes, através de estudo diligente e regular, e *aplicação* dos princípios bíblicos, experimentamos mudanças na maneira pela qual olhamos para Deus, o mundo e nós mesmos.

Nossa visão do mundo resulta em uma perspectiva que reflete a verdade, em vez das distorções de nossa sociedade secular. Viemos a descobrir a realidade do amor de Deus por nós como indivíduos (veja Rm 5:8) e o seu desejo de nos perdoar todo pecado — inclusive os pensamentos e ações homossexuais (1 Jo 1:9). A perspectiva da Bíblia, quando seguida em nossas vidas diárias, vai mudar profundamente a maneira pela qual vemos o nosso passado e vai traçar nosso futuro.

Lidando com Lembranças

Nossa memória é um dom maravilhoso, mas também pode parecer, às vezes, uma maldição. Se antes nos entregávamos ao pecado sexual, é difícil esquecer detalhes gráficos. "Foi um grande problema para mim," disse Cheryl. "Eu pensava nos bons tempos: a excitação quando eu e minha amante nos encontramos pela primeira vez, os acampamentos que fizemos juntas, festas com outros amigos do mesmo estilo de vida. Com demasiada freqüência, eu me esquecia das brigas amargas que tínhamos, do poder que o ciúme exerce quando ficava preocupada se ela se sentisse atraída por outra pessoa".

As palavras de Cheryl fornecem importante perspectiva: lembranças raramente são exatas em cada detalhe. Ficam distorcidas com o tempo. Infelizmente, com freqüência exageramos os bons tempos do passado, a diversão que tivemos nas atividades homossexuais, o excitamento, a fascinação e as emoções sexuais. Mas esquecemos das noites de solidão, das frustrações na procura de um relacionamento duradouro, a angústia de ser abandonado por outro amante, o medo das doenças sexualmente transmissíveis, a depressão de saber que sua família desaprova os seus relacionamentos.

Quando for atormentado por antigas lembranças, peça a Deus que lhe dê uma visão verdadeira e completa do passado, especialmente quando você percebe que está se lembrando apenas dos aspectos positivos. As lembranças *desvanecem-se* com o tempo. Podemos apressar a sua morte não permanecendo nelas nem as reforçando.

PAUSA

Periodicamente, é útil rever os motivos por que você decidiu abandonar o homossexualismo em primeiro lugar. Escreva seus motivos, e acrescente à lista nas próximas semanas outros motivos que lhe vierem à mente.

Outras "Dicas" Práticas

Os problemas com pensamentos impróprios podem ocorrer em determinadas horas do dia, como ao despertar ou na hora de dormir. Problemas também podem ocorrer quando a nossa mente fica "neutra", como quando estamos dirigindo por uma rota familiar para o trabalho ou realizando tarefas repetitivas no emprego. Eu (Bob) descobri que foi útil instalar um toca-fitas em meu carro, e ouvir constantemente sermões, palestras ou música para manter minha mente ocupada enquanto dirijo. Em outros momentos eu gravo programas de rádios evangélicas favoritos, para que possa ouvir enquanto estou a caminho do trabalho e de volta para casa. Um crescente número de excelentes livros também pode ser adquirido em fitas.

Alguns padrões de pensamento são simplesmente maus hábitos do passado; outros se fundamentam em associações com o passado. Por exemplo, se você e seus amigos gays sempre participaram de um evento no Dia das Bruxas, será natural associar essa noite com o passado. Se os aniversários foram celebrados com festas malucas e sexo, essas lembranças serão despertadas todos os anos por algum tempo. Levará tempo desenvolver padrões anuais diferentes; seja paciente consigo mesmo enquanto novas associações e novas lembranças são edificadas em sua mente. Planeje de antemão, para que possa ter atividades divertidas programadas para esses aniversários e outros momentos difíceis quando as lembranças vão surgir do passado.

Nunca na Prática

Para aqueles homens e mulheres que nunca expressaram seus sentimentos homossexuais com outra pessoa, a mente é a área principal de batalha.[2] Se você está nesta situação, eu (Bob) posso entender. Embora passasse a minha adolescência e os anos seguintes com fortes sentimentos homossexuais, era virgem quando me casei com 34 anos de idade. Eu evitei experiências sexuais com adolescentes e muitos jovens adultos. Também era ingênuo acerca da homossexualidade. Cresci na era anterior de os "direitos gays" se tornarem tão públicos; eu não conhecia os bares gays da minha cidade antes de ir para a faculdade.

Mas, desde a minha infância, tinha consciência das conseqüências eternas de minhas escolhas no dia-a-dia. Eu sabia que um dia Deus me pediria contas de meus atos na terra: "Porque importa que todos nós compareçamos perante o tribunal de Cristo para que cada um receba segundo o bem ou o mal que tiver feito por meio do corpo" (2 Co 5:10). Esse conhecimento me manteve afastado de cair francamente nos relacionamentos homossexuais (embora não me afastasse de fantasias pecaminosas).

A pessoa que não agiu seguindo seus sentimentos homossexuais enfrenta algumas lutas únicas:

- *Trivialização pelos outros.* Descobri que algumas pessoas tendem a minimizar minhas lutas passadas com a homossexualidade. "Oh! você não era realmente gay," elas dizem. "Espere até ouvir o que eu passei!" Seus comentários faziam com que me sentisse julgado, como se minhas lutas fossem de pouca importância. Que eu saiba, minhas tentações podem ter sido realmente mais fortes do que as delas, mas eu tinha o auto-controle (e a graça de Deus) para permanecer abstinente.
- *Confusão de identidade aumentada.* O homem ou a mulher homossexual sem experiências sexuais pode ter muitas perguntas interiores: *Se eu não tive nenhuma experiência homossexual, quer dizer que nunca fui realmente gay? Como as minhas tentações diferem das de outros ex-gays?* Este tipo de confusão interior pode levar à ambivalência sobre a necessidade de procurar ajuda.
- *Identidade isolada.* Homens e mulheres com sentimentos homossexuais ou lésbicos que nunca agiram de acordo com eles podem realmente sentir-se isolados de todos — ex-gays ou não! Estes sentimentos podem ser acentuados quando a pessoa visita um grupo de apoio para ex-gays e ouve outras pessoas membros fazendo referência ao seu passado de experiências e relacionamentos sexuais.

Alguns desses homens e mulheres nunca estiveram em um bar gay nem leram uma revista homossexual. Alguns nunca conversaram com outra pessoa que luta contra a atração nada apropriada do mesmo sexo. Não conhecem o jargão gay; ficam imaginando como é realmente o estilo de vida gay. Esses sentimentos de alienação podem levar à tentação de derrubar as fronteiras de sua inocência: *Apenas uma vez não vai fazer mal a ninguém,* eles pensam, ou, *Se eu tiver uma experiência homossexual, eu arranco isso da minha vida.*

- *Tentações homossexuais aumentadas.* As tentações são geralmente disparadas por sentimentos de isolamento, como também de rejeição dos outros. Saber que você é diferente da média dos cristãos que lutam contra a homossexualidade pode disparar ainda mais tentações sexuais. Por isso, ao contrário do que algumas pessoas podem pensar, os homens e mulheres que nunca se entregaram fisicamente podem ter tentações homossexuais *ainda mais fortes* por causa de sua relativa inocência (não experimentaram o lado negativo do envolvimento físico).

Eles lutam contra o fator curiosidade *(Fico imaginando como seria...)* Pessoas que tiveram relacionamentos gays podem olhar para trás para ambas, as boas e as más experiências, de modo que sua visão da homossexualidade provavelmente seja mais realista.

Felizmente, eu (Bob) nunca lutei muito com sentimentos de ser diferente dos outros gays quando me juntei ao ministério "Amor em Ação". Todos nós temos algumas diferenças em nossos antecedentes. Portanto, focalizei o que tinha em comum com os outros e trabalhei na formação de amizades de apoio que eu precisava desesperadamente.

Mais tarde, percebi que minhas lutas eram parecidas às lutas dos homens ex-gays que foram celibatários por diversos anos. Estamos lidando com as mesmas raízes, lutas emocionais semelhantes e as mesmas escolhas diárias de seguir a Deus. Nossas semelhanças são muito mais freqüentes que as diferenças.

Uma última palavra para o homem ou a mulher que nunca se entregou fisicamente. A virgindade sexual é menosprezada na sociedade de hoje. É tratada como um embaraço, mais do que uma qualidade admirável. Mas lembre-se que a sua pureza sexual é um dom especial que você só pode doar uma única vez. Não permita que outras pessoas o convençam de que não vale à pena. Eu me sinto feliz porque não me entreguei.

Segunda Virgindade

Quer tenhamos sido sexualmente ativos no passado ou não, Deus se deleita, contudo, em nos dar um novo começo. Podemos ser lavados e purificados por ele, para que nos tornemos "puros" aos olhos dele. Ele nos ajudará a vencer as lembranças de nosso passado impuro. Ele, na verdade, esquece os nossos pecados: "Eu, eu mesmo, sou o que apago as tuas transgressões por amor de mim, e dos teus pecados não me lembro" (Is 43:25).

Algumas pessoas têm se referido a este renovado estado de inocência como *segunda virgindade.* É um dom precioso de um Deus amoroso — acessível a qualquer ex-gay que o deseje.

Realidade ou Guerra Espiritual

A idéia de que o diabo é um ser pessoal que pode influenciar nossas vidas é descartada com risadas por grande parte de nossa sociedade. Mas as Escrituras ensinam que Satanás é um anjo caído de grande poder com acesso direto às nossas vidas. "O diabo, vosso adversário, anda em derredor, como leão que ruge, procurando alguém para devorar" (1 Pe 5:8). Ele é identificado como o tentador, "o sedutor de todo o mundo" (1 Ts 3:5; Ap 12:9). Podemos cometer dois erros quando lidamos com Satanás: viver com demasiado temor, ou ignorar totalmente a sua existência.

Deus nos dá proteção divina contra o inimigo. Você tem provavelmente ouvido sermões sobre a armadura espiritual de Efésios, capítulo seis, mas já aplicou essas peças da armadura na sua batalha contra a homossexualidade? Eis alguns exemplos:

- ❑ *O cinto da verdade.* Princípio: A Palavra de Deus — e não os meus próprios sentimentos — determinam o que é a verdade.

Aplicações: Deus me ama, mesmo se luto contra os sentimentos e o comportamento homossexuais: "Mas Deus prova o seu próprio amor para conosco, pelo fato de ter Cristo morrido por nós, sendo nós ainda pecadores" (Rm 5:8). Deus é capaz de me ajudar para que eu não volte a cair no comportamento homossexual: "Aquele que é poderoso para vos guardar de tropeços" (Judas 24). Deus permanece comigo na minha luta contra o pecado gay ou lésbico: "Se Deus é por nós, quem será contra nós?" (Rm 8:31).

❑ *A couraça da justiça.* Princípio: Meu coração impuro é purificado pelo sangue de Cristo.

Aplicações: Quando me arrependo, Jesus me purifica de todo pecado homossexual, inclusive meus pensamentos, masturbação ou encontros sexuais do passado. Aquele que confessa os seus pecados e os "deixa, alcançará misericórdia" (Pv. 28:13) "o sangue de Jesus, seu Filho, nos purifica de todo pecado" (1 Jo 1:7). Apesar de minhas constantes tentações homossexuais, posso vencê-las e ser justificado em Cristo, "não tendo justiça própria, que procede da lei, senão a que é mediante a fé em Cristo" (Fp 3:9).

PAUSA

Leia Efésios 6:10-18 e faça uma lista de outras partes de sua armadura espiritual. Faça aplicações específicas à sua batalha contra a homossexualidade.

Reconstruindo o Muro

Eu (Bob) gosto de comparar a nossa mente a uma cidade murada dos tempos do Antigo Testamento. A elevada e larga barreira protege os habitantes mantendo os inimigos fora. Mas quando nos entregamos a fantasias sexuais por muitos anos, nossa mente é como uma cidade com os muros derrubados. As pedras estão espalhadas pelo chão. Nossos inimigos espirituais — Satanás e suas hostes demoníacas — têm livre acesso às nossas mentes. Eles podem entrar e sair à vontade.

Temos de reconstruir os muros de nossa mente, levantando uma barreira espiritual de pureza e força contra a invasão desses inimigos e suas tentações de pensamentos impuros, concupiscentes. O muro não é construído da noite para o dia; ele foi derrubado após um longo período. Vai precisar de um esforço consistente a longo prazo para ser restaurado.

Há muitas maneiras de reconstruir o muro, além da leitura da Bíblia, oração e freqüência à igreja, que são fundamentais. Cada vez que nós nos ocuparmos dessas atividades e escolhermos pensamentos puros e piedosos, colocamos um outro "tijolo" no muro. Eis algumas sugestões práticas para o seu próprio programa de reconstrução:

- ❑ *Assista a filmes interessantes, edificantes*, inclusive filmes atuais, concertos, filmes sobre a natureza, aulas bíblicas e palestras sobre recuperação da homossexualidade e outros tópicos relevantes (veja o apêndice C).
- ❑ *Leia livros e revistas cristãos*, especialmente aqueles que focalizam os seus interesses (por exemplo, problemas femininos, testemunhos de homens, perfis esportivos, música cristã contemporânea, casamento e família). E não se esqueça dos clássicos cristãos de autores como C.S. Lewis, George MacDonald, Charles Williams e John Bunyan.
- ❑ *Ouça gravações de música cristã edificante*, que estão à venda em todos os estilos, desde música pop até "country", e desde música clássica até rock. Algumas gravações são de versículos bíblicos adaptados à música, uma excelente maneira de absorver a Palavra de Deus e seus princípios.
- ❑ *Passe tempo na companhia de amigos crentes* em uma ampla variedade de ambientes, desde estudos bíblicos formais até momentos divertidos comendo pizza. Mesmo quando suas conversas não forem acerca de assuntos espirituais, o fato desses amigos partilharem o seu amor a Deus ajuda a reforçar sua perspectiva bíblica.

❑ *Não deixe de ler livros e assistir filmes seculares clássicos* que reflitam os fundamentos bíblicos de nossa cultura. Com freqüência eles focalizam a fé, o sacrifício, o compromisso e outros valores sadios que dão apoio a uma visão piedosa do mundo. Não devemos nos limitar estritamente a livros, músicas, filmes e revistas religiosos para nos ajudar a reforçar as verdades bíblicas.

Exatamente como a nossa estrutura mental foi experimental no princípio, e então reforçada repetidamente por nossos pensamentos e atividades, assim a nossa estrutura cristã deve ser lentamente e consistentemente desenvolvida através de um longo período de tempo. A Bíblia refere-se a esse processo como "renovação" da mente (veja Rm 12:2), que é um dos mais importantes princípios para alcançar libertação significativa dos pensamentos e sentimentos gays ou lésbicos.

Obter Apoio Adequado

Com freqüência, problemas profundamente enraizados em nossas vidas são complicados demais para lidarmos com eles sozinhos. Antes de vir para o "Amor em Ação", eu (Bob) tomei certas resoluções quanto a algumas raízes em minha vida (as raízes que discutimos no capítulo quatro). Mas, como determinados padrões de tentação continuaram, senti necessidade de algo mais em termos de ajuda especializada.

Talvez você tenha chegado a muitas conclusões novas através deste livro, mas agora está começando a perceber que precisa de apoio adicional. Quais são suas opções?

❑ *Um parceiro a quem prestar contas.* Muitos homens e mulheres que não moram perto de um ministério especializado encontram apoio através de prestação de contas a uma pessoa no que se refere às suas lutas sexuais. Essa pessoa pode ser um pastor, um diácono ou um amadurecido amigo em Cristo. Às vezes tal prestação de contas pode surgir de profundas amizades desenvolvidas dentro de uma igreja ou grupo de estudo bíblico. *Não* recomendamos que você forme tal relacionamento com outro ex-gay, especialmente se houver atração sexual ou emocional entre vocês. Talvez você possa encontrar um casal. Ore a Deus pedindo orientação neste importante assunto.

❑ *Grupo de compromisso.* Este é um pequeno grupo de oração e compartilhamento de quatro a cinco indivíduos que ficam mutuamente responsáveis uns pelos outros. Eu (Bob) encontrei muito encorajamento através de meu envolvimento nesse tipo de grupo com outros três homens cristãos casados. Talvez a sua igreja esteja interessada em dar início a um grupo assim se não existe ainda.

❑ *Aconselhamento profissional.* Temos conhecido inúmeros ex-homossexuais que encontraram tremendo benefício de uma temporada de aconselhamento particular com um profissional cristão treinado. Verifique nas páginas amarelas de uma lista telefônica em sua cidade ou numa cidade grande mais próxima. Alguns poucos telefonemas às principais igrejas de seu município também podem lhe dar alguma orientação sobre conselheiros em potencial. Certifique-se qual a posição do conselheiro sobre questões básicas do cristianismo, como também qual a posição dele em relação à homossexualidade. Sentimos que é importante que o conselheiro partilhe de suas convicções quanto à visão bíblica da homossexualidade.

❑ *Ministério de oração e cura.* Algumas questões profundamente enraizadas parecem inabaláveis, mesmo que você tenha buscado aconselhamento e preste contas a alguém a longo prazo. Pode encontrar ajuda através da oração de cura, às vezes chamada de "cura interior" ou "cura de memória". Esse ministério especializado, sob a direção do Espírito Santo, pode expor experiências do começo da vida que nos deixaram vulneráveis à homossexualidade e outros problemas. Esta oração não muda nossas experiências anteriores, mas permite-nos obter uma nova perspectiva sobre elas, eliminando o seu poder sobre nós.

❑ *Reuniões de apoio.* Dezenas de grupos de apoio para ex-gays existentes já ajudaram milhares de participantes. Para uma lista de grupos, entre em contato com a "Exodus International" (veja apêndice C). Se em sua área não existem tais grupos, outros grupos ("Homosexuals Anonymous", grupos para vencer vícios sexuais, etc.) podem dar a você orientação e apoio de companheiros.

❑ *Programa de aconselhamento em profundidade.* Diversos ministérios ex-gays têm programas de discipulado com internato, onde os indivíduos vivem juntos em casas e passam por um longo programa (talvez por um período de ano). Outros ministérios têm programas que, embora não sejam residenciais, exigem um compromisso por determinado tempo (de seis a nove meses de freqüência às reuniões semanais). Muitos homens e mulheres encontraram tremendos benefícios no envolvimento com esses programas mais intensivos. Uma lista de tais programas está à disposição através da "Exodus International".

8

MUDANÇA NA IDENTIDADE DO EU

Vivemos em uma época onde quase todos sentem-se no direito de ter pelo menos uma crise de identidade. A grande questão, "Quem sou eu?" pode nos acometer a qualquer momento: na adolescência, na formatura da faculdade, quando nos tornamos pais, e, naturalmente, na meia-idade. Todos nós temos feito algum auto-exame nesse sentido, mas provavelmente poucos são tão propensos a enfrentar crises de identidade como os homens ex-gays e as mulheres ex-lésbicas que se tornaram cristãos.

"Eu sou gay ou cristão? Posso pelo menos ser homossexual e cristão ao mesmo tempo? Se ser cristão significa que já não sou mais homossexual, então o que sou? Definitivamente eu *não* sei!"

Homens e mulheres que estão na homossexualidade reagem intensamente à idéia de abandonar o rótulo de gay ou lésbica: "Ninguém vai me empurrar de novo de volta para o armário." Membros do movimento da igreja pró-gay podem acrescentar esta mentira: "Deus me fez deste jeito. Por que eu deveria mudar?"

Se pressionados mais na questão da mudança de sua identidade, os gays provavelmente reagirão de maneira confusa: uma outra reação — "Como eu poderia até mesmo pensar em desistir de uma coisa que é uma parte tão integrante de mim? Se o fizer, o que restará?"

Avaliando o Preço

Por que os homossexuais lutam com tanta força por sua identidade lésbica ou gay? Porque investiram enormemente na aceitação dessa identidade em primeiro lugar.

Para muitos, a primeira conscientização dos desejos homossexuais surgiu na puberdade.[1] Sentimentos iniciais de excitação e curiosidade logo deram lugar à confusão, vergonha e desespero. Então veio um período de luta para parecer "normal": tentar enterrar os desejos pelo mesmo sexo, exagerar ou fingir interesse heterossexual, lutar com a culpa e o medo da descoberta.

Depois de um período de sofrimento e luta internos, muitos sentem alívio e alegria quando finalmente proclamam "eu sou gay". Alguns exploram avidamente tudo o que esse estilo de vida tem a oferecer: novos amigos, novos valores e nova política. Eles abraçam um modo completamente novo de olhar o mundo e, especialmente, um novo modo de olhar a si mesmos.

Vamos dizer que essa tenha sido a sua experiência. Agora você veio a Cristo ou rededicou sua vida a ele. Dentro de pouco tempo — talvez imediatamente — você percebe que a Palavra de Deus não apóia a atividade homossexual ou lésbica. Não importa quantas vezes leia Romanos 1, em busca de brechas, você sabe que os atos homossexuais são errados. Então, você pára de praticar sexo homossexual ou pelo menos tenta parar.

Identidade Versus Comportamento

"Mas o que há de errado em ter identidade homossexual?" talvez você questione. "Se eu não estou agindo homossexualmente, preciso realmente desistir da identidade gay?"

Por mais difícil que pareça, a resposta é *sim*. A cura e a transformação que Deus deseja operar é completa — de dentro para fora. Eis aqui duas razões por que nossa velha identidade tem de ser abandonada:

- ❑ *A identidade homossexual se fundamenta em nosso passado pecaminoso.* Como crentes em Jesus, todos nós recebemos a ordem de deixar de lado a nossa velha identidade, quer seja homossexual, consumista de drogas, ou "yuppie" viciada em golfe. Fomos chamados para abraçar um novo estilo de vida em Cristo Jesus: "quanto ao trato passado, vos despojeis do velho homem, que se corrompe segundo as concupiscências do engano... e vos revistais do novo homem", Paulo exorta em Efésios 4:22-24.
- ❑ *A identidade homossexual se fundamenta em nossas tentações atuais.* Ainda podemos ser homossexualmente tentados, mas isso não nos torna gays ou lésbicas. Nossa identidade em Cristo não é definida pelas coisas que nos tentam.

Como Hebreus 4:15 nos faz lembrar, Jesus foi "tentado em todas as cousas... mas sem pecado". Há uma clara inferência aqui de que Jesus foi sexualmente tentado. Mas a identidade dele nunca veio a ser "Jesus, o fornicador" ou "Jesus, o adúltero". Não importa como foi tentado, ele permaneceu sendo o Filho de Deus imaculado. Nós, naturalmente, não somos sem pecado. Mas também não somos definidos pelas nossas tentações.

Não encontramos nossa identidade olhando para o nosso passado nem para dentro de nós, para a nossa natureza carnal. Esses dois indicadores nos darão um falso relatório sobre o que somos. Para descobrir nossa verdadeira identidade, devemos olhar para outro lugar.

A Busca da Identidade

"Você é heterossexual em Cristo," disse o orador e eu (Bob) me mexi desconfortavelmente na cadeira. "Não importa a profundidade de seus sentimentos homossexuais, pois profundamente jaz dentro de você sua identidade heterossexual, enterrada embaixo de milhares de temores."

Eu jamais esquecerei aquela palestra de Colin Cook, em 1982, na conferência da "Exodus International" em Denver, um evento anual para líderes de ministérios com ex-gays. Nessa ocasião, fazia parte de um ministério com homossexuais na Califórnia havia três anos. Mesmo assim me senti abalado bem lá no fundo com um sentimento nauseante que não conseguia identificar.

Sou realmente heterossexual? Fiquei me perguntando nas semanas seguintes. Como posso honestamente proclamar que tenho uma identidade heterossexual? Eu não me sentia heterossexual. Não sentia atração sexual por mulheres. Eu ainda tinha sentimentos homossexuais por outros homens.

De certo modo eu me sentia preso na "terra de ninguém" da sexualidade: não mais reivindicando uma identidade homossexual, mas ainda me sentindo estranho para a idéia de uma identidade heterossexual.

Será que Deus esperava que eu "fingisse" em termos de sentimentos? Será que de algum jeito eu tinha de dar "um passo de fé" e crer que era heterossexual, especialmente para poder dar um forte testemunho público para a mídia e àqueles aos quais ministrava?

Através dos anos passei para uma nova perspectiva sobre essa questão. Quando olho para a Palavra de Deus, percebo que todos os fundamentos básicos que preciso para saber quem sou estão bem diante de mim.

Gênesis 1:27 é um bom começo: "Criou Deus, pois o homem à sua imagem, à imagem de Deus o criou; homem e mulher os criou."

Primeiro, vi que cada um de nós foi criado " à sua imagem". Ser criado à imagem de Deus é algo que deve ser ponderado. Neste lado da eternidade, nem começaremos a compreender tudo o que isso significa.

Ao nos criar à sua imagem, Deus investiu em nós valor imensurável. Em um bom dia eu posso ver-me como Bob Davies — um homem agradável, competente, heterossexual. Em um dia ruim vejo Bob Davies frustrado, lutando, como alguém que nunca alcança um determinado patamar. Mas quando Deus olha para mim, ele vê Bob Davies — criado à sua própria imagem, planejado desde a eternidade, um prodígio!

Nossos antecedentes, nossas feridas, até o nosso espelho no banheiro podem nos dizer que somos criaturas sem valor, sem poder para mudar. Mas a Palavra de Deus nos diz que somos feitos à imagem dele, implicando que temos capacidade, privilégios e responsabilidades muito além de qualquer coisa que permitimo-nos imaginar. Cada um de nós, apesar de nossas limitações, é muito mais valioso — e muito mais capaz — do que pensamos.

A narrativa do Gênesis prossegue, mesmo sem ter iniciado uma nova sentença, para nos dar o próximo bloco de construção sólido para a nossa identidade: "homem e mulher os criou".

Aqui novamente não há muito lugar para especulações. Temos homens e mulheres. Ambos são criados à imagem de Deus. Cada um reflete uma dimensão única do caráter de Deus. Cada um tem muita coisa a nos contar acerca de Deus, de como ele é.

Observe que há apenas duas categorias. Ou somos um homem feito à imagem de Deus ou uma mulher feita à imagem de Deus. Nenhuma terceira opção foi mencionada.

Cremos que a queda (Gn 3) marcou o início de toda a distorção sexual, inclusive a homossexualidade. Mas, por mais desfigurador que o pecado seja, ele não mudou a nossa identidade mais profunda em Deus. Cada um de nós, por mais aflito que esteja, continua criado à imagem de Deus, homem e mulher, possuindo pleno potencial para tudo o que essas palavras implicam.

Separação de Nosso Próprio Gênero

Na infância, Russell sentia-se estranhamente separado dos outros meninos. "Eu sempre me senti como se estivesse do lado de fora, olhando para os homens como se estivessem por trás de um vidro, como espécimes de museu. Não havia conexão emocional com os outros meninos ou homens, apenas um anseio, quando fiquei mais velho, que realmente não entendia."

Este sentimento de separação do próprio sexo também pode ocorrer nas mulheres. A ex-lésbica Jeanette Howard diz que costumava sentir-se mais como um "terceiro sexo" em vez de homem ou mulher. "Durante anos, fui uma itinerante de identidade de gênero, migrando de certa maneira entre o masculino, o feminino e o neutro," ela escreve em seu livro, *Out of Egypt* (Fora do Egito).[2]

Um grande momento de decisão apareceu na vida de Jeanette depois que ela já era cristã há dois anos. Uma professora na escola bíblica desafiou-a a ficar na frente do espelho todas as manhãs e agradecer a Deus porque ele a criara mulher. Ela achou que era uma tarefa ridícula, mas tentou seguir essa sugestão.

"Na manhã seguinte," ela conta, "levantei-me e lutei para olhar-me no espelho. Por mais que tentasse, não conseguia me reconhecer verdadeiramente como mulher.

"Mas dia após dia perseverei. Na primeira semana, simplesmente lutei para manter meus olhos no espelho, incapaz de dizer uma palavra. Depois de dez dias, eu já era capaz de me olhar face a face. Mas quando tentava dizer alguma coisa, não conseguia falar. Eu simplesmente chorava, amedrontada demais para reconhecer quem era."

Finalmente, depois de várias semanas, Jeanette sentiu-se capaz de ficar na frente do espelho e dizer: "Obrigada, Pai, por me teres feito mulher." Embora o reconhecimento viesse apenas com grande dificuldade, Jeanette diz que foi um passo importante para ela no processo de mudança de sua identificação de gênero.

"Concordar com Deus... significava reconhecer que além dele me conhecer também me aprovava," disse Jeanette. "Ele resolveu que eu fosse mulher. Na verdade, ele me viu completamente feminina, apesar dos meus próprios pensamentos sobre o assunto."

Aceitando a Nossa Própria Identidade de Gênero

Muitos homens e mulheres que lidam com a questão homossexual sentem-se ambivalentes ou até mesmo hostis ao adotar a sua identidade de gênero. Podem se sentir roubados da diversão, dos desafios, ou do conforto que eles percebem ser inerentes nos membros do sexo oposto. Outros confirmam o gênero no qual nasceram mas sentem-se privados — ou até mesmo enojados — de muitos aspectos e qualidades geralmente associados com esse gênero. Entrar em acordo com o nosso próprio gênero significa reconhecer a perspectiva bíblica sobre a nossa verdadeira identidade sexual.

❑ *Deus planejou nosso gênero antes mesmo de sermos concebidos.* "Antes que eu te formasse no ventre materno, eu te conheci, e antes que saísses da madre, te consagrei," disse Deus a Jeremias (Jr 1:5). Nosso gênero não é um acidente; é parte vital de nossa personalidade que é planejada por Deus.

❑ *Deus atribuiu ao nosso gênero o cumprimento de propósitos específicos através de nós.* O salmista disse: "Os teus olhos me viram a substância ainda informe, e no teu livro foram escritos todos os meus dias" (Sl 139:16).

Deus tinha um propósito específico na nossa criação fazendo-nos homem ou mulher. A sua vocação para a nossa vida é melhor realizada através do gênero que ele nos deu. Existem inúmeras passagens bíblicas ilustrando este princípio: A capacidade de Maria de ter filhos capacitou-a a ficar "grávida pelo Espírito Santo" (Mt 1:18) e a educação de Moisés no palácio de Faraó resultou dele ser do gênero masculino (Êx 1:16; 2:2-10). Deus tem motivos soberanos para nos criar homem ou mulher.

Desenvolver Masculinidade ou Feminilidade: Aceitar a Escolha de Deus

Nossa falta de aceitação no passado — verdadeira aceitação — de nossa identidade de gênero resultou numa imaturidade em nosso auto-conceito como homem ou mulher.[4] "Uma parte de mim ainda sente-se como um menininho" podem ser os verdadeiros sentimentos íntimos de um homem adulto. "Estou percebendo agora que sou uma mulher," é uma descoberta surpreendente para uma mulher adulta.

Como podemos crescer em nossa identidade sexual? Como podemos encorajar essa parte do nosso ser, a parte tradicionalmente rotulada "masculina" ou "feminina", que ainda está subdesenvolvida?

O processo de maturação começa com a decisão de *aceitar nossa masculinidade ou feminilidade*, ainda que nos sintamos mortos de medo das implicações.

Com freqüência temos rejeitado o plano de Deus para nós como homens e mulheres. As mulheres têm utilizado o estilo de vida lésbico como um escudo protetor, excluindo os homens — que geralmente representam dor e abuso. Os homens têm abraçado a fantasia da homossexualidade como um escape da responsabilidade masculina e dos relacionamentos adultos com mulheres. Agora, temos de enfrentar nossos medos e, com a ajuda de Deus, atravessá-los.

"Jesus, mostra-me o que significa ser mulher. Tire os meus temores acerca de meu lugar ou se posso me encaixar nas expectativas dos outros. Mostra-me o que tu queres que eu seja."

"Senhor, agradeço-te porque me fizeste homem. Quero crescer em minha masculinidade, por isso me mostra como dar o passo seguinte. Dá-me a coragem que preciso para me relacionar honestamente com outros homens. Com a tua ajuda quero enfrentar os meus temores."

Arrependimento de Atitudes Erradas

❑ *Mulheres.* Para muitas mulheres de estilo de vida lésbico, *estar no controle* é mais do que apenas um atributo desejável. É um princípio de vida orientador. Conforme vimos no capítulo quatro, muitas lésbicas foram vítimas de abuso sexual e emocional e reagiram com o voto: "Nunca mais ninguém vai me machucar desse jeito outra vez. De agora em diante eu é que vou dar as ordens."

Qualidades que são freqüentemente chamadas de "femininas" — como ser acessível, submissa, confiante — são descartadas, especialmente nos relacionamentos com os homens. Outras qualidades, que a nossa cultura tradicionalmente associa com a masculinidade, são cultivadas: agressividade, tomada rápida de decisões, rudeza, independência. Para a ex-lésbica, a idéia de ser franca e confiante em suas reações pode ser o bastante para fazê-la sair correndo da igreja, de volta ao conforto e à familiaridade do estilo de vida lésbico.

Com freqüência, ex-lésbicas temem que a "cura" implique em um casamento forçado e em ter filhos, uma perspectiva que pode parecer tão atraente quanto uma sentença de prisão perpétua.

Eu (Lori) posso compreender esse medo. Enquanto crescia, perdi a certeza de ser uma "verdadeira mulher". Eu não me achava bonita, e paquerar os rapazes nunca me pareceu uma coisa natural. Mesmo depois de me tornar cristã, eu me sentia mais neutra do que feminina.

Numa tarde quente de sábado, nossa igreja realizou um almoço de confraternização para as mulheres no parque local. Eu era solteira, nem mesmo namorava naquele tempo, e me parecia que o parque inteiro estava cheio de jovens mães arrulhando sobre os seus bebês recém-nascidos. Achei difícil de me relacionar com aquelas mulheres, e toda aquela cena me revoltou. Aquelas mulheres pareciam transpirar feminilidade e satisfação maternal. Eu queria ir embora e, mesmo assim, sentia inveja.

Doze anos, o casamento, e três filhos mais tarde, minha visão mudou. Eu gosto de ser mãe. Mas aceitar e abraçar os diversos aspectos da feminilidade tem sido, e ainda é, um processo contínuo.

Quando uma mulher ex-lésbica vem a Cristo, ela já deu um passo importante de reivindicar sua identidade de mulher. Ela abriu a sua vida para um homem — Jesus! Quando ele começa a curar suas feridas, quando ela enfrenta a rejeição e o abuso do passado, reconhecendo a dor, a angústia e a violentação, começa a experimentar a empatia e o amor de Jesus. A sua cura e o seu perdão começam a fluir na vida dela.

Quando ela começa a perceber a necessidade de confiar em Deus e abandonar o controle, os velhos temores se levantam e a encaram: "E se eu for machucada de novo?" Sentimentos que ela esqueceu há anos começam a vir à tona — lembranças de vulnerabilidade da infância, tristeza, um desejo de ser amada e protegida. Tudo isso pode ser tão assustador que ela se recolhe na sua posição de "controle".

Um dos aspectos mais benéficos de vir a Cristo e começar a confiar nele é que, pedacinho por pedacinho, somos libertadas das motivações que impulsionam a nossa auto-proteção. Percebemos que nosso Pai é um educador fiel e forte. Ele vai nos proteger do mal enquanto gentilmente nos conduz para a cura cada vez mais profunda.

Embora algumas — na verdade muitas — das revelações que temos de nós mesmas sejam dolorosas, o amor e o conforto dele estão ali para contrabalançar nossas inseguranças. A propósito, nosso desejo voraz de controle é substituído por uma nova motivação: o desejo de agradar a Deus.

❑ *Homens.* Atitudes erradas para com a masculinidade provocam muitos problemas para os homens em nossa cultura. Um desses problemas envolve a *passividade*.

Uma certa manhã, anos atrás, eu (Bob) ouvi o meu nome mencionado em uma conversa casual no quarto ao lado. Um grupo da nossa igreja estava passando um fim-de-semana nas montanhas, e os outros prepararam um café da manhã enquanto eu ainda estava na cama.

— Bob é um motorista agressivo?

A pergunta foi dirigida a uma mulher em meu grupo de solteiros com os quais eu havia passado uma porção de tempo. Eu parei de respirar para ouvir a resposta.

— Motorista agressivo? O Bob? — pude ouvi-la rindo.

— Ele não é agressivo em *nada*!

Seu comentário me machucou como uma agulha em brasa, as palavras dela me pareceram dolorosas demais. Eu me senti como um fracasso completo, totalmente despido de qualquer resquício de masculinidade.

O problema estava realmente em mim? Ou na expectativa de minha amiga de como um homem "masculino" devia se comportar?

Talvez as duas coisas. Queiramos ou não, somos todos atingidos pela nossa cultura. Fomos treinados durante a nossa vida inteira a esperar certos traços comportamentais dos homens e outros das mulheres. Quando essas expectativas culturais não são atingidas, experimentamos a rejeição dos outros.

A solução é deixar de lutar para atingir a medida do homem ou da mulher ideal da sociedade secular. Contudo, não podemos também ir para o outro extremo e deixar de lado essas normas culturais. Alguns homens gays parecem se orgulhar de sua ignorância das atividades "masculinas" de nossa cultura.

O equilíbrio encontra-se em algum lugar no meio. Quando gastei algum tempo lendo a página dos esportes, senti-me mais informado acerca do que os outros homens conversavam. Senti-me mais confiante em ficar por perto dos "malucos pelo esporte" depois do culto. Quando sinto a aprovação deles e o prazer de estarem comigo, eu me sinto edificado como homem. Sinto-me mais masculino.

Quando tomo a iniciativa em uma decisão — apesar do risco do ridículo ou da rejeição — sinto-me melhor. Gosto de assumir esse papel, e sinto-me mais respeitado pelos outros, tanto homens como mulheres.

Como eu, muitos homens ex-gays têm lutado com uma síndrome de passividade. Deixamos sempre que os outros assumam a liderança; fugimos do conflito ou da controvérsia a qualquer custo. No passado, sentia medo da rejeição, de fazer uma escolha que fosse menos que a ideal. Eu facilmente ficava paralisado pela insegurança.

Muitos homens gays têm milhares de lembranças ocultas do passado ridículo, de tentarem tomar a iniciativa e serem ridicularizados. Por isso, tornou-se mais seguro ser passivo e complacente.

Infelizmente, esta complacência reforça a identidade homossexual. O que consideramos como ideal (e que falta em nós mesmos), é o que nos atrai nos outros. Por isso um homem ex-gay que é passivo vai comumente experimentar atração sexual por homens atirados, agressivos e confiantes.

Até que esse homem resolva a sua própria passividade, tais atrações sexuais vão continuar.

Semelhantemente, temos de desenvolver as partes de nossa personalidade que permaneceram subdesenvolvidas no passado. Quando amadurecemos emocionalmente em nosso caráter "masculino" e "feminino", damos outro passo importante para vencer atrações impróprias pelo mesmo sexo.

Em Busca de Personalidades Piedosas

Quando chegamos ao ponto de desejar agradar a Deus, de desejar aceitar nossa identidade masculina ou feminina, ainda podemos ficar imaginando, *a quem eu devo imitar*?

❑ *Padrões para os homens.* Jesus Cristo é o nosso principal modelo de masculinidade piedosa. Ele foi um líder para alguns dos personagens mais rudemente talhados de sua cultura. Eles jamais aceitariam trabalhar para um líder fraco, indeciso. Jesus advertia os líderes religiosos do seu tempo ousadamente por causa da obediência hipócrita e íntima sujeira deles (Mt 23:25); ele ordenou a rudes pescadores: "Vinde após mim, e eu vos farei pescadores de homens", e instantaneamente eles obedeceram (Mc 1:17-18); ele repreendeu demônios, enfermidades e ondas encapeladas do mar com uma autoridade que espantou seus discípulos.

Mas Jesus também demonstrou outras qualidades não tão procuradas pelos homens de nossa cultura. Ele demonstrava suas emoções de tristeza e dor; ele se entristecia com os pecados dos líderes religiosos que buscavam apenas conformidade exterior com a lei de Deus (Mt 23:27-28); ele chorou por causa do sofrimento de homens e mulheres (Jo 11:35). Ele foi afetuoso e carinhoso com as crianças (Mt 19:13-15), e paciente e amoroso com as pessoas pecadoras (Jo 8:11). Jesus é o exemplo supremo para todos os homens cristãos que imaginam: *Qual é o padrão bíblico da masculinidade?*

Além de imitar Jesus, os homens ex-gays podem aprender muito estudando as vidas de outros homens piedosos da Bíblia. Você poderia também visitar uma livraria cristã e escolher um romance sobre a vida de um herói bíblico masculino, tal como Daniel ou Davi.[5] Embora esses romances façam acréscimos de partes da história que não se encontram detalhadas nas Escrituras, podem dar vida aos personagens bíblicos de maneira nova relacionando-os com você. Você verá como esses homens lutaram com muitos dos mesmos problemas relacionais e de auto-imagem que você enfrenta. Conhecer os homens das Escrituras pode ser tremendamente útil no desenvolvimento de seu caráter.

Outros personagens modelos existem ali mesmo na sua igreja. Nas décadas passadas eu (Bob) fui privilegiado com a amizade de diversos homens corretos de minha igreja que têm demonstrado masculinidade piedosa. Eles têm sido exemplos úteis, enquanto observo suas atitudes para com os outros homens e mulheres. Conforme tenho crescido em minha masculinidade, tenho merecido seu respeito e amor. Isso tem sido de valor incalculável para reforço de minha auto-imagem masculina. Vamos examinar melhor a formação desses relacionamentos benéficos com outros no próximo capítulo sobre amizades.

❑ *Padrões para mulheres.* Algumas mulheres têm destacado: “Jesus também é o nosso personagem modelo.” É verdade. Cristo é o exemplo mais elevado de santidade para todos os crentes, tanto homens como mulheres. Há um sentido no qual os homens que imitam a Jesus se tornarão mais totalmente masculinos, enquanto as mulheres que imitam a Cristo vão desfrutar de uma compreensão mais profunda de sua feminilidade. E sendo transformados à imagem de Cristo, cada um de nós nos tornamos mais santos, mas também mais humanos.

Mas, como mulheres, precisamos de outras mulheres para nos ajudarem a perceber a diferença e o pleno potencial de nosso gênero. Como cristã recém-convertida e ansiosa, eu (Lori) desejava encontrar a melhor "mulher piedosa" para poder imitá-la. E consegui esse modelo em uma senhora graciosa que tinha o seu cabelo preso em um coque, que trabalhava com seu marido lavrador, corajosamente confiando na provisão divina diante da seca iminente ou de um ataque de gafanhotos. (Meu protótipo deve ter sido Ma Ingalls de *Little House on the Prairie* [A Casinha da Campina], ou talvez Olívia, a mãe dos *Waltons*, uma série de TV que fez muito sucesso nas décadas de 70 e 80). Embora essa fosse uma imagem que eu genuinamente admirava — uma mulher forte mas feminina — precisava de mais algumas idéias mais de como uma "mulher piedosa" poderia ser.

Descobri que a Bíblia está cheia de mulheres que podemos estudar, se não imitar. Por exemplo, Sara, a mulher de Abraão, é recomendada como uma mulher de fé e piedade (1 Pe 3:6).

Isto poderia nos levar a considerar Sara como uma mulher piedosa, sempre correta e sossegada. Mas os trechos da narrativa de Gênesis nos dizem que este não foi sempre o caso.

Por exemplo, ela riu de incredulidade quando o Senhor lhe disse que teria um filho. Sua impaciência com o horário de Deus levou-a a insistir com Abraão que dormisse com Hagar, uma atitude da qual rapidamente se arrependeu.

Sara foi um ser humano real, não um ícone pintado e idealizado de feminilidade. Toda a sua vida revela uma mulher de coragem e perseverança, que viajou com o seu marido saindo de sua terra natal para uma perigosa viagem em obediência a Deus. Ela confiou em Deus mesmo quando seu marido a penhorou como sua irmã e permitiu que fosse para o harém de Faraó. Ela esperou durante anos para receber seu filho prometido, crescendo em reverência diante do Senhor e fé em sua provisão. Sara foi uma mulher piedosa.

Quanto mais estudamos as mulheres da Bíblia, mais percebemos que as mulheres piedosas não foram todas iguais. Temos Débora, uma corajosa juíza e líder de Israel; Ester, cujo espírito, coragem e beleza salvaram o povo judeu da aniquilação; e Maria que assentou-se aos pés de Jesus, recebendo seus ensinamentos.

E temos Maria, a mãe de Jesus. Um anjo do Senhor apareceu a uma menina adolescente, informando-a de que "o poder do Altíssimo" a envolveria, e ela se tornaria a mãe do Filho de Deus. A resposta de Maria foi: "Aqui está a serva do Senhor; que se cumpra em mim conforme a tua palavra" (Lc 1:35-38).

Tantos e tão diferentes tipos de mulheres piedosas existem, mas cada uma demonstra esta qualidade unificante: uma mulher piedosa está *pronta* e *desejosa* de cumprir o propósito de Deus para ela.

A beleza e o encanto disso é que cada uma de nós pode ser uma mulher piedosa. Não existe um protótipo simples, porque não somos todas chamadas por Deus para fazer as mesmas coisas, para sermos o mesmo tipo de mulheres. Nossa feminilidade, conforme refletida em nossa personalidade única, será manifestada em nossas vidas quando buscarmos o Senhor sinceramente para descobrir a vontade dele para nós e nos propusermos a fazê-la.

Amigos como Modelos

No começo, Karen hesitou em fazer amizade com Sherry, que, definitivamente, era heterossexual — uma mulher cristã bela e confiante. Ela a admirava muito. Na verdade, podia olhar para ela e pensar: *Eu poderia ser assim se fosse curada.* Karen alimentou essa amizade com Sherry, e foi franca com ela acerca de seus temores. Sherry era firme em seu relacionamento com o Senhor, e embora Karen ficasse emocionalmente dependente dela, as duas foram capazes de discutir e orar pelos problemas que se desenvolveram. A dependência se desvaneceu, e o relacionamento ajudou Karen a se tornar mais forte e mais segura em sua própria identidade feminina. "Antes de conhecer Sherry, meu uniforme padrão era camiseta e jeans, geralmente comprados no departamento masculino. Sherry nunca me pressionou para mudar, mas se ela fosse comprar roupas, convidava-me para ir junto. Eu observava como ela combinava as cores e os acessórios, e pensava: *Parece bom.* Logo mais, estava procurando roupas e pedindo a opinião dela: 'O que você acha disto?' Agora posso entrar em uma loja e dizer: 'Isto combina comigo e isto definitivamente não combina.' As pessoas elogiam a minha aparência agora; desenvolvi meu próprio senso de estilo. Agora, na verdade, algumas de minhas amigas me pedem conselho sobre como vestir-se!"

PAUSA

Examinamos o significado da aceitação de nós mesmos como homem ou mulher. Seria um momento apropriado para entregar esta área de sua vida a Deus em oração.

"Deus, agradeço-te porque o meu gênero não é um acidente. Eu sei que tu tens um plano especial para a minha vida que só pode ser cumprido através de minhas qualidades e atributos femininos (ou masculinos).

"Obrigada(o) por me criar exatamente como sou. Ajuda-me a me tornar a mulher (ou o homem) que tu queres que eu seja. Através da obediência, vou abraçar minha verdadeira identidade para a tua glória."

Muitos cristãos — não apenas os que vieram de um passado homossexual ou lésbico — lutam às vezes com a sua identidade sexual e com os seus papéis de homens e mulheres. Você poderá partilhar suas lutas com os outros quando fizer amizades significativas, que é o assunto de nosso próximo capítulo.

9

CRIANDO AMIZADES SADIAS

Quando Todd entrou no escritório do conselheiro, foi difícil acreditar que tinha um problema sério. Alto, cabelo loiro espesso e penetrantes olhos azuis, sua presença física era impressionante. Como diretor de uma sucursal de importante ministério evangélico além-mar, Todd projetava um ar de confiança e competência. Ele parecia transpirar liderança. A vida de Todd parecia boa demais para ser verdadeira. Na verdade, não era nada boa.

"Eu fui uma estrela do basquete, um estudante classe A, e presidente do grêmio estudantil," contou Todd ao conselheiro. "Muitas pessoas querem ser minhas amigas. Mas ninguém — ninguém mesmo — me conhece de verdade."

Todd se converteu durante o seu primeiro ano no colégio, esperando que Deus removesse os impulsos homossexuais contra os quais lutava desde os 12 anos de idade. "Isso não aconteceu," ele disse. "Mas, pelo menos, como cristão, tenho uma desculpa para não dormir com minhas namoradas. As mulheres acham que sou muito cavalheiresco. Que piada! Eu acho que morreria se as pessoas descobrissem a verdade a meu respeito. Mas não consigo mais viver nesta solidão."

Todd descreveu recentes viagens a uma grande cidade vizinha, a sede do ministério onde trabalhava: "Comecei a ter encontros sexuais anônimos. Mas estou aterrorizado de pegar AIDS, e o que aconteceria se um dos rapazes com os quais faço sexo aparecer no centro ministerial?

"Minha vida é uma fachada, e está se desfazendo. Sempre fui aquele sobre quem todos se apóiam e respeitam, aquele que resolve a situação. Mas não posso mais ignorá-lo. Preciso de ajuda!"

* * *

Segurando firmemente a direção com uma das mãos, Mary Beth ajustou o volume do seu toca-fitas com a outra. Reduzindo um pouco a velocidade, espiou pela janela do carro para um conjunto de apartamentos de dois andares de tijolos. Ela sabia o que estava procurando: uma pequena picape Toyota azul. Deveria estar estacionada no espaço reservado para o apartamento nº 213, mas não estava.

Mary Beth pisou no acelerador, fazendo rugir o motor. Batendo com o punho contra o painel de instrumentos, ela exclamou: "Eu sabia que você estava mentindo! Eu sabia. Elaine, você vai pagar por isso. Espere."

Mary Beth e Elaine tornaram-se amigas íntimas — e então amantes — quase imediatamente depois de serem apresentadas uma à outra por uma amiga mútua da cooperativa de alimentos onde Mary Beth trabalhava. "O elo entre nós duas foi instantâneo e elétrico," Mary Beth lembrava. "E os problemas entre nós surgiram também com a mesma rapidez."

Como professora auxiliar no colégio local, Elaine desfrutava de um largo círculo de amigos na comunidade acadêmica. Mary Beth gostava de Elaine. Ponto. Embora fingisse que tolerava os outros relacionamentos de sua amiga, mantinha uma vigilância de falcão sobre os telefonemas de Elaine e, especialmente, suas idas e vindas. A decisão delas de dividir um apartamento tornou tudo mais fácil. No começo o ego de Elaine foi reforçado com a admiração e possessividade de sua parceira, mas estava começando a sentir-se sufocada.

Nessa noite, quando Mary Beth telefonou do trabalho, Elaine lhe dissera: "Estarei em casa hoje à noite. Vou tomar um banho e vou dormir cedo. Acorde-me quando voltar." Arranjando uma desculpa para sair da cooperativa, Mary Beth fez uma pequena viagem pela vizinhança. Suas suspeitas se confirmaram — Elaine saíra. Dividida entre sofrimento e raiva, Mary Beth estacionou o seu carro e descansou a cabeça na direção. "Eu poderia matá-la por isso, Elaine," ela gritou, incapaz de segurar as lágrimas. "E se eu não precisasse tanto de você, eu o faria."

Entendendo os Padrões

Alguns de nós entendemos o método de Todd nos relacionamentos: manter todos à distância, fugir da intimidade, estar sempre "no controle" — e não seremos machucados. Alguns se vêem em Mary Beth: precisando desesperadamente de um relacionamento íntimo exclusivo, e quando o encontramos, tomar medidas desesperadas para mantê-lo.

Outros ainda combinam ambos os métodos: quanto mais queremos um relacionamento íntimo, mais difícil fica de encontrá-lo. Então quando encontramos alguém que realmente parece se importar conosco, imaginamos: *Por que esta intimidade especial é tão difícil de manter*? O que começa como uma amizade edificante, cheia de satisfação, transforma-se da noite para o dia em uma teia amarga de ciúmes, acusações lacrimosas e exigências eternas. A "amizade especial" explode na nossa cara, fazendo que nos afastemos, sofredores e devastados. *Nunca mais vou permitir que alguém se aproxime tanto de mim*, resolvemos, enterrando-nos no trabalho, na atividade e na solidão. Recolhemo-nos na independência solitária, talvez buscando consolo na masturbação, na fantasia ou no sexo anônimo, mas fugindo basicamente de qualquer intimidade real.

Este isolamento solitário continua até que, novamente, outra "pessoa especial" apareça em cena estendendo a mão com delicadeza e interesse. Como a pessoa que esteve fazendo regime e passou fome durante semanas, jogamos de lado toda cautela e mergulhamos em outra dependência confusa. E o ciclo começa de novo.

Neste capítulo, vamos examinar os dois lados dos relacionamentos perturbadores: isolamento defensivo e dependência emocional. Por que entramos nesses padrões, e como reagimos no meio deles? Vamos examinar meios de interromper esses ciclos frustrantes e caminhar para amizades cristocêntricas saudáveis.

Isolamento Defensivo

O isolamento defensivo acontece quando nos fechamos em auto proteção fugindo dos relacionamentos íntimos. Muitos de nós que lutamos nesse isolamento defensivo somos os últimos a crer que temos um problema. Se alguma coisa nos perturba, temos certeza de que podemos resolver sozinhos.

Eis algumas atitudes e comportamentos comuns nas pessoas que vivem no isolamento defensivo:

- ❑ *Ira:* bater portas, explodir, dar "um gelo". Afastamos as pessoas com a nossa raiva.
- ❑ *Humor:* sarcasmo, desprezo, observações padronizadas,

fazer pouco caso da nossa necessidade de relacionamento, minimizar as necessidades dos outros.

❑ *Isolamento:* habitualmente preferimos ficar sozinhos, apesar das oportunidades de estarmos com os outros.

❑ *Auto-suficiência:* relutância em aceitar presentes, alimentos, elogios ou favores.

Eu (Lori) lembro-me de ocasiões em que estive na fila de supermercados, grávida, segurando o bebê sobre o quadril e com a mão livre manobrando um carrinho superlotado de compras. "Quer alguma ajuda?" o empregado da loja pergunta. "Não, obrigada!" respondo com voz esganiçada, enquanto empurro o carrinho bamboleante. Mais tarde, sempre fico imaginando: *Por que não lhe disse simplesmente "Obrigada, seria muito bom"*?

❑ *Controle:* ser aquele que faz as perguntas, não aquele que as responde. Evitar situações de grupo onde não podemos controlar (por exemplo, ir ao estudo bíblico apenas se formos o líder; participar de grupos de comunhão de solteiros ou na faculdade se fizermos parte da liderança).

❑ *Selecionar revelações:* ser franco apenas acerca de lutas *do passado*, aquelas que resolvemos com sucesso; ser evasivo ou mudo sobre problemas atuais, mesmo quando as pessoas desejam sinceramente saber como estamos nos saindo.

❑ *Hábitos compulsivos e vícios:* "trabalhismo" (vício de trabalhar), alcoolismo, drogas, comer compulsivamente, maratonista de TV ou vídeos.

❑ *Problemas de peso e/ou relaxamento no vestir:* meios de não atrair a atenção ou convites para relacionamentos (embora não sejam todas as pessoas com excesso de peso que tentam manter as pessoas à distância).

❑ *Evitar toques e contatos físicos.*

❑ *Manter a conversa sobre "tópicos":* evitar assuntos pessoais ou qualquer coisa que revele sentimentos.

❑ *Padrões elevados demais para fazer amigos:* ninguém se qualifica ou alcança nossas expectativas.

❑ Para homens: *uma tendência para as tentações que envolvem pornografia e sexo anônimo.*

❑ Para mulheres: *procurar conforto no isolamento e na fantasia.*

❑ *Investimento emocional em animais de estimação.* Os animais são maravilhosos; só se tornam problema quando são usados como substitutos para o relacionamento humano.

Mutualidade nos Relacionamentos

É difícil ter intimidade com pessoas que não nos permitem que nos entreguemos a elas. É como se cressem que, recebendo de nós, estarão comprometendo sua vida íntima conosco. Mas uma personalidade saudável é aquela que recebe com graça o que os outros oferecem sem se sentir pressionada a imediatamente "devolver o favor". Mutualidade nos relacionamentos é importante — dar e receber equilibradamente, por um período de tempo. Mas quando sentimos que devemos correr para "igualar os pontos", estamos perdendo a razão de ser da verdadeira amizade.

Em um seminário sobre relacionamentos, eu (Lori) ouvi uma declaração interessante: "O sinal exterior de um coração endurecido não é a incapacidade de dar amor. É a incapacidade de recebê-lo."

Às vezes, o isolamento defensivo aparece nas pessoas que parecem amar e dar mas que recuam ou fogem quando as pessoas tentam demonstrar-lhes amor. Pessoas que foram profundamente magoadas são com freqüência surpreendentemente capazes de dar afeto e carinho. Seu passado até desenvolve sua compaixão pelos outros. Mas a dor que experimentaram foi tão devastadora que não podem arriscar-se em se abrir para confiar ou precisar de alguém. A vulnerabilidade é ameaçadora demais. Pode conduzir a mais sofrimento.

Feridas Fundamentais

O que existe no fundo do isolamento defensivo? Feridas. Todas as atitudes e comportamentos de "isolamento" são muros de proteção levantados para nos separar de agentes lesivos em potencial. Mas por trás desses muros, estamos entorpecidos e machucados, às vezes amargurados. A vida carece de calor, colorido e alegria.

Como cristãos, podemos encontrar paz e alegria em nosso relacionamento com Deus, mas o enriquecimento que encontramos em nossos períodos "a sós" precisam ser partilhados com os outros. Quando guardamos nossos tesouros e visões espirituais só para nós mesmos, ficamos estagnados, como uma poça sem escoamento.

Quer sejamos solteiros ou casados, fomos feitos para ter comunhão e vivermos em comunidade. Na verdade, encontramos nossa cura e nossa identidade em Cristo no princípio, quando passamos momentos a sós em comunhão com Deus; e, depois, iniciamos relacionamentos com outros crentes. E, conforme veremos mais tarde neste capítulo, uma verdadeira compreensão da solidão faz parte do fundamento de relacionamentos saudáveis centralizados em Deus.

Dependência Emocional

Para as pessoas que estão saindo da homossexualidade, especialmente mulheres, a dependência emocional é uma verdadeira "batata quente". Na verdade, com freqüência, é uma luta central no processo de cura e aquela que é a mais difícil de ser tratada. Mas, confrontar e separar os problemas básicos da dependência pode produzir libertação e integridade de um modo especial.

O que é a dependência emocional? Nossa definição prática é *a condição resultante "quando a constante presença e carinho de outra pessoa é considerada necessária para a segurança pessoal"*.[1] Em outras palavras, quando o seu valor, sua paz de espírito, estabilidade interior e felicidade estão ancorados em *uma* pessoa e na reação dessa pessoa para com você, você é emocionalmente dependente.

O treinamento dos salva-vidas inclui advertências sérias sobre como salvar um banhista desesperado. Algumas pessoas que estão se afogando ficam tão agitadas que envolvem com seus braços o seu salvador e ambos acabam morrendo juntos. A expressão "relacionamento mortal" resume a dependência com bastante simbolismo.

Assim como o isolamento defensivo, a dependência emocional tem algumas características exteriores que indicam quando um relacionamento está destinado a esta marca particular de problemas.

Estamos provavelmente nos tornando emocionalmente dependentes quando estamos

❑ *experimentando ciúmes e possessividade*, um desejo de exclusividade com um amigo.

❑ *preferindo passar o tempo a sós com o nosso amigo*, e ficamos frustrados quando o vemos apenas em grupos ou com outras pessoas presentes.

❑ *sentindo raiva ou depressão irracional* se o nosso amigo se afasta ainda que um pouco.

❑ *achando que os outros relacionamentos são aborrecidos e nada interessantes* se comparados a este.

❑ *experimentamos sentimentos românticos ou sexuais* que nos levam à fantasia acerca desta pessoa.

❑ *ficamos preocupados* com a aparência, personalidade, problemas e interesses de nosso amigo.

❑ *recusamo-nos a fazer planos a curto ou a longo prazo* que não incluam esta outra pessoa.

- ❑ *tornamo-nos incapazes de olhar para as falhas do outro* de maneira realista.
- ❑ *expressamos nosso afeto físico além do que seria apropriado* numa amizade.
- ❑ *referimo-nos freqüentemente ao nosso amigo na conversa*; sentindo-nos na liberdade de "falar pelo outro".
- ❑ *exibimos uma intimidade e familiaridade* com este amigo que deixa as outras pessoas embaraçadas e sem jeito em nossa presença.[2]

Manipulação

Uma vez que os relacionamentos emocionalmente dependentes são uma falsificação das verdadeiras relações que Deus deseja que tenhamos, não podem ser mantidos através de meios corretos. Para iniciar ou manter relacionamentos dependentes, temos de geralmente recorrer a táticas manipuladoras, que envolvem o controle de outra pessoa ou circunstâncias através de meios enganosos ou indiretos. A manipulação é a cola que mantém vivos os relacionamentos dependentes.

Eis aqui algumas formas de manipulação que podem ser utilizadas para iniciar e manter relacionamentos dependentes:

- ❑ *Usar as roupas do outro,* copiando o seu estilo.
- ❑ *Utilizar poesia, música ou outros romantismos* para provocar reação emocional.
- ❑ *Ficar olhando de maneira significativa e sedutora,* ou recusar-se a manter contato visual para castigar.
- ❑ *Elogiar*, especialmente dizendo: "Você é a única pessoa que me entende", ou: "Eu não sei o que faria sem você."
- ❑ *Paquerar ou implicar,* empregando apelidos especiais, falando em uma linguagem codificada que apenas vocês dois entendem.
- ❑ *Oferecer demasiado afeto físico:* abraçar, tocar, esfregar as costas ou o pescoço, fazer cócegas, socar e lutar.

❑ *Combinar finanças e propriedades pessoais*; morar junto.
❑ *Enviar cartas e presentes regularmente* a uma pessoa sem motivo especial.
❑ *Fazer o outro sentir-se culpado* por causa de expectativas frustradas: "Se você *realmente* me amasse, você..." ou: "Eu ia vê-lo ontem à noite — mas fiquei sabendo que provavelmente estaria ocupado demais para se importar comigo".
❑ *Manter a outra pessoa ocupada o tempo todo* de modo que não pode ter atividades independentes, separadas.

Uma nota de cautela: Muitas destas coisas não são erradas ou manipulativas em si mesmas. Elogio e encorajamento honestos, presentes especiais, abraços e toques — são elementos agradáveis de uma amizade saudável. Lembre-se também que gestos românticos e uma certa dose de exclusividade são perfeitamente apropriados em um casamento, noivado ou até mesmo em um namoro sério, mas fora de lugar na amizade.

Quem É Vulnerável à Dependência Emocional?

Como você já deve ter adivinhado — qualquer um. Dadas as circunstâncias, pressões e oportunidades certas, não há ninguém que não possa acabar em um relacionamento "mortal".

Além disso, há determinados padrões de como e quando a dependência se instala. Geralmente dois tipos de personalidades diferentes tendem a gravitar juntos. Um parceiro parece ser forte, competente e sábio. O outro parece mais inseguro, emocionalmente mais necessitado, menos "composto". Na verdade existem duas pessoas necessitadas. A "mais forte" freqüentemente tem uma necessidade enorme de ser útil e um apetite imenso de receber elogios e admiração da pessoa "necessitada". É muito interessante que a pessoa necessitada freqüentemente controla o relacionamento.

Para se ter uma visão clara de um relacionamento dependente, vamos examinar o relacionamento de Paula com Anne, que começou uma tarde em uma viagem de ônibus do banco de Mineápolis, onde ambas trabalhavam, para casa.

"Cerca de cinco anos mais velha do que eu, Anne era alta, loira, educada e confiante — o que eu percebi ser o meu oposto," Paula se lembra. "O marido dela dera início ao divórcio alguns meses antes, e em nossa viagem para casa ela partilhou comigo como é difícil 'começar de novo'. Sua franqueza me encorajou a me abrir sobre a devastação que experimentava desde a morte de minha mãe no começo do ano. Ambas encontramos alívio em poder nos abrir e ficamos admiradas pela afinidade que parecia haver entre nós. Despedimo-nos e fizemos planos de almoçarmos juntas mais tarde na semana."

Daquele momento em diante, Paula e Anne tornaram-se inseparáveis. Almoçavam juntas quase todos os dias e se encontravam depois do trabalho para tomar café ou chocolate quente antes de pegar o ônibus para casa.

"Eu não sei o que Anne viu em mim," disse Paula, "mas sua disposição em ouvir, encorajar e ajudar me pareceu não ter limites. Quando perguntei a ela o que estava recebendo em nossa amizade, ela riu e disse: 'Você me fez esquecer meus problemas.' Eu diria que ela desfrutava de sua capacidade de me animar ou ajudar-me a enfrentar uma situação difícil de uma perspectiva nova. Ela não pareceu nem mesmo ficar desconcertada no dia em que confessei que havia caído em um relacionamento lésbico com minha melhor amiga durante a faculdade."

Anne e Paula passavam muito tempo juntas, uma na casa da outra. "Geralmente, íamos para a casa de Anne na cidade, porque era muito maior do que meu apartamento abarrotado. Nos fins de semana, tínhamos um belo jantar juntas, depois assistíamos a um vídeo, bebíamos um ou dois copos de vinho. Uma noite ficamos acordadas até as duas horas da madrugada conversando, e revelei minha ferida acerca de meu relacionamento com o meu pai, que abusara de mim sexualmente quando eu era adolescente.

"Anne simplesmente me abraçou e eu chorei e chorei, confortada além de palavras com o abraço dela. Eu queria que ela nunca mais me largasse. Foi quando percebi que estava apaixonada por Anne. E lhe contei.

"Ela me olhou compassivamente e disse: 'Eu também a amo, Paula. Eu odeio vê-la sofrer. Você tem sofrido tanto.'"

Naquela noite, Anne e Paula dormiram juntas na cama de Anne, aconchegadas uma à outra, ainda que o seu relacionamento físico não avançasse.

"Eu precisava que fosse além," Paula confessou, "mas fiquei com medo de iniciar alguma coisa. Ainda assim, senti que aquela noite marcou uma mudança em nosso relacionamento. *Estamos comprometidas*, eu pensei."

Na manhã de segunda-feira, rosas foram entregues na mesa de Anne no escritório, com um cartão que dizia: "Obrigada por ter estado ali quando precisei de você. Todo o meu amor — Paula."

"Eu não agüentava de ansiedade para ver o rosto de Anne na hora do almoço," disse Paula, "para saber se ela havia gostado das rosas." Mas na hora do almoço, Anne sumiu. Não estava também no ônibus depois do trabalho. Naquela noite, Paula deixou mensagens desesperadas na secretária eletrônica de Anne.

"Estava aterrorizada," Paula se lembra. "Anne era o meu salva-vidas. E agora havia desaparecido. A dor queimava." À meia-noite, Paula foi à casa dela e bateu na porta. Anne atendeu, ainda em roupas de trabalho. Atrás dela sentado no sofá estava um homem ruivo de boa aparência.

"Paula, o que você está fazendo aqui?" Anne perguntou, claramente aborrecida.

Paula perdeu todo o controle e gritou: "O que você está querendo dizer? Onde você esteve o dia inteiro — e quem é este bobo aí em sua sala-de-estar?"

"Este é o Perry. Fomos jantar hoje. E isto não é da sua conta, Paula. Você quer alguma coisa?"

"Sinto muito, Anne," Paula soluçou, "eu não sabia a quem procurar. Senti-me muito solitária e com medo. Fiquei assustada porque não sabia onde você estava."

Anne amoleceu. "Entre. Entre, Paula. Perry já estava indo embora, não é mesmo, Perry?"

Perry parecia não estar com vontade nenhuma de dizer boa-noite, mas pegou o paletó, beijou Anne no rosto e saiu.

Paula entrou desajeitadamente, visivelmente aliviada e começou a contar seu infortúnio. Anne preparou para ambas uma xícara de chá e se ajeitou para ouvir. Seria uma longa noite.

Escravidão Emocional

Todo relacionamento onde há dependência emocional é diferente e, ao mesmo tempo, é todo igual. Quase invariavelmente começa com as duas pessoas envolvidas se sentindo muito bem. Mas, com o passar do tempo, um dos parceiros, como Paula, sente-se cada vez mais dependendo do cuidado e apoio do outro. O parceiro "carinhoso, doador", como Anne, sente-se culpado e responsável pelo necessitado, mas desfruta da satisfação de ser o solucionador de problemas, o "herói" do outro. Os elogios e as lisonjas, em geral, também parecem ótimos.

Você se lembra de um brinquedo chinês chamado algemas, que consistia de um tubo de palha, cilíndrico e entrelaçado? A gente colocava um dedo numa ponta do tubo, e o outro dedo na outra ponta. Então puxava as mãos, tentando tirar os dedos. Mas quanto mais se puxava, mais as algemas apertavam. As dependências são assim: muito fáceis de se criar, muito difíceis de acabar com elas.

A dependência tem muitas facetas. Para se entender mais profundamente este assunto, recomendamos ler o livreto *Emotional Dependency* (Dependência Emocional) escrito por Lori e publicado pela "InterVarsity Press".

Há Esperanças?

Pessoas que foram apanhadas no isolamento defensivo, na dependência emocional, ou ambos, ficam se perguntando se um dia ficarão livres nessa área de relacionamentos. Encorajamos os que se sentem assim que não desistam. Deus tem reservado algo melhor do que uma montanha-russa de solidão e culpa. Os relacionamentos com os outros não são alguma coisa a ser evitada e temida; nem devem ser um ídolo em nossas vidas, buscado às custas da paz pessoal e de um relacionamento correto com Deus.

Quando os homens e as mulheres de antecedentes homossexuais procuram cura para alguns de seus ferimentos e traumas do começo da vida, encontram nova liberdade para fazer escolhas nos relacionamentos. Onde quer que estejamos no processo de cura, podemos sentir que as velhas "regras" dos relacionamentos já não são mais aplicáveis. Mas quais são as novas regras, se é que existem?

Muitas mulheres saindo do lesbianismo querem saber: "Como ter uma amizade normal — especialmente com mulheres heterossexuais?" Os homens, também, podem sentir-se muito desconcertados. "Os homens certos vêm de um mundo diferente do meu," disse Richard. "Muitos deles não se sentem bem quando se relacionam comigo no princípio. Como entrar nesse tipo de amizade?"

Antes de nos aventurarmos em novos tipos de relações, devemos mudar a nossa perspectiva sobre os relacionamentos, especialmente com outros crentes. Em vez de nos vermos como ilhas isoladas, precisamos perceber que por causa da obra de Cristo na cruz, *já estamos reunidos* com outros crentes em um nível profundo.

O elo já existe, como Efésios 2:19 explica de maneira bela: "Assim já não sois estrangeiros e peregrinos, mas concidadãos dos santos; e sois da família de Deus; edificados sobre o fundamento dos apóstolos e profetas, sendo ele mesmo, Cristo Jesus, a pedra angular."

Saber isso dá a mim (Lori) uma certa segurança, e confiança aumentada para procurar os outros cristãos. Não sinto mais que preciso "criar" uma amizade; só preciso descobrir e desenvolver o elo que já existe em Cristo.

Esta perspectiva também me dá maior confiança para resolver os conflitos com outros cristãos. Seja qual for a crise que surja entre mim e outro crente, nós temos os recursos de Deus e o Espírito Santo para nos ajudar na cura e solução finais.

PAUSA

Um dos primeiros passos na estrada dos relacionamentos saudáveis é colocar toda a luta diante do Senhor em oração:

"Senhor, tu sabes que eu tinha problemas com os relacionamentos. Procurei amizades muitas vezes pelos motivos errados, procurando coisas que a amizade jamais poderia me dar.

"Deus, eu não quero mais trilhar esta estrada. Eu preciso formar amizades, não por causa de minha carência ferida, mas por causa do meu amor por ti e meu relacionamento contigo. Abre meus olhos para os relacionamentos que queres me dar. Ajuda-me a reconhecer os antigos padrões quando eles aparecerem inesperadamente, e ajuda-me a reagir de novas maneiras na relação com os outros."

Solidão: Um Oásis no Deserto

Para aprendermos a construir sólidas amizades precisamos cultivar nossa capacidade de encontrar paz e sustento quando ficamos a sós com o Senhor e com nós mesmos.

Desenvolver capacidade para a solidão envolve mais do que criar uma forte vida de oração ou um tempo regular de leitura bíblica. Envolve aprender a relaxar e desfrutar da presença de Deus e desfrutar de nós mesmos quando estivermos a sós com ele. Aprendemos a pôr de lado o esforço e assimilar a beleza da vida cotidiana e o mundo que nos rodeia. Na solidão, cultivamos a sensibilidade e uma verdadeira apreciação dos outros.

Em seu livro *Reaching Out* (Buscando), Henri Nouwen vê a importância da solidão como fundamento para relacionamentos: "Sem a solidão do coração, a intimidade da amizade, do casamento e da comunidade, a vida não pode ser criativa. Sem isso, nossos relacionamentos com os outros facilmente se tornam mesquinhos e avarentos, pegajosos e colantes, dependentes e sentimentais, exploradores e parasitários. Sem que o coração fique só, não podemos experimentar os outros como seres diferentes de nós mesmos, mas apenas como pessoas que podem ser usadas para solução de nossas próprias necessidades, freqüentemente ocultas."

Ele prossegue descrevendo a força dos relacionamentos edificados sobre a segurança interior e a solidão: "Nesta solidão, podemos fortalecer uns aos outros através do respeito mútuo, através da consideração atenciosa da individualidade de cada um, através de uma distância submissa da privacidade de cada um, e uma reverente compreensão da sacramentalidade do coração humano."[3]

Para a pessoa independente a solidão fornece um lugar para respirar e refazer-se antes de voltar ao envolvimento com os outros. Para a pessoa que luta com dependência emocional, o momento a sós oferece uma oportunidade de experimentar diretamente a cura e o conforto do Senhor e aprender a apreciar a companhia de alguém. Quando os momentos a sós são bem-vindos, e não temidos, os impulsos ansiosos para a dependência perdem grande parte de seu poder.

Amizades Incômodas

O estilo de vida gay e lésbico tende a estimular um método ego-centralizado de relacionamentos. Procuramos um certo "tipo" de pessoa, alguém que nos pareça bom, que nos dê uma sensação de conforto, que prometa satisfazer nossas necessidades particulares. Mas se formos sérios acerca da criação de amizades saudáveis cristocêntricas, precisamos ser francos ao nos relacionarmos com pessoas diferentes em vez de escolher "o nosso tipo". Deus sabe que tipos de amizades precisamos para desabrochar nossas melhores qualidades e aparar nossas arestas. Geralmente, não existem tipos de relacionamentos que pudéssemos planejar para nós.

Harry descobriu este princípio diretamente. Todas as vezes em que Harry olhava a sua volta, parecia dar de cara com Roger. No estudo bíblico, no ensaio do coro, no culto de domingo — ali estava Roger. Um domingo depois do culto, Roger convidou Harry para almoçar com ele.

"O único motivo por que disse sim foi não conseguir imaginar nenhuma desculpa tão depressa," Harry se lembra.

Roger era a última pessoa que Harry teria escolhido para ser seu amigo. O imenso Roger, de fala e movimentos lentos, com o nariz levemente bulboso e um sorriso tímido e torto, era gerente de uma fábrica de cereais local. Harry saíra recentemente do cenário gay em Chicago e assumiu o lugar de professor nessa pequena comunidade de Wisconsin. Embora tivesse renovado o seu compromisso com Cristo e esperasse fazer novos amigos, Roger não era o que ele estava esperando.

"Contudo, aquele almoço depois da igreja abriu meus olhos", disse Harry. "Roger tinha um espírito gentil e uma genuína profundidade em seu relacionamento com Cristo."

Os dois homens desenvolveram uma sólida amizade. Harry apresentou Roger a C. S. Lewis, a George MacDonald e outros escritores cristãos. Em troca Roger despertou o interesse de Harry por acampamentos no mato e andar de canoa em lagoas.

Em certo ponto desse relacionamento, Harry sentiu-se compelido a contar a Roger acerca de seus antecedentes gays. Aterrorizado, derramou a sua história. Quando terminou, Roger olhou para ele com bondade nos olhos e disse: "Eu imaginei que isso tivesse acontecido."

"Os meus antecedentes o incomodam?" Harry perguntou.

"Admito que não entendo," Roger replicou. "Mas não preciso entender tudo sobre você para ser seu amigo, preciso?"

Harry pensou um pouco. "Não, acredito que não."

Amizades "Confortáveis Demais"

E o que dizer acerca das pessoas de quem gostamos imediatamente ao conhecê-las? Deveríamos fugir de medo de cair numa dependência emocional ou até mesmo em um relacionamento sexual? Ou deveríamos ir para o outro extremo, fazendo uma rápida oração (*Deus, fique de olho em mim*) e então mergulhar de cabeça, envolvidos pela excitação de um novo relacionamento? Infelizmente, não há uma resposta fácil para este dilema. Se estivermos em posição vulnerável e a outra pessoa não for madura e estável, geralmente é melhor evitar o cultivo dessa amizade por algum tempo. Mas, na maioria dos casos, o melhor conselho é "proceda com cautela".

Afinal de Contas, Como É Uma Amizade Saudável?

É importante para os ex-gays e antigas lésbicas perceber que nenhuma amizade é 100% saudável o tempo todo. Somos todos pecadores, e nossos relacionamentos são afetados por nossa natureza pecadora, sejam quais forem os nossos antecedentes. Mas aqui temos algumas poucas qualidades que são indicativas de uma amizade saudável.

As amizades saudáveis são:

❑ *livres e generosas.* Embora possamos experimentar pontadas de ciúmes quando um de nossos amigos faz camaradagem com outra pessoa, basicamente sentimo-nos bem em partilhar nossos amigos. Apreciamos nossos amigos e desfrutamos de sua companhia sem a urgência de possuir ou controlar.

❑ *edificadas através do tempo.* Até mesmo naquelas amizades em que sentimos imediatamente uma "alma gêmea" precisamos de tempo para desenvolver o relacionamento. O estilo de vida gay pode promover relacionamentos "arrasadores" que começam a 130 km por hora, aparentam estar esplendidamente bem por um curto período de tempo e, então, à primeira desilusão, está tudo acabado. Uma amizade sólida tem base em experiências compartilhadas e confiança crescente, e não existe nenhum modo seguro de apressar esse processo.

❑ *não são egoístas.* Nos relacionamentos saudáveis, desejamos promover o crescimento de nossos amigos, encorajando-os a realizar seus sonhos, mesmo se isso significa que não possam passar muito tempo conosco. Em vez de nos preocuparmos: "O meu amigo vai continuar disponível para atender às minhas necessidades?" confiamos que Deus vai nos sustentar através de quaisquer mudanças em nossos relacionamentos.

❑ *direcionados para fora, não para dentro.* Amizades saudáveis não são absorventes. A não ser que tenhamos um problema particular ou um conflito na amizade, raramente discutimos ou examinamos "o relacionamento". A maior parte do tempo se passa focalizando juntos os interesses mútuos ou tópicos fora da amizade.

- ❑ *não são mentalmente ou emocionalmente preocupantes.* Em uma amizade saudável, não ficamos mentalmente ou emocionalmente preocupados com nosso amigo. Não fantasiamos acerca dele ou dela. Não é que não pensemos acerca de nossos amigos ou não nos preocupemos profundamente com eles — eles simplesmente não têm nenhum poder magnético sobre a nossa vida mental ou emocional.
- ❑ *são edificadas mais sobre a força do que a fraqueza.* Em uma amizade saudável, ambos os amigos fomentam o que há de melhor no outro. Embora tenhamos momentos com o nosso amigo quando podemos nos desarmar e ficamos vulneráveis, não tentamos *manter* o outro em uma situação de fraqueza e vulnerabilidade. Apoiamos nossos amigos, permanecemos com eles em suas provações, mas não solucionamos todos os seus problemas, e não esperamos que eles solucionem os nossos. Amizades saudáveis são alegres, benéficas e edificantes.

Desafios da Amizade

Quando iniciamos qualquer novo relacionamento, com um homem ou com uma mulher, normal ou ex-homossexual, precisamos de uma mistura de fé e cautela. Fé, sabendo que Deus está supervisionando e animando nossos esforços, garantindo-nos sabedoria e graça em nossos esforços para o que vamos fazer. E cautela, estando conscientes de que nenhum outro ser humano está completamente "seguro".

Mulheres com antecedentes lésbicos geralmente estão acostumadas a relacionamentos "tudo-ou-nada" — envolvimento total emocional e físico ou abandono completo. "Eu nem mesmo sabia como era uma amizade saudável," disse Nancy. "Mas aprendi muito observando mulheres normais em minha igreja relacionando-se umas com as outras. Ficava perplexa porque elas eram capazes de partilhar coisas profundamente e francamente umas com as outras, expressando afeto através de abraços e toques, depois afastavam-se aparentemente sem ficarem afetadas com o encontro.

"Eu precisava de tempo para me acostumar a essa mistura de intimidade e casualidade. Comportamento que significa uma coisa no estilo de vida lésbico significa outra totalmente diferente entre mulheres de minha igreja. Conforme a minha cura foi se processando, aprendi como interpretar as 'dicas' e perceber as diferenças."

Dennis partilha suas observações sobre o que aprendeu em relação aos homens heterossexuais: "No começo, quando me envolvi na igreja, os homens normais me assustavam. Seu estilo de vida não poderia me parecer mais estranho: o que eu tinha de comum com qualquer um deles? Eles se interessavam por esportes, carros e mulheres — dificilmente seriam minhas especialidades.

"Gradualmente, comecei a conhecer homens diferentes em ambientes nada compulsivos — grupos de oração masculinos, estudos bíblicos semanais, passeios patrocinados pela igreja ou acampamentos. Eu percebi que partilhávamos de alguma coisa importante: um desejo comum de conhecer e servir a Deus. Minha confiança cresceu quando percebi que os outros homens achavam interessante e útil: o discernimento que obtive através de meu relacionamento com o Senhor. Descobri que muitos homens solteiros também sentiam-se tímidos e desajeitados às vezes, especialmente em relação às mulheres."

Dennis também descobriu que, com os homens heterossexuais, um pouco de compartilhamento íntimo podia ajudar muito. "Eu não me esforçava em esconder meus antecedentes, mas deixava que os outros homens estabelecessem o ritmo de minha abertura. Conforme nos conhecíamos melhor, perguntas sobre os meus antecedentes vinham à tona naturalmente. Eu respondia às perguntas honestamente, mas com discrição e reserva. É raro um homem heterossexual que esteja ansioso por ouvir todos os mórbidos detalhes do passado de um ex-gay."

É possível ter amizades íntimas com outros homens e mulheres. Não está errado esperar que nossas necessidades emocionais sejam atendidas. A chave para nós é *levar as necessidades emocionais a Deus em primeiro lugar,* depois *esperar que ele atenda essas necessidades através de uma variedade de meios e uma variedade de pessoas.*

Muitas das nossas necessidades mais profundas serão atendidas pelo próprio Deus. Podemos encontrar um amigo que seja um grande companheiro de oração, outro com o qual podemos nos divertir e fazer maluquices, outro que precisa de nosso tipo especial de ministério e encorajamento. Nossas vidas devem ser um mosaico de amizades e interesses, não um quebra-cabeças feito de duas peças entrelaçadas.

Finalmente, Deus é o doador de todas as boas dádivas — inclusive os verdadeiros amigos. Com a sua graça e cura operando em nossas vidas, podemos antecipar uma vida inteira de crescimento nos privilégios e responsabilidades da amizade piedosa.

10

FAZENDO AS PAZES COM OS ABUSOS DO SEU PASSADO

E*d tinha 25 anos de idade quando começou a perceber a extensão total de seu abusivo passado sexual.* Ele sempre se lembrava do incidente com sua irmã mais velha quando estava com 11 anos. Seu rápido envolvimento sexual parecia insignificante naquela ocasião.

Novas lembranças começaram vir à tona, quando, um dia, Ed estava se aconselhando com o seu pastor. Falava sobre os profundos sentimentos de ira contra o seu pai. Subitamente começou a tremer.

As cenas vieram em pequenos relances no princípio. Seu pai... sentimentos de terror... lembranças de tremores todas as vezes em que seu pai entrava no quarto. Ele se lembrava de detalhes do temperamento violento de seu pai e os espancamentos físicos que recebia pela menor infração.

Nas semanas seguintes, as lembranças dos abusos na infância de Ed tornaram-se mais claras, e ele começou a se lembrar da seqüência das atividades. Uma das lembranças mais dolorosas foi a primeira vez em que foi sexualmente molestado por seu próprio pai. Uma noite estava em casa sozinho com o seu pai. Eles estavam lutando no quarto de Ed quando o seu pai o prendeu sobre a cama. Seu pai começou a apalpá-lo sob as cuecas, um ato que lhe trouxe uma mistura de terror e prazer. Ed gostou de sentir os fortes braços de seu pai ao seu redor. Mas a outra parte parecia muito estranha e aterrorizadora.

"Eu tinha um tremendo medo," Ed se lembra. "Lá no fundo do meu coração, eu sabia que aquilo que estávamos fazendo era errado. Mas era meu pai. Ele devia me amar."

Depois daquele incidente, Ed sentiu-se cada vez mais isolado de seu pai. Se seu pai não estivesse gritando com o restante da família, ficava isolado no quarto, lendo ou assistindo televisão, diz Ed. "Ele não se comunicava conosco de jeito nenhum. Se quiséssemos vê-lo, tínhamos de ir ao seu quarto e falar com ele. Isso acontecia todas as noites em que ele estava em casa, por isso não me lembro de ter visto muito o meu pai."

As atividades sexuais entre Ed e seu pai continuaram periodicamente pelos quatro anos seguintes até que Ed fez oito anos. Durante esse período, as brigas entre seus pais eram cada vez piores, e finalmente seu pai saiu de casa. Ed voltou da escola uma tarde e encontrou sua mãe em lágrimas. Seu pai havia se mudado para um estado vizinho, deixando que a mãe de Ed criasse os quatro filhos sozinha. Ed não viu mais seu pai pelos dez anos seguintes.

Então, quando estava na sexta série, Ed começou a sentir uma curiosa atração por seu professor de ginástica. "Ele era o homem mais maravilhoso que conhecia," Ed diz. "Falava comigo como se fosse um ser humano. Eu sentia que ele realmente se importava comigo. E — isto é uma coisa que entendi bem mais tarde — de imediato passei a pensar nele envolvendo sexo. Por causa do que havia acontecido com meu pai, imediatamente pensei em sexo. Se alguém me amava, fazia sexo comigo."

Ed começou a fazer experiências com seus primos e outros garotos depois de chegar à puberdade. Aos 15 anos de idade, freqüentava o banheiro dos homens na livraria local. Depois começou a ir aos parques da vizinhança para se encontrar com homens. "Era só pelo sexo, porque achava que ninguém me amaria o suficiente para ter um relacionamento comigo." Seu padrão de encontros anônimos continuou por dez anos até que procurou ajuda de seu pastor.

Abuso Sexual e Homossexualidade

O abuso sexual é comum nos antecedentes de mulheres e homens que lutam contra as atrações homossexuais. "Pelo menos 85% das mulheres que aconselho foram vítimas de algum tipo de abuso," diz Darlene Bogle, uma ex-lésbica e líder de ministério na área de San Francisco.[1] Muitos homens homossexuais experimentaram abuso no começo da infância nas mãos de colegas, meninos mais velhos ou homens adultos. Diversos líderes de ministérios com ex-gays calculam que 50 a 60% por cento dos homens que os procuram sofreram abuso sexual.

Qual é a conexão entre abuso sexual e atrações pelo mesmo sexo? Por que o abuso na infância leva em alguns casos ao envolvimento homossexual quando adultos?

Efeitos do Abuso Sexual nos Homens

No caso de um menino que sofreu abusos de homens mais velhos, a atividade sexual apaga a distinção entre intimidade e sexo. Por exemplo, um menino naturalmente anseia ficar emocionalmente ligado ao pai; quando é molestado pelo pai ou uma figura "paterna", esses anseios provocam confusão. Ele quer afeto ou sexo? Seus sentimentos são normais ou pervertidos?

Alguns homens que sofreram abuso sexual têm um medo tão exagerado de se tornarem homossexuais que, na adolescência e como jovens adultos, praticam atos sexuais com o mesmo sexo apenas para provar que não gostam disso. Mas o estímulo sexual nos braços de outro homem pode gerar novas atrações pelo mesmo sexo, e esses homens afundam-se ainda mais na homossexualidade.

Os abusos do mesmo sexo provocam confusão sobre a identidade sexual da vítima. Ele foi o parceiro sexual de um homem. O que isso fez dele? Uma mulher? Um homossexual? Ou menos que um ser humano, "uma monstruosidade irreparavelmente distorcida"?[2] O menino pode crescer sentindo-se vulnerável, fraco e indefeso. Ele se sente privado de sua própria masculinidade — a dinâmica exata que leva à busca de sua identidade masculina através de experiências sexuais com mulheres. Um pesquisador acha que homens jovens sexualmente molestados por homens mais velhos são cerca de quatro vezes mais propensos às atividades homossexuais quando adultos do que os homens que não foram vítimas.[3]

Mark Sandford sofreu o trauma de uma violenta molestação quando tinha cinco anos de idade. A lembrança foi sufocada por cerca de 20 anos. Quando Mark entrou na adolescência, tomou consciência de uma atração física por outros garotos. Ele era pequeno para a sua idade e suportou muita gozação dos outros meninos e também de um professor de educação física que o chamava de "Susie".

Dez anos depois, como estudante de seminário, as contínuas lutas de Mark contra a depressão e sentimentos homossexuais o levaram ao aconselhamento onde as lembranças da infância começaram vir à tona.

Aos cinco anos de idade Mark fora passar uma tarde numa fazenda que pertencia a alguns amigos de sua família. Na fazenda, alguns garotos adolescentes correram para o outro lado de uma cerca em um arvoredo. Os pais de Mark o advertiram que não fosse para os fundos da casa, mas ele desobedeceu. Para seu horror, encontrou os adolescentes no arvoredo, ao redor de dois garotos que estavam envolvidos em atividade homossexual.

Mark tentou se esconder, mas os meninos o viram e o perseguiram. Quando foi apanhado pelos meninos mais velhos, diversos deles o seguraram no chão enquanto quatro garotos o forçaram a fazer sexo oral com eles. Eles foram tão violentos que ele sentiu sangue na garganta.

Esta experiência traumática teve profundo impacto na vida de Mark. Ele sentia um peso esmagador de culpa. Ele havia desobedecido a seus pais indo para a parte posterior da casa, portanto ele devia ser o responsável por aquele incidente horrível. Depois dessa experiência, rejeitou a sua masculinidade. Ser homem significava ser como aqueles meninos que o atormentaram.

Através de aconselhamento quando adulto, Mark foi capaz de resolver o tumulto interior provocado por aquele incidente. Ele foi capaz de fazer escolhas para perdoar, e o Senhor deu poder àquelas escolhas e lhes deu realidade. Ele contou à sua esposa e a seus pais o que havia ocorrido em sua vida. Mark e sua esposa continuaram a orar quando efeitos emocionais posteriores surgiram por causa do incidente. Mas, apesar de suas lutas do passado, hoje Mark é um homem heterossexual realizado, formado pelo seminário, pastor e líder.[4]

Efeitos de Abuso Sexual em Mulheres

Quando mulheres são molestadas sexualmente, o trauma freqüentemente leva à ira, fúria e ódio dirigido contra todos os homens. Essas vítimas podem desenvolver uma fobia de sexo homem-mulher o que as torna vulneráveis aos avanços sexuais de outras mulheres.

Connie é um exemplo. Ela ficou arrasada aos dez anos de idade quando seus pais se divorciaram. "Eu achava que meu cobertor de segurança fora arrancado," ela se lembra. "Vendo que meu pai nos abandonava naquele dia, fiquei ferida." Connie ficou com sua mãe e dois irmãos na casa de parentes enquanto procuravam uma casa para alugar. Durante esse tempo, foi sexualmente abusada por seu primo. Ela não sabia o que fazer, pensando que poderia de algum modo ser culpada da experiência.

Cerca de um ano depois sua mãe casou de novo. Connie esperou que as coisas melhorassem — mas estava enganada. "Quando estava com 12 anos, meu padrasto começou a abusar de mim sexualmente. Eu tinha tanto medo! E se fosse culpa minha? Como poderia contar à minha mãe?" Desse momento em diante, Connie não confiou mais nos homens. "Se não nos abandonavam, eles nos machucavam."

Então, Connie percebeu um novo elemento em seus relacionamentos. "Comecei a ter paixonites por minhas amigas, embora nunca lhes dissesse. Elas nunca me machucavam, por isso confiei nelas e confundi essa confiança com amor."

Com 15 anos, Connie teve o seu primeiro encontro sexual com outra menina, Lynn. "Começamos como grandes amigas e um dia nosso relacionamento transformou-nos em amantes. Sabia que era errado. Eu sabia o que a Bíblia diz a respeito disso, mas eu racionalizava nosso relacionamento, dizendo que se me sentia bem, devia ser bom. Meu relacionamento com Lynn durou 16 meses."

Durante esse tempo, Connie começou a beber bastante para neutralizar a dor que sentia. O abuso de seu padrasto continuou até ela completar 17 anos. Connie ficou arrasada quando o seu relacionamento com Lynn acabou.

"Eu fiquei meio louca e comecei a sair com várias meninas que conhecia na escola. Queria encontrar o amor. Mas, em vez disso, só encontrei um vazio." A rejeição dos homens por Connie como possível fonte de amor e realização deixou-a com apenas uma opção: outras mulheres.[5]

Muitas mulheres que foram vítimas de abusos tentam deliberadamente tornar-se fisicamente desagradáveis para evitar a atenção dos homens, o que elas temem que leve a mais abuso. Elas se sentem muito desconfortáveis em roupas que destacam seu físico. Podem começar a vestir-se com moda masculina ou em cores escuras, usam pouca maquiagem, ou evitam bijuteria. Algumas engordam substancialmente. A atração sexual é uma ameaça à sua segurança e elas a minimizam tanto quanto possível.

Conceitos Errados Comuns

Contudo, a sexualização imprópria pode envolver muito mais do que apenas o abuso sexual. Eis aqui uma definição de incesto feita por um conselheiro: "O incesto é uma traição da confiança que assume uma forma sexual *de qualquer tipo*. Pode ser física, verbal, emocional ou todas as três, quer franca ou sutil, uma vez ou constante." (grifo acrescentado).[6] Observe que apenas uma parte dessa definição fala sobre o ato físico. É um mito de que o abuso sexual sempre envolve alguém pondo as mãos em você. O abuso pode envolver o ofensor se mostrando a uma criança, masturbando-se diante dela, ou mostrando pornografia a uma criança. Outras foram forçadas a olhar o ato sexual de seus pais ou cresceram em uma casa onde os pais pensavam que podiam ficar nus diante de seus filhos adolescentes e adultos.

O abuso sexual pode ser *verbal*. Um vizinho mais velho conta-lhe piadas sujas sempre que você fica a sós com ele. Ou o tio Harry faz comentários sexualmente insinuantes quando os outros não estão por perto.

Ambos os gêneros podem sofrer *abuso sexual emocional*. Para os homens, pode ser em uma reunião de família. Subitamente, você percebe que a tia Sally está fixando os olhos em sua braguilha. Você olha para as calças, e elas estão abertas. Ela continua olhando, então você começa a sentir-se sexualmente excitado. Você fica imaginando se há alguma coisa errada com você. *Qual é o problema? Afinal, ela está apenas olhando para mim.*

Para as mulheres, o tentador na reunião familiar pode ser seu primo mais velho, que insiste em olhar para os seus seios. Você foge dele o dia inteiro, mas sente seus olhos penetrantes a cada oportunidade. Você se sente violentada, mas não entende por que o incidente provoca em você tanta vergonha e embaraço.

Resolvendo o Sentimento de Culpa

Um dos aspectos principais para se libertar do abuso sexual do passado é resolver *o sentimento de culpa*, a tendência de presumir que o abuso foi culpa sua. Vamos examinar cinco auto-acusações prejudiciais e considerar sugestões sobre como resolvê-las, conforme explicado pela psicóloga Dra. Melinda Reinicke:[7]

❑ *De alguma forma eu provoquei o abuso.* Esta é uma reação quase universal entre as vítimas sexuais. Por que carregamos este sentimento de culpa? "A razão principal," diz Reinicke, "é que os molestadores querem que a criança se sinta responsável. Eles preferem ver a criança como sedutora porque isso diminui a sua própria culpa." Também mantém a criança quieta acerca do abuso.

Pergunte-se: "Quantos anos eu tinha quando o abuso começou?" Então observe as crianças dessa mesma idade ao seu redor. Você as culparia se fossem molestadas? Seria culpa delas? Também pode ser útil procurar fotografias suas na idade em que foi abusado para perceber como você realmente era pequeno.

"Sim," uma vítima pode dizer, "mas eu fui à casa do vizinho. Eu pedi que acontecesse." Não, não interessa quais foram os seus atos; a criança mais velha ou o adulto não deveriam nunca aproveitar-se de você.

- *Mas eu não impedi.* Há um motivo para isso: Os molestadores têm controle emocional poderoso sobre suas vítimas. Na vasta maioria dos casos, o autor do abuso é alguém que a criança conhece e ama: pai ou mãe, parente, alguém com autoridade, um bom amigo ou um vizinho da família. Os molestadores têm uma habilidade sinistra para observar crianças que estão sozinhas, talvez aquelas que se mudaram há pouco para a vizinhança, ou crianças precisando de atenção porque os pais estão tendo problemas conjugais.

Além disso, em nossa cultura, as crianças são ensinadas a obedecer aos adultos. Uma criança não gosta de lavar a cabeça, mas a mãe lava assim mesmo. Johnny odeia vagens, mas o pai manda que as coma. Nós fazemos o que nos mandam quando somos crianças.

Freqüentemente vítimas censuram-se com pensamentos que começam: *Eu deveria...* Por exemplo, *Eu deveria ter fugido.* Mas uma criança pequena pode ser facilmente apanhada e carregada de volta para a casa. Ou, *Eu deveria ter chutado e gritado.* Mas o que acontece na família típica quando uma criança tem acessos de raiva? As crianças são punidas quando exibem esse comportamento. Não se censure pelo que não tentou. Pelo contrário, lembre-se por que você não tentou.

Algumas crianças utilizam estratégias indiretas, tais como fazer compras com a mamãe sempre que ela deixa, para não ficarem sozinhas em casa com um pai molestador. Ou então, pedem para dormir no quarto dos pais sempre que o tio Terry os visita. As crianças fazem o melhor que podem; elas não têm capacidade madura para raciocinar todas as estratégias que um adulto pode inventar. Por isso, dê-se o crédito pelo que tentou — mesmo que não tivesse sucesso.

Se a molestação continuou mesmo quando ficou mais velho, você pode lutar com o pensamento: *Eu tinha idade suficiente para saber. Por que não me protegi*? A resposta é "desamparo aprendido". Suas estratégias de prevenção não funcionaram quando você era mais novo, por isso você desistiu de tentar. Isso é muito comum.

❑ *Eu me sinto culpado porque às vezes gostei daquilo.* Esta é com freqüência a auto-acusação mais entranhada nas vítimas. É importante lembrar-se de que Deus criou o corpo para reagir sexualmente quando é tocado de certas maneiras.

Sendo estimulado, o pênis de um menininho vai ter ereção; uma menininha vai sentir o seu órgão genital pulsando. Esta excitação é automática — e *não* significa que a criança deseja o abuso. Quando esse poderoso impulso sexual é despertado, as vítimas podem procurar auto-estimulação ou atividades sexuais com outras crianças. Elas não sabem nada; não estão emocionalmente preparadas para o que está acontecendo com elas fisicamente.

❑ *Por que não contei a alguém?* As crianças têm medo de serem acusadas pela situação. Ou, pior ainda, têm medo de que ninguém vá acreditar nelas. Você poderia perguntar-se: A quem poderia ter contado? E qual seria a reação deles? Algumas crianças decidem acertadamente que um dos pais não pode ajudar. Talvez o seu padrasto tenha molestado você, mas ele batia em sua mãe o tempo todo. Como poderia protegê-lo se não conseguia proteger-se a si mesma? Ou talvez o seu pastor tenha abusado de você. Quem acreditaria em tal coisa?

Com freqüência, a criança não conta por medo da reação do molestador. Talvez ele se sinta ofendido ou desapontado ou até mesmo odeie você. Talvez ele diga: "Este é o nosso segredo. Se você contar a alguém, eles podem me mandar para a cadeia. Você não gostaria que isso acontecesse, não é mesmo?"

Outro motivo porque as crianças não contam a ninguém é porque nunca foram informadas a respeito do abuso sexual, acerca dos toques "bons" e "maus". Não há uma abertura com os pais para discutir assuntos sexuais.

❏ *Não sou valorizado por Deus, uma vez que ele não me protegeu.* É normal sentir raiva de Deus por causa do abuso. Se você duvida disso, leia novamente os Salmos. Muitas vezes, Davi sacudiu o punho contra Deus, mas o Senhor o chamou de "homem segundo o meu coração" (Atos 13:22). Deus entende a nossa ira e nos ama assim mesmo.

Eis aqui outros pensamentos destrutivos que não são verdadeiros: *Deus está me castigando por alguma coisa ou Deus permitiu que isso acontecesse para me ensinar alguma coisa.* A verdade é esta: Coisas ruins acontecem a gente inocente. É difícil reconciliar essa declaração com um Deus justo e amoroso; grandes teólogos têm lutado com este dilema há séculos.

Deus não prometeu nos proteger de todos os ferimentos. Muitos cristãos morreram por causa de sua fé. Mas Deus promete estar conosco, não importa o que estejamos passando. E ele sofre junto. "Pois não desprezou nem abominou a dor do aflito, nem ocultou dele o rosto, mas o ouviu, quando lhe gritou por socorro" (Sl 22:24). E, talvez o mais milagroso de tudo é que ele é um Deus que redime o mal que nos foi feito e tira de Satanás qualquer vitória nele (Gn 50:20).

Acabando com o Segredo

Melinda Reinicke diz que "quebrar o segredo" é o passo-chave no processo da cura. Junte-se a um grupo de apoio para sobreviventes de abuso sexual. Você pode obter informações sobre recursos locais telefonando anonimamente para igrejas e centros de aconselhamento em sua área. Considere a possibilidade de falar a alguns membros da família sobre o que aconteceu a você. Isto é especialmente importante se houver atualmente crianças correndo o risco de serem vítimas da mesma pessoa, como um parente ou professor. Se sua irmã, por exemplo, tem filhos quase na idade em que você estava quando o seu pai a molestou, ela precisa conhecer o seu passado, para garantir que seus filhos também não sejam vítimas de abuso.

Alguns adultos sobreviventes decidem queixar-se do abuso às autoridades, especialmente se houver agora crianças em perigo. Alguns tribunais estão garantindo compensação financeira às vítimas até mesmo 20 anos depois do abuso ter ocorrido. Naturalmente, esse seria um imenso passo que você daria apenas depois de consultar o pastor ou o seu conselheiro para que você compreenda muito bem as implicações e riscos que correria tornando público o abuso de que foi vítima.

A questão de solucionar totalmente o abuso sexual do passado é um tópico enorme que não pode ser adequadamente discutido neste capítulo. Se você foi maltratado, recomendamos que vá adiante lendo e se aconselhando sobre este importante assunto (veja o apêndice B). Dois livros que mulheres e homens ex-gays têm achado especialmente úteis sobre esse assunto são *A Door of Hope* (Uma Porta de Esperança, Here's Life, 1987) de Jan Frank e *Pain and Pretending* (Dor e Fingimento, Thomas Nelson, 1988) de Rich Buhler. Tratar da questão do seu abuso será uma chave para encontrar a verdadeira solução para sua homossexualidade.

Abuso Verbal

Como já mencionamos antes, o abuso sexual pode ser verbal. Mas outros tipos de abuso verbal, embora não sexuais, podem ser profundamente prejudiciais em nossa segurança de homens e mulheres.

Em seu livro *Abuso Verbal*, o Dr. Grace Ketterman fala sobre a destruição desencadeada em vidas jovens por comentários paternos tais como: "Você nunca chegará a ser alguma coisa," "Você não consegue fazer nada direito?" e "Eu não consigo descobrir se você é estúpido ou simplesmente preguiçoso."[8] Anos mais tarde, essas mensagens continuam trabalhando nas mentes dos adultos que não conseguem esquecer essas palavras obsessivas.

"Meus pais sempre me disseram que eu fui um acidente," confessou Sofia de 30 anos de idade, uma lésbica em recuperação. "Mamãe me disse no colegial que ela mandou laquear as trompas depois que minha irmã mais velha nasceu. Eu cheguei três anos mais tarde, para grande surpresa de meus pais. 'Você não deveria ter nascido,' eles me diziam repetidas vezes. Não sei quantos anos tinha quando ouvi essas palavras pela primeira vez, mas elas me perseguiram através de minha vida desde quando posso me lembrar."

Abuso verbal também pode resultar de palavras que nem são enunciadas diretamente para a criança. O Dr. Ketterman conta a história de Billy, cuja mãe gastou anos gritando e berrando para o marido acerca dos modos do seu "idiota resmungão". Seu pai ignorava o tumulto, sabendo que a mãe de sua mulher também fora uma esbravejadora quando seus filhos eram jovens. Ele simplesmente agüentava tudo na esperança de dias melhores.

O pai de Billy não percebia o prejuízo causado ao seu filho. Com o passar dos anos, Billy perdeu o respeito por seu pai. E fez um voto de não ser nunca igual a ele. Billy amava sua mãe, apesar do seu temperamento, e queria sua aprovação e afeto.

"Dia após dia," escreve Ketterman, "este rapaz sensível, brilhante e sossegado foi se tornando cada vez mais parecido com a mãe. Ele adotou seus hábitos exigentes de perfeição, aprendeu a partilhar de suas habilidades e passatempos, andava e falava exatamente como ela." Quando Billy chegou à puberdade, fez uma descoberta assustadora: Ele se sentia sexualmente atraído por homens — exatamente como sua mãe. Sua masculinidade fora prejudicada por ambos, as palavras ásperas de sua mãe e a total passividade de seu pai.[9]

Se você foi verbalmente maltratado quando criança, é essencial que você resolva essas antigas "mensagens" em sua cabeça.

❑ *Reconheça as mentiras.* Existem temas recorrentes em sua vida, pensamentos de fracasso, incapacidade e outras autopercepções negativas? Anote-as e peça a Deus para lhe mostrar de onde vieram essas idéias. Você se lembra de incidentes específicos que deram origem a esses temas?

❑ *Reforce a verdade.* O que Deus diz acerca de você? Ele pode lhe falar de três maneiras principais: através da Palavra dele, através do Espírito dele diretamente em seu coração e através de outras pessoas.

A Bíblia é uma fonte especial de informação do que Deus diz sobre nós, acerca dos sentimentos dele por nós, sobre seus planos para nós, acerca dos seus desejos e esperanças e sonhos para cada um de nós na qualidade de filhos dele. Quando estiver lendo e meditando nas palavras dela, ore para que Deus o ajude a aplicar e personalizar essas verdades.

Às vezes, o Espírito Santo fala uma determinada verdade para nós no meio da oração ou da adoração, ou mesmo durante alguma atividade "não espiritual" como correr, caminhar, tomar banho ou dirigir. Ore para que Deus fale a você no devido tempo e do jeito dele.

Rosaline, uma enfermeira de 37 anos, estava profundamente perturbada acerca de um aspecto de abuso praticado contra ela no passado. Ela achava que se Jesus tivesse realmente sentido o sofrimento dela, certamente a teria auxiliado.

Uma noite Rosaline acordou às 3 horas da madrugada, perturbada, com os pensamentos confusos e preocupada. "Deus," ela orou, "estou tentando crer que tu me amas. Eu quero crer... ajuda-me a crer em ti." Subitamente, o pensamento de que Jesus estava segurando a mão dela penetrou em sua mente. "Podia sentir a pressão da unha dele em minha mão," ela disse mais tarde. "Em um momento, *soube* que ele sentiu minha dor. Na verdade, ele sentiu a minha dor tão profundamente que tomou essa dor sobre si."

Rosaline começou a chorar de alegria por saber e sentir o amor de Deus. "Eu me senti tão amada e tão encorajada que sabia que tudo se acertaria."[10]

Abuso Emocional

Outra forma devastadora de violência não física é o abuso emocional. Embora possa acontecer tanto com homens como com mulheres, é particularmente comum nas vidas de homens que lutam contra a homossexualidade.

O passado de Clint é um exemplo desta síndrome de "incesto emocional". O pai de Clint era alcoólatra com um temperamento belicoso. Para piorar a situação, trabalhava no último turno de horário de trabalho em uma serraria da vizinhança, e freqüentemente andava bradando pela casa durante o dia, gritando com Clint e seu irmão por fazerem barulho demais enquanto tentava dormir.

Clint se lembra bem da hora em que seu pai vinha para casa depois da meia-noite e não conseguia encontrar roupa de baixo limpa. Em um acesso de raiva tirava toda a família da cama. Clint, sua mãe e seu irmão iam para o porão e lavavam montanhas de roupa pelo restante da noite enquanto seu pai ia dormir.

"Eu vivia com medo de meu pai," Clint diz tristemente. "Desenvolvi intensa amargura para com ele por causa da maneira como vivia aterrorizado enquanto crescia."

Aquela rejeição cresceu quando Clint fazia o segundo ano do 2º grau. "Papai abandonou a família. Uma certa manhã ele saiu de carro como se fosse trabalhar, mas, na verdade, estava fugindo de casa. Deixou-nos sem nada. Sem carro, sem economias — apenas um monte de contas a pagar."

A mãe de Clint acabara de ser hospitalizada com um ataque agudo de esclerose múltipla; e quando voltou para casa, ficava de cama a maior parte do tempo. Clint e seu irmão tinham de trabalhar à tarde e nos fins de semana para manter a família unida.

Então, o irmão de Clint alistou-se no exército e foi mandado para além-mar, deixando Clint cuidando de sua mãe como qualquer "bom" filho faria. "Eu fui programado para esse papel toda a minha vida," ele admite. "Mamãe freqüentemente me dizia que era minha proprietária e que era meu dever na vida cuidar dela até que morresse. Depois disso, estaria livre para viver minha própria vida."

Depois do 2º grau, Clint continuou atendendo todas as necessidades de sua mãe: sociais, financeiras, emocionais. "Tudo menos as sexuais," ele diz, "e não estou certo se isso não ficou bloqueado. Poderia ter acontecido, pois quando meus pais discutiam, ela dormia em minha cama com freqüência, até quando entrei no 2º grau."

O relacionamento de Clint com sua mãe teve um impacto imenso em sua identidade sexual. Sentia-se desfigurado como homem, preso em uma síndrome de "menininho" pelas exigências e manipulação de sua mãe. Os problemas de Clint aumentaram com o divórcio dos seus pais; ele rejeitou amargamente o seu pai como modelo. "Decidi que se fizesse exatamente o oposto do que ele fazia, provavelmente me sairia bem." Tomando essa decisão, Clint rejeitou o seu elo natural com a masculinidade, que finalmente o impeliu para os braços e o afeto de outros homens.

Quebrando a Escravidão Emocional

Escapar de relacionamentos excessivamente íntimos dentro da família é um processo que leva tempo e exige maturidade emocional. Apresentamos aqui algumas situações que podem ajudá-lo:

- *Avalie os efeitos do abuso emocional.* O primeiro passo para a liberdade é reconhecer onde o "incesto emocional" ocorreu. As dinâmicas podem ser sutis. Partilhar os padrões de sua família com um conselheiro pode ajudá-lo a descobrir o que realmente aconteceu. Se você se sente emocionalmente preso a um relacionamento familiar, é bom entender como foi parar em tal situação em primeiro lugar. Por exemplo, pense em como esse relacionamento o afetou. Anote os resultados positivos e negativos em sua vida. Finalmente, com honestidade responda a esta pergunta: O que eu quero fazer para mudar esse relacionamento?
- *Dê passos pequenos para desatrelar-se do emaranhado emocional.* Provavelmente, este processo de separação vai exigir o apoio de um outro amigo ou conselheiro. Discutir cada atitude proposta de antemão com alguém vai lhe dar a perspectiva certa; pode ser extremamente difícil executá-la sozinho.

Para um homem de 32 anos de idade, este passo significou mudar-se da casa de seus pais para um apartamento do outro lado da cidade, que dividia com diversos colegas de sua igreja. Para uma mulher, significou aceitar uma oferta de trabalho em outra cidade. Para outros, o primeiro pequeno passo é fazer planos alternativos (em vez de automaticamente voltar para casa) para celebrar o Dia de Ação de Graças ou o Natal.

Clint enfrentou os seus temores e decidiu dar o passo. Aos 21 anos de idade começou a desejar ter uma vida própria. Mas quando falava com sua mãe sobre a possibilidade de mudar-se para um estado vizinho para morar com seu primo, ela reagia com uma resposta previsível de manipulação. Em lágrimas, dizia a Clint: "Se você se mudar, não tenho mais motivos para viver. Simplesmente vou deixar de tomar o meu remédio para o coração e não obedecerei mais as ordens do médico." Ela até o acusou de abandoná-la "exatamente como o seu pai fez". Clint precisou olhar através da manipulação e dar aquele primeiro passo de separação da vida de sua mãe. Quando sua mãe viu que falava sério, parou com suas ameaças inúteis e começou a fazer um ajustamento saudável para se tornar menos dependente de seu filho.

❑ *Peça a Deus para ver o sofrimento da outra pessoa.* Com freqüência, você vai perceber como adulto que seus pais, por exemplo, têm muitas áreas que não foram curadas, resultantes de suas próprias feridas e até mesmo de abusos quando eles eram crianças.

Clint percebeu isso acerca de seu pai, que fora tão bravo e fisicamente abusivo. Falando com outros membros da família, descobriu que seu pai também fora abandonado na infância pelo avô de Clint. Seu pai cresceu ferido e zangado. Fizera o melhor com seus recursos limitados, inclusive a falta de relacionamento com o Senhor. Os ferimentos emocionais do pai de Clint se tornaram totalmente manifestos quando teve seus próprios filhos.

Quando Clint percebeu este aspecto da vida de seu pai, não deixou de sofrer, mas conseguiu entender as atitudes do seu pai, ficando mais fácil perdoá-lo.

❑ *Reconhecer que a maturidade vem através da tomada de decisões difíceis.* Desembaraçar-se nem sempre é confortável. Reconheça de antemão que você será obrigado a fazer escolhas difíceis que não serão aceitas pela outra pessoa. Esse é o preço inevitável para tornar-se livre da dominação. É bom ter em mente que Deus está sempre disponível para atender as necessidades emocionais da outra pessoa. Ore para que Deus esteja perto dessa pessoa e que ele ou ela sinta o desejo de receber o conforto e a presença de Deus de maneira nova por causa de sua ausência cada vez maior.

Perdão

Um dos aspectos mais difíceis de fazer as pazes com um passado abusivo é a questão do *perdão*. Só a menção da palavra pode trazer à tona sentimentos profundos de pânico e terror. Às vezes, emoções fortes resultam de idéias erradas acerca do perdão, como:

- ❑ Se eu perdoá-lo, ele pode me machucar de novo.
- ❑ Se eu perdoá-lo, significa que o acontecido está OK.
- ❑ Se eu perdoá-lo, terei de passar tempo com ... tornar-me íntimo de... gostar de estar com ... agir como se nada tivesse acontecido.[11]

O perdão não é um ato único; é um processo que pode levar muito, muito tempo. Esteja aberto à orientação de Deus, mas não tente forçar esta questão em sua vida, comenta a conselheira especializada Cynthia Kubetin. "Se você não está pronto para perdoar, Deus vai ajudá-lo a chegar lá. Se você pode tomar a decisão de perdoar e se pode confiar no que Deus diz nem que seja um pouquinho, ele vai restaurá-lo."[12]

O perdão pode precisar acontecer em diversos níveis, conforme as camadas mais profundas da ferida e do sofrimento vierem à superfície. Geralmente, nós não percebemos imediatamente a profundidade do ferimento e a complexidade dos efeitos que o abuso introduziu em nossa vida.

Renunciar Votos Íntimos

Devemos também assumir um papel ativo no combate ao abuso do passado renunciando votos íntimos e mentiras que possamos ter abraçado em resposta a experiências dolorosas. Eis alguns exemplos:

- ❑ Eu jamais confiarei em um homem/mulher.
- ❑ Eu jamais me tornarei íntimo de um homem/mulher.
- ❑ Eu jamais darei meu coração a um homem/mulher.
- ❑ Eu não preciso de homens/mulheres.
- ❑ Os homens/mulheres sempre__________________.[13]

Algum destes votos parecem familiares? O ideal seria confessá-los a um amigo ou conselheiro de confiança, e então *verbalmente* renunciá-los através da oração ("A morte e a vida estão no poder da língua", Pv 18:21). Essa oração pode ser tão simples ou tão detalhada quanto você queira. Eis um modelo de uma oração simples de renúncia:

"Senhor, reconheço que fiz um voto íntimo de (seja específico). Peço-te perdão por ter escolhido abraçar essa mentira, e renuncio o poder dela em minha vida agora em nome de Jesus. Eu escolho crer na tua verdade acerca de (seja específico). Ajuda-me a conhecer e obedecer a tua verdade. Peço-te em nome de Jesus, Amém."

O Desafio do Passado

Os acontecimentos do passado, até mesmo aqueles tão destrutivos quanto o abuso, não precisam nos controlar para sempre. Jesus morreu para nos libertar de nosso passado. Pela sua graça, podemos nos tornar fortes nas áreas onde fomos enfraquecidos e nos tornamos vulneráveis (2 Co 12:9-10). Embora o processo de cura leve muito tempo e esforço, *podemos* achar remissão e liberdade.

"Eu nunca pensei que seria libertada das lembranças perseguidoras do abuso que sofri," disse uma mulher. "E, em certo sentido, é verdade. Eu ainda posso me lembrar dos acontecimentos, mas agora são quase como se tivessem acontecido a uma outra pessoa. Estou livre do seu poder; já não controlam minha vida." Com a ajuda de Deus, esse tipo de liberdade pode ser sua também.

11

NAMORO E ROMANCE

Há muitos anos, eu (Bob) encontrei uma mulher chamada Dianne no meu grupo de solteiros na igreja. Ela era jovem, bonita, solteira, dinâmica — e interessada em passar o tempo comigo. Logo estávamos saindo todos os fins-de-semana para jantar, ir ao cinema e a concertos cristãos.

Com o passar dos dias, passávamos cada vez mais tempo a sós. Não era coisa rara ficarmos sentados no carro, do lado de fora de minha casa, até meia-noite ou mais tarde, conversando durante horas sobre tudo o que estava acontecendo em nossas vidas.

Eu realmente gostava desses momentos, mas tinha uma idéia definida acerca da dinâmica de nosso relacionamento. *Isto não é nada mais que uma boa amizade*, eu disse a mim mesmo no ano seguinte. Eu acompanhei Dianne à festa de

Natal no escritório dela; ela veio à minha festa. Passávamos cada vez mais tempo um na casa do outro; ela conheceu minha família e eu conheci seus pais.

Tarde da noite uma vez, eu e Dianne conversamos quase até as três horas da manhã. Tivemos uma daquelas conversas "ponha-para-fora-seus-problemas-e-me-conte-tudo-acerca-do-seu-passado". Contei a Dianne acerca de meus anos de luta contra a homossexualidade; ela confessou uma experiência de quase-estupro nas mãos de um antigo namorado.

Obviamente, eu e Dianne tínhamos uma boa amizade e gostávamos um da companhia do outro. Mas havia um constrangimento em meu espírito. Lá no fundo, sabia que alguma coisa estava errada. Mas não conseguia colocar o meu dedo sobre o problema.

Diversos meses depois, Dianne me confrontou. "Quero saber para onde este relacionamento está indo," ela disse, expressando o desejo de ver aquilo se transformar em um compromisso.

Por fora, continuei calmo. Mas, por dentro, todos os meus temores vieram à tona. Entendi que, mesmo gostando da companhia de Dianne, não tinha desejo de namorá-la. Tínhamos passado muito tempo juntos, mas eu sentia pouco compromisso emocional com ela. Na verdade, subitamente me senti preso e queria me libertar.

Semanas depois, já não estávamos mais passando tempo juntos. Para grande supresa de Dianne, eu me afastei — subitamente e completamente.

Olhando para trás, meu coração se enternece por Dianne e todas as outras mulheres na situação dela. Agora entendo que nosso relacionamento estava destinado a ter problemas muito antes de eu tomar consciência disso. E tenho visto muitos homens ex-gays entrar no mesmo padrão de relacionamento com mulheres.

Namoro Disfuncional

Existem muitos livros excelentes à venda que discutem o namoro sob a perspectiva cristã.[1] Portanto, não vamos explorar o tópico generalizado do namoro; antes, queremos nos concentrar em assuntos e questões específicos que são comuns a homens e mulheres que estão saindo de um passado homossexual.

Vamos examinar de novo o meu relacionamento-namoro com Dianne. O que era aquela "coisa errada" em nosso relacionamento que eu não conseguia identificar no começo? Creio que haviam diversos padrões disfuncionais:

❑ *Muito tempo exclusivo para ficarmos juntos.* Embora nunca admitisse (nem mesmo para mim), eu e Dianne estávamos namorando. Eu sempre rotulava o relacionamento de "apenas amigos", mas os freqüentes momentos passados a sós, um na companhia do outro, são chamados de namoro em nossa cultura, quer as partes admitam ou não.

Outras pessoas reconhecem o que está errado — mesmo se o casal não reconhece! Diversos anos depois que desmanchei com Dianne, comecei a passar tempo exclusivo com outra mulher. (Sim, repeti o mesmo padrão diversas vezes na década seguinte sem aprender a lição.) Finalmente, um amigo mútuo me chamou para uma conversa.

"Bob," ele me disse, "estou preocupado com você e Judy. Vocês estão passando muito tempo juntos." Ele continuou explicando que o tempo investido em um relacionamento significava que ele se moveria em alguma direção: ou para um compromisso mais profundo, ou para a separação (quando o casal percebe que um casamento não é uma possibilidade). Logo depois, eu e Judy seguimos por caminhos separados —, fiquei triste e me senti culpado pelas esperanças nada realistas que havia despertado no coração dela.

❑ *Afeto físico sem compromisso.* Outro erro que cometi em meu relacionamento com Dianne foi envolver-me em certas formas de afeto (segurar a mão e beijar) sem reconhecer que essas atividades implicam em interesse romântico.

Muitos homens ex-gays exibem um alto nível de afeição física para com as amigas quando não têm nenhum interesse, nada além de uma amizade casual. Sua linguagem corporal está enunciando uma mensagem diferente das suas intenções, que é enganador para a mulher envolvida.

Eis alguns exemplos de comportamento que consideramos impróprios entre casais quando uma das pessoas não está interessada em um compromisso: beijar na boca, acariciar as costas, andar de mãos dadas na praia (especialmente se o sol está se pondo!), sentar juntinho no sofá para assistir televisão com um braço em volta dos ombros da outra pessoa.[2]

Homens normais não se ocupariam dessas coisas sem sentir um interesse romântico ou um estímulo sexual. Mas homens no meio da recuperação homossexual geralmente têm um desejo sexual subdesenvolvido por mulheres, por isso entram nesse tipo de comportamento com pouco ou nenhum desejo erótico. Eles esqueceram o efeito emocional que despertam nas mulheres. Por isso, ficam chocados quando uma mulher começa a expressar interesse romântico.

Da mesma forma, tenha cuidado com a comunicação verbal, tal como elogiar a aparência da mulher. Presentes, cartões, flores e bilhetinhos são expressões poderosas de interesse. Use-os com cautela.

❑ *Dinâmica de "camaradagem."* Outra disfunção comum que temos observado é o relacionamento de "camaradagem". Essa é especialmente comum nos homens ex-gays. Muitos desses homens sempre sentiram-se ameaçados pelos homens normais, mas sentem-se muito à vontade com mulheres. Por causa disso, utilizam-se de mulheres para atender às necessidades que nunca conseguiram resolver nos relacionamentos homem-homem.

Nesses relacionamentos nada sadios, há uma camaradagem que tem gosto de familiaridade exagerada. A feminilidade da mulher fica fora do jogo, e ela se torna "um dos rapazes". A maneira mais rápida de uma mulher acabar com esses relacionamentos é expressando um desejo romântico. Isso perturba a dinâmica "segura" e o relacionamento acaba rapidamente.

❑ *Dinâmica "mãe-filho"*. Tome cuidado com o tipo de relacionamento mãe-filho, em que o homem é emocionalmente imaturo, deseja ser cuidado e é totalmente passivo. A mulher nesta situação se transforma no dirigente, fazendo o papel de mãe. Ela atende a todas as necessidades do homem, tornando-se o líder e a que toma decisões. É um relacionamento unilateral, em vez de uma parceria proporcional.

Outra variação no padrão "mãe-filho" é o da mulher ex-gay que desempenha o papel de "mãe" para manter o controle. Ela é atraída por um homem passivo (ex-gay ou normal) que lhe permite dominar o relacionamento. Não existe um equilíbrio proporcional de maturidade, e esta dinâmica precisa ser resolvida antes do relacionamento continuar em uma direção saudável.

❑ *Fora de controle.* Outro cartão vermelho ocorre quando você sente que o relacionamento está controlando você — em vez de você controlar o relacionamento. Quando estava namorando Dianne, com freqüência sentia como se o relacionamento estivesse me puxando, em vez de eu ter um senso de controle. "Acordei" no meio do relacionamento, perguntando-me como tinha ido parar ali. Era um sentimento parecido com o despertar em um trem, sem saber para onde o trem está indo e uma sensação de querer pular fora.

Em vez de sentir-se como o "lanterninha" no trem de suas emoções, você deveria estar em paz no seu coração no que se refere ao atual relacionamento. Não permita que ele continue arrastando-o cada vez mais longe se estiver indo numa direção desagradável. Fale!

PAUSA

Você gastou muito tempo a sós com uma pessoa do sexo oposto e de maneira consistente? Como você definiu o relacionamento na época? E a outra pessoa? Como você a avalia agora?

Outros Princípios do Relacionamento com o Sexo Oposto

Muitos dos que estão lendo este livro estarão com mais idade do que de costume para homens e mulheres começarem a namorar. Pode ser embaraçoso admitir que você tem 30 anos de idade e nunca namorou. Podem surgir sentimentos de medo e de impropriedade. Deveria mesmo começar?

Muitos cristãos (não apenas os de passado gay ou lésbico) acham ameaçador demais namorar alguém a quem acabaram de conhecer. Portanto, um primeiro passo adequado para ficar conhecendo outras pessoas é freqüentar grupos onde a amizade com o sexo oposto pode ocorrer sem ser forçada. Isso pode acontecer em um grupo de estudo bíblico nos lares, grupos de música, grupos de solteiros ou de voluntários para um ministério na redondeza (como telefonemas para aconselhamento, apoio para aidéticos, abrigo para pessoas sem teto ou programa de visitação a pessoas idosas).

Quando você conhecer nesse ambiente uma pessoa à qual se sentir atraída, procure conhecê-la primeiro antes de começar a namorá-la. Não recomendamos que você namore para descobrir se ele ou ela são parceiros possíveis para o casamento; você deveria saber se esta pessoa é uma possibilidade antes mesmo de começar a namorar.

Por exemplo, através de amizade em um grupo, você pode descobrir particularidades como estas:

- ❑ A pessoa é solteira?
- ❑ Essa pessoa já foi casada e é divorciada? Nesse caso, por que aconteceu o divórcio? O ex-cônjuge casou de novo?

❏ A pessoa tem filhos?
❏ Como é a maturidade espiritual dessa pessoa?
❏ Quais são os alvos profissionais e pessoais dela?

Algumas das respostas a tais perguntas podem imediatamente excluí-la como cônjuge em potencial.

Naturalmente, as revelações acontecem em ambas as direções. Ao ficar conhecendo essa pessoa, ele ou ela também pode descobrir fatos semelhantes a seu respeito.

Revelação de Antecedentes Gays

Temos perguntado a muitos ex-gays e ex-lésbicas que agora estão casados: "Quando se deve contar à pessoa que você está namorando sobre seus antecedentes gays?" Quase todos deram a mesma resposta: quando se torna claro que o seu relacionamento está se tornando mais do que uma amizade casual. Lembre-se, tempo passado a dois de maneira regular e exclusiva leva o relacionamento além do estágio de amizade "casual".

Não caia na armadilha de esperar demais para falar do seu passado. Os relacionamentos devem ser edificados sobre fundamentos de confiança mútua. Se você descobrir que está sempre adiando a confissão inevitável, então chegou a hora de dar um passo atrás e reavaliar a situação. Se Deus está conduzindo você a um relacionamento sério, sua amizade vai sobreviver — e finalmente será fortalecida — à revelação apropriada de seu passado.

Talvez você queira contar a respeito de seu passado homossexual mas fica imaginando quantos detalhes deveria contar. Recomendamos que siga a orientação abaixo:

❏ *Esteja pronto a revelar o quadro de um modo geral.* Por exemplo, homens, não digam: "Eu tive algumas experiências homossexuais" se vocês tiveram sexo anônimo com dezenas de homens durante um período de dez anos. Sejam honestos acerca da profundidade e extensão do seu envolvimento no estilo de vida homossexual. Mas não entrem em detalhes específicos como dizer nomes e lugares. Muitos conselheiros concordam que esse nível de revelações é desnecessário e também contraproducente.[3] A outra pessoa também deve saber se vocês foram infectados com algumas doenças sexualmente transmissíveis, inclusive o vírus HIV. Mulheres, sejam francas acerca de amantes recentes ou tendências atuais para relacionamentos emocionalmente dependentes.

❏ *Seja honesto acerca de seu atual nível de luta.* Alguns homens e mulheres confessam seus antecedentes gays mas fazem parecer que esse problema já foi resolvido há muito tempo e que agora não têm mais lutas ou vulnerabilidades. Se isso não for verdade (você seria uma exceção rara nesse caso!), não minimize o seu atual nível de tentações. Conforme o seu relacionamento se aprofundar, sua amiga (ou amigo) pode se tornar um (a) parceira(o) na luta contra a tentação sexual, alguém a quem você deve prestar contas de suas ações.

Cautela: É importante que você fale explicitamente quando discutir esse assunto. "Ontem me senti homossexualmente tentado" pode significar dez coisas diversas a dez diferentes pessoas. Seja específico sobre o que está querendo dizer com "tentação homossexual" ou "atração lésbica".

❏ *Considere a família da outra pessoa.* Outra pergunta relacionada costuma ser feita freqüentemente: A família de meu amigo (amiga) precisa saber acerca de meus antecedentes? Isso depende. Qual a seriedade do seu relacionamento? Está tendo encontros casuais? Ou já está quase comprometido?

Considere a dinâmica da família dos seus parentes em potencial. É uma família muito unida? Entende o poder de Deus para transformar vidas? Os membros da família moram geograficamente perto uns dos outros? Já partilhou com eles outras questões profundas de sua vida, além do seu passado sexual? O nível de revelação que você pode ter em outros assuntos pessoais (sua renda atual, por exemplo, detalhes de um casamento passado, um estupro ou abuso sexual no passado) vai ajudar você a determinar quando e se falar acerca de seus antecedentes homossexuais.

Outra consideração importante é se você quer tornar público o seu testemunho no futuro. Está interessado em dar testemunho a homossexuais? Deseja discipular outros cristãos que estão lutando contra a questão homossexual? Acha interessante pensar que pode um dia escrever sua história para uma revista? Ou dar uma entrevista ao jornal local? Ou juntar-se à equipe de voluntários de um ministério com ex-gays na vizinhança?

Se você responder "sim" a alguma dessas perguntas, então precisa enfrentar a realidade de contar a seus parentes em potencial o seu passado. Com base em minha própria experiência — e dezenas de outras pessoas que eu (Bob) conheço — você provavelmente ficará surpreso com o amor e a aceitação que vai encontrar.

Se escolher não contar a seus futuros parentes, terá de viver com um medo constante deles descobrirem o seu "segredo". Você deseja que um muro desses permaneça entre você e eles? Se você realmente venceu a homossexualidade a ponto de se casar, por que o seu passado é alguma coisa vergonhosa que deveria ficar escondida? Falar acerca do que o Senhor fez mudando sua sexualidade pode ser o vislumbre mais genuíno do poder de Deus que muitos dos seus parentes verão.

Quando Você Está Pronto Para Namorar?

Alguns ex-gays ficam aterrorizados com o namoro. Outros não conseguem aguardar o momento de começar. Quais são alguns dos sinais de que a pessoa está preparada para considerar o namoro?

- *Libertação da imoralidade sexual.* A pessoa que ainda está se entregando a atividades homossexuais não está pronta para começar um romance heterossexual. Como também não está preparada a pessoa que ainda se encontra envolvida em um romance com o mesmo sexo (mesmo que não haja envolvimento em atividade sexual). Embora não existam regras estabelecidas, recomendamos que o namoro seja adiado até que você esteja fora do estilo de vida homossexual por pelo menos três anos. Se você tem ocasionalmente se entregado a encontros homossexuais isolados desde que abandonou o estilo de vida homossexual, um período mínimo de dois anos de abstinência consistente é recomendado antes de começar um relacionamento de namoro. Se você tem lutado com dependência emocional inadequada, recomendamos que um período semelhante de cerca de dois anos de libertação da dependência do mesmo sexo seja alcançado antes de começar os encontros a dois.
- *Interesse generalizado pelo sexo oposto.* Talvez você não esteja interessado em um homem ou mulher em particular. Mas percebe que tem um desejo crescente de passar o tempo socializando-se com membros do sexo oposto. Você tem desenvolvido alguns bons relacionamentos com o mesmo sexo, mas se descobre procurando "algo mais". Você já não fica satisfeito em se relacionar com outras pessoas do seu próprio sexo. Pode ser mais um indicador de que Deus está curando sua identidade sexual, tornando-o seguro de si mesmo, e agora você está preparado para começar a encontrar-se com o sexo oposto em ambientes sociais e encontros a sós.
- *Você deseja!* Esta pode parecer uma questão óbvia, mas é importante perguntar-se: Qual é a minha motivação para namorar? Muitas pessoas são empurradas para os relacionamentos com o sexo oposto por causa do que os outros lhes contam. Talvez você seja o último membro solteiro da sua

família. Outros parentes casados talvez tenham filhos, e os pais ou amigos dão dicas persistentes de que já é hora de pensar nesse assunto. Outros membros da igreja talvez o empurrem a relacionamentos que você não deseja.

❑ *Prontidão em considerar a seriedade das implicações.* Você avaliou os fatos acerca da revelação, e está pronto a considerar as necessidades da outra pessoa a fim de evitar padrões de namoro disfuncional. Outro fator é a disposição de reconhecer que o namoro pode trazer à tona novas áreas de sua vida que ainda precisam de cura, tais como problemas mãe-e-filho ou pai-e-filha e os efeitos contínuos de um abuso no passado. Este novo contexto pode trazer outros desafios. Por isso, esteja alerta para esta realidade.

Começar um namoro antes de estar preparado pode levar à "síndrome de sabotagem". Alguns homens ex-gays e antigas lésbicas mergulham no namoro, depois entram em pânico quando as coisas vão tão bem que o relacionamento começa a ficar sério. Então, rapidamente se retraem, deixando a outra pessoa machucada, confusa e traída.

Portanto, se você não se sente preparado para namorar, não o faça apenas para agradar alguém. Continue a orar pelo que Deus tem de melhor para a sua vida. Se você se sentir chamado por Deus para permanecer solteiro durante um período de sua vida, então fique confiante nessa vocação. Mas certifique-se de que a "vocação" não surgiu de sua própria insegurança de entrar no relacionamento com o sexo oposto.

E o Que Dizer da Libertação das Tentações Homossexuais?

Alguns ex-gays podem imaginar que precisam ficar totalmente livres de todas as atrações do mesmo sexo antes de começar a namorar. Não concordamos. Muitos antigos homossexuais começaram relacionamentos de namoro com sucesso antes de resolver cada aspecto de seu estilo de vida passado (a masturbação, por exemplo, talvez ainda seja um problema em sua vida).

Na verdade, não é muito diferente do heterossexual que teve múltiplos parceiros sexuais no passado. Ele ou ela devem resolver muitas questões iguais, inclusive lembranças do passado e certa vulnerabilidade na tentação sexual. Muitos homens e mulheres normais venceram a imoralidade e entraram em um casamento santo sem proclamarem que foram libertados de todas as tentações do passado.

Falando francamente, se esperássemos até desaparecer toda tentação, nenhum de nós começaria a namorar! Ao mesmo tempo, é importante ter feito progresso significativo em sua caminhada para fora da homossexualidade antes de iniciar um romance sério. Talvez você conheça outros ex-homossexuais que agora estão casados. Converse com eles sobre onde estavam quando começaram a namorar. Pergunte-lhes se, olhando para trás do ponto de vista vantajoso deles, acham que deveriam ter esperado mais — ou deviam ter começado a namorar mais cedo.

Quando terminar de ler este livro, esperamos que tenha identificado muitos dos problemas-chave fundamentais que precisam de solução na sua vida antes do casamento ser uma possibilidade séria.

Motivações Erradas

Um antigo homossexual pode querer namorar por alguns motivos impróprios:

❑ *Vingança.* Tentar esquecer um parceiro homossexual de longa data mergulhando em um relacionamento com o sexo oposto. Como isso é injusto para com a pessoa com quem você está namorando!

❑ *Luta para ser normal.* Encaixar-se nas expectativas de nossa sociedade através do namoro. Arranjar um namoro para acabar, no escritório, com os fuxicos de que você é gay. Começar um relacionamento sério para acabar com a perseguição dos casamenteiros locais. Essas motivações utilizam-se da outra pessoa para encobrir suas próprias inseguranças sociais. Não constituem base para um relacionamento saudável.

❑ *Fuga dos relacionamentos com o mesmo sexo.* Homens, vocês estão namorando para evitar os outros homens? Estão correndo para as mulheres porque estão com medo dos outros homens? Mulheres, vocês estão usando um relacionamento "confortável" com um amigo do sexo masculino para fugir de dependências emocionais com outras mulheres?

❑ *Fomentar uma auto-estima abalada.* "Olhem para a bela mulher que conduzo pelo braço." Ou, para as mulheres, tratar um homem como um troféu para provar como você é atraente e desejável.

❑ *Usar o namoro para sentir-se curada e normal.* Você está mais interessada no romance propriamente dito do que na pessoa com quem está namorando?

❑ *Fuga de emoções negativas.* Alguns podem mergulhar no namoro para fugir da solidão, para chamar atenção, para libertar-se de questões emocionais que precisam ser resolvidas. O namoro pode ser um escape temporário, mas não é uma solução para problemas não resolvidos em sua vida.

E Se Eu For HIV Positivo?

Cremos que todos os ex-gays e antigas lésbicas precisam saber o seu status HIV. Embora as ex-lésbicas possam ter sido infectadas através de diversos meios, inclusive a relação heterossexual, os homens ex-gays têm estado significativamente mais vulneráveis ao risco de infecção.[4]

O ex-homossexual que agora é soropositivo enfrenta algums problemas e preocupações únicos. Um desses problemas envolve o namoro com o sexo oposto e possível casamento. Ser HIV positivo significa um compromisso obrigatório de celibato?

Por causa das sérias conseqüências da exposição ao vírus HIV, qualquer pessoa que esteja considerando a possibilidade do casamento com um indivíduo que é HIV positivo precisa avaliar o preço. Nesse caso, o preço é extremamente alto. Não há cura conhecida para a AIDS, e as evidências indicam que os indivíduos com teste positivo de HIV finalmente desenvolvem sintomas de AIDS, embora o período de incubação possa ser de dez anos ou mais.

Mulheres que estão considerando o casamento com um homem com o vírus HIV encontram-se em posição vulnerável. Uma vez formado um profundo laço de amor, a objetividade acerca das conseqüências futuras de tal casamento se torna difícil. A mulher será tentada a subestimar o atual risco de contrair o vírus. A não ser que um dos parceiros seja voluntariamente esterilizado, existe também o risco dos filhos nascerem de pais que no futuro podem se tornar doentes demais para cuidarem deles. E tais crianças mesmas estão arriscadas a ter o vírus HIV.

Um homem ex-gay descreveu seus motivos para decidir-se contra o casamento, se o teste dele fosse positivo para o HIV: "Meus sentimentos são de que o casamento seria injusto para a minha parceira em tais circunstâncias. Eu poderia desfrutar dos benefícios de seu apoio e amor, mas ela muito provavelmente teria de passar pelo sofrimento de minha doença e morte final. E, mesmo tomando precauções, ela poderia ser infectada. É um risco que não gostaria de assumir. Creio que um indivíduo que é HIV positivo pode levar uma vida plena de celibato, experimentando amizades maravilhosas e muitas oportunidades de servir a Deus como pessoa solteira. Mas eu não recomendaria o casamento."

Também discutimos o assunto do namoro e do casamento com inúmeros indivíduos que são soropositivos, mas que expressam um diferente ponto de vista. Alguns deles estão envolvidos em namoros. Outros são casados. Todos concordam que os homens e as mulheres HIV positivos não deveriam excluir automaticamente o casamento como possibilidade futura. Mas advertem para as extremas pressões emocionais e possíveis dificuldades financeiras envolvidas em tal relacionamento.

"Não existe resposta certa ou errada neste assunto," aconselha Carl, que saiu da homossexualidade em 1986 e descobriu que era HIV positivo no verão de 1988. Logo depois, começou a freqüentar uma nova igreja onde conheceu Brenda. Começaram a ir juntos às reuniões e sua amizade aprofundou-se. Finalmente, depois de procurar o conselho de seu pastor, eles se convenceram de que Deus os estava reunindo, e se casaram em julho de 1991.

"Há um profundo compromisso em nosso relacionamento," Carl diz hoje, mas enfatiza o tremendo estresse envolvido em ser casado e infectado com o vírus da AIDS. Por exemplo, ele e Brenda decidiram não ter filhos, uma decisão que lhes tem causado muitas horas de tristeza silenciosa, apesar de saberem que é a decisão acertada para eles.

Carl diz que Brenda é uma fonte incrível de apoio emocional e espiritual. "Não sei se ainda estaria vivo se continuasse solteiro."

Dean também enfrentou o "dilema do namoro" como homem infectado pelo HIV. Foi infectado através de sexo gay promíscuo quando estava na Marinha. O vírus foi diagnosticado quando a sua unidade foi sujeita a um teste periódico de AIDS antes de ser enviada além-mar. Dois meses depois deu baixa e voltou para casa.

Dean cresceu na igreja mas afastou-se de suas crenças cristãs durante a sua estada na Marinha. Depois de voltar para casa, envolveu-se com o grupo de estudantes em sua igreja e começou a fazer novos amigos. Foi quando conheceu Sheila.

"Desenvolvemos uma amizade íntima," Dean explica, "e eu acabei lhe contando tudo sobre os meus antecedentes e o diagnóstico. Ela foi a única fora de minha família que sabia da verdade."

No início, Dean e Sheila tinham "apenas uma amizade", mas depois de seis meses começaram a namorar. "Fui totalmente honesto com ela acerca de tudo," diz Dean. Depois de 18 meses Dean percebeu que havia questões não resolvidas em sua vida que evitaram que o relacionamento progredisse. A AIDS foi uma das questões que provocaram atritos no relacionamento. Finalmente, eles acabaram o namoro mas continuaram amigos.

Dean adverte que alguns namoros podem se transformar em uma "situação de enfermeiro romântico" nada realista. A destrutibilidade da doença HIV e seus possíveis efeitos colaterais (tais como a incontinência, pneumonia crônica, depressão e demência) exigem um compromisso sólido e maduro, não um relacionamento fundamentado em uma fantasia.

Todos estes homens enfatizam fortemente a necessidade de serem honestos com a pessoa que estão namorando acerca de seu status HIV. "Quanto mais cedo você contar, melhor," diz Ross, um homem soropositivo que agora está casado. "Se você esteve namorando há quatro meses e ainda não contou nada, já está três meses atrasado. Se você não disser nada e a outra pessoa descobrir através de alguém, ele ou ela vai ficar imaginando se você é confiável em outras questões importantes," diz.

O casal também precisa discutir honestamente os possíveis riscos de saúde para o parceiro não infectado. Um estudo de casais em que um dos cônjuges foi infectado com o HIV descobriu que 17% dos casais usando a camisinha *todas as vezes* para proteção, ainda assim passou o vírus para o cônjuge não infectado dentro de ano e meio.[5] Há uma sóbria realidade a ser enfrentada — relação sexual envolve risco, mesmo quando você está seguindo as orientações para "sexo seguro" tão freqüentemente recomendado para evitar a infecção.

Ross e sua esposa têm relações sexuais normais, mas sempre usam pelo menos uma camisinha (duas fornecem proteção acrescida).[6] "Não usar camisinha é ridículo," diz Ross rudemente. "É como saltar de um penhasco e pedir a Deus para enviar os seus anjos para salvá-lo."

Ambos os parceiros precisam entender que terão pressões emocionais aumentadas relacionadas com a questão da AIDS. "Às vezes, luto contra a inveja por aqueles que são HIV negativos e ex-gays," confessa Ross. "Eu penso: *Por que eu, Senhor? Por que aqueles rapazes que foram mais promíscuos do que eu não foram infectados?*"

Ross e sua esposa tiveram de enfrentar questões de imensa carga emocional: Como conseguiremos cobertura médica futura? Quando deveremos contar ao restante da família acerca desta situação de saúde? Quanto devemos aplicar no seguro de vida? Deveríamos considerar a possibilidade de adotar crianças? Embora não se sinta atormentado com pensamentos de morte, Ross admite que há dias em que luta contra a depressão e fica imaginando o que vai acontecer nos próximos meses.

Nós o incentivamos a falar com outros casais que passaram antes que você passe por esse território relativamente inexplorado. Ministérios com ex-gays por todo o território nacional podem colocá-lo em contato com outros homens e mulheres que passaram pelas mesmas decisões difíceis que vocês estão enfrentando (veja apêndice C).[7]

Outras Questões Acerca do Namoro

Algumas questões relacionadas com o namoro que você enfrenta são únicas para os seus antecedentes. Mas a maior parte de suas lutas sera semelhante ou idêntica a de todos os outros cristãos. Trave conhecimento com outros solteiros que estão namorando e passe tempo com pessoas casadas em sua igreja que podem oferecer pronta orientação.

Talvez haja um casal que dirige o grupo local de solteiros. Mesmo que você não se sinta à vontade com o grupo de universitários (talvez por ser mais velho), procure os líderes para algum conselho particular.

Peça a opinião a mais de uma pessoa sobre o seu relacionamento. Por exemplo, se você faz parte de um grupo de apoio para ex-gays, um ou dois membros do grupo podem reagir negativamente ao seu desejo de namorar. Não estarão discernindo que você ainda não está preparado? Ou a negatividade deles é porque estão pessoalmente ameaçados com a idéia do namoro?

"Eu me lembro quando minha melhor amiga, Linda, começou a namorar," diz Sue, falando acerca de uma outra ex-lésbica. "Eu precisei lutar contra os sentimentos de inveja. Eu era uma boa amiga de ambos, de Sue e seu novo namorado. Para dizer a verdade, fiquei triste. Fiquei imaginando quanto tempo eles passariam comigo. Eu até mesmo temia a possibilidade de que eles um dia se casassem e mudassem para outra parte do país."

Há muitos livros excelentes sobre namoro. Lembre-se, a maior parte das questões que você terá de resolver são comuns à raça humana — não apenas uma manifestação de seus antecedentes homossexuais. Portanto, aprenda tudo o que puder nos livros, filmes, com amigos e outras fontes disponíveis.

12

PREPARANDO-SE PARA O CASAMENTO

Toda essa idéia de casamento pode despertar a sua curiosidade, mas simplesmente pode lhe parecer impossível. Você pode sentir-se totalmente despreparado para ser esposa ou marido. O pensamento de um compromisso para toda a vida paralisa você de medo. E se o relacionamento não der certo? E se você perder o interesse em sexo conjugal — ou nunca o desenvolver antes de tudo? E se... e se... e se...?

Parece familiar?

Nesse caso, eu (Bob) posso entender os seus sentimentos. Nos primeiros 30 anos de minha vida, toda a idéia de casamento me enchia de um medo sufocante. O casamento me parecia tão difícil quanto escalar o Monte Everest. Sempre que fazia amizade com uma mulher e ela começava a inclinar-se para o romance, eu corria na direção contrária.

Eu me sentia feliz sendo solteiro. Meu trabalho ministerial era gratificante. Meus amigos masculinos eram excelentes. A vida era cheia de oportunidades excitantes. Por que pensar em casamento?

Mas alguma coisa mudou. Quando cheguei aos 25 anos, comecei a sentir uma inquietação interior. Pensando nos alvos de minha vida, percebi (para surpresa minha) que não queria ficar sozinho pelo resto de meus dias. Durante o verão de 1984, pela primeira vez na minha vida, comecei a dizer aos outros: "Quero me casar... um dia."

Esse também é o seu sonho?

Conforme os ministérios com ex-gays têm amadurecido, um crescente número de antigos homossexuais estão procurando namorar e casar. Conhecemos homens e mulheres antes envolvidos na homossexualidade que abandonaram esse estilo de vida e que agora estão casados e felizes por mais de 20 ou 30 anos. Então o que está evitando que mais ex-gays se casem?

O medo é o motivo mais forte para muitos homens e mulheres ex-gays não se casarem. Muitos dos seus medos são comuns a todas as pessoas solteiras. Há o medo do fracasso, medo de ser pai, medo de problemas financeiros, medo de perder a independência e todo um conjunto de sentimentos que se resume melhor como "medo do desconhecido".

A maioria desses medos comuns é examinada em outros livros sobre a fase que precede o casamento, por isso não vamos perder tempo com eles.[1] Em vez disso, queremos lidar com os medos comuns entre os ex-gays que vão se casar que são um pouco diferentes do restante da população.

Medo de Perder o Controle

Para as mulheres que estão saindo do estilo de vida lésbico, este medo é "O Grande Medo". Especialmente para a mulher que foi sexual ou emocionalmente molestada pelos homens, o casamento soa como um convite para o seu próprio funeral.

Cristãos desajeitados que ensinam sobre liderança e submissão no casamento apenas agravam esse medo. "Por que desejaria que alguém assuma a direção da minha vida e me controle?" Mary perguntou. "Eu sempre dei as ordens. Foi bastante difícil aprender a ser franca e vulnerável com o Senhor. Para mim, confiar em um ser imperfeito, um macho humano típico, é demais."

Janine Puls, uma antiga lésbica e líder do grupo de apoio, se lembra das diversas barreiras que enfrentou antes de se casar com o seu marido, Dan, em 1988: "Eu fui realmente machucada pelos homens através de molestação e outros abusos desde pequena. Como jovem adulta, o único conforto e segurança que eu experimentei foi nos braços de outra mulher. Odiava os homens e fiz o voto de que nunca me ligaria a um deles."

Depois, Janine se tornou cristã, estudou a Bíblia e começou a receber aconselhamento. "Comecei a entender o plano divino para machos e fêmeas se complementando e refletindo juntos a imagem de Deus. Foi uma idéia totalmente nova para mim. Meu único conceito de homem e mulher juntos era um campo de batalha."

Janine precisou enfrentar os seus sentimentos que resultaram dos abusos sexuais do passado. "Precisei ser curada exatamente para desejar me relacionar com um homem, para receber informações dos homens. Lentamente, percebi que tendo sido ferida por um punhado de homens, generalizava todos os homens como monstros. E, nisso, eu me excluí da metade da raça humana."

Com lágrimas correndo pela face, Janine orou: "Senhor, tu fizeste o macho e a a fêmea, e tu disseste que isso era bom. Eu não entendo isso, mas, Senhor, tu o disseste. Cura o meu coração até o ponto de conseguir me abrir para crer nisso."

Janine encontrou Dan na faculdade e sentiu que era alguém em quem podia confiar. Tornaram-se amigos e começaram a namorar no ano seguinte. Então problemas importantes começaram a vir à tona na vida de Janine.

"Quando começamos a segurar a mão um do outro e nos beijar," ela diz, "todas as minhas horríveis lembranças do abuso e do incesto no passado vieram à tona. Contei a Dan acerca do meu passado e ele foi maravilhoso. Ele me ouviu e me abraçou. Seus sentimentos por mim não oscilaram nem mudaram. Esse lento crescimento de confiança em nosso relacionamento ajudou a neutralizar meus temores de perder o controle."

Os homens certamente também podem imaginar esse medo. Se um homem teve uma mãe protetora, dominadora, excessivamente íntima, o casamento pode parecer horrível. Ele pode temer ser pressionado no casamento por uma noiva forte que acha que tomar decisões é muito mais fácil do que ele acha.

No casamento, ambas as personalidades precisam de espaço para serem elas mesmas e para desenvolverem seu potencial como homens e mulheres individualmente. Se um parceiro tende a ser sossegado e reservado enquanto o outro é mais falante e agressivo, esta dinâmica deve ser discutida francamente.

Medo de Perder a Identidade

Starla Allen aconselhou muitas mulheres que estavam saindo do modo de vida lésbico. Ela diz que muitas dessas mulheres temem perder o senso do "eu" quando se comprometem com o casamento: "Quando as mulheres pensam sobre o casamento, elas imaginam: *O que vai acontecer com o meu 'ego', minha própria identidade certa*? *Se dois se tornam um, então eu perco o meu eu.* Elas têm medo de serem sobrepujadas ou engolidas."

Marie, por exemplo. Embora decidisse adotar o sobrenome do seu marido quando se casaram, experimentou um pouco de temor. "Mergulhar com William em uma união de uma só carne parecia-me como perder a minha identidade. Depois de nosso casamento, não conseguia escrever o meu nome no escritório do Seguro Social. Em oração, comecei a perceber como Deus usava a troca de nomes de maneira positiva: mudando o nome de Jacó para Israel, de Sarai para Sara. Eu senti que Deus estava me dando um novo nome através do meu casamento. Não estava perdendo coisa alguma, estava ganhando."

Medo do Sexo

Este é um dos temores mais comuns entre ambos, os homens e as mulheres ex-gays, e assume formas diferentes. Para muitas pessoas, o medo do ato sexual é a forma específica desta ansiedade; temem que não serão sexualmente despertados pelo seu cônjuge. Ou que o seu cônjuge não vai achá-los sexualmente atraentes. Ou que vão finalmente perder o interesse no sexo. Ou que desejos prolongados pelo mesmo sexo vão deixá-los insatisfeitos no casamento e freqüentemente tentados a cometer adultério.

Ao conversar com ex-gays casados, descobrimos que a maior parte desses temores são infundados. Apesar disso, o "complexo de inferioridade sexual" está profundamente entranhado em algumas pessoas. Em muitos casos os sentimentos de inferioridade centralizam-se ao redor do tamanho do pênis de um homem ou dos seios de uma mulher; outros se sentem inferiores na estrutura de seu corpo como um todo.

Esses tipos de sentimentos de inferioridade podem surgir de diversas fontes. Zombarias dos colegas, especialmente no chuveiro da escola durante a adolescência, podem ser dolorosas demais e são lembradas por décadas. Homens que viram pornografia gay podem inconscientemente comparar os seus corpos (inclusive os órgãos genitais) com o padrão "perfeito" de modelos esculturais. Olhar pornografia pode reforçar sentimentos de inferioridade física e sexual.

No modo de vida gay, especialmente para os homens, há uma ênfase contínua na aparência física e no desempenho sexual. Para ambos, homens e mulheres, nossa cultura secular está cheia de idéias nada realistas acerca do sexo. Muitas delas são perpetuadas pela mídia, inclusive filmes famosos e programas de televisão.

Sentimentos Infundados

Sentimentos de inferioridade sexual comuns entre muitos homens e mulheres ex-gays são totalmente infundados por diversos motivos:

❏ *A estrutura física e o tamanho dos órgãos genitais tem pouco a ver com satisfação sexual — para o marido ou a esposa.* Durante séculos, as pessoas de corpos de todas as formas e tamanhos possíveis têm encontrado grande alegria e satisfação no ato conjugal.

De maneira geral, os homens focalizam demais o seu "desempenho" durante o ato sexual como índice da satisfação sexual de sua esposa. Esta focalização não é necessariamente válida. Em 1985, Ann Landers publicou os surpreendentes resultados de uma pesquisa informal. Ela fez às suas leitoras uma simples pergunta: Se elas pudessem ter apenas um ou outro, as mulheres prefeririam meigas carícias sem a relação sexual, ou a relação sexual sem o afeto? Cerca de 90 mil mulheres responderam, e 72% disseram que prefeririam receber um abraço bem apertado e serem tratadas com ternura, sem sexo. Dessas 72%, 40% tinham menos de 40 anos de idade.[2]

Aqui está como o Dr. James Dobson, uma autoridade muito respeitada sobre relacionamentos familiares e conjugais, explica a perspectiva feminina: "As mulheres... ficam comumente menos excitadas observando um homem sedutor de boa aparência, ou pela fotografia de um modelo cabeludo; antes o seu desejo é geralmente focalizado em um indivíduo *em particular* que elas respeitam ou admiram. Uma mulher é estimulada pela aura romântica que cerca o seu homem, e pelo seu caráter e personalidade. Ela se entrega ao homem que a atrai emocionalmente além de fisicamente."[3]

Os homens ex-gays que ficam indevidamente preocupados com o seu físico ou desempenho sexual não entendem o que as mulheres acham realmente atraente em um homem.

❑ *Um casamento santo não é edificado apenas em atração sexual.* Um casamento é edificado sobre o fundamento da confiança mútua, amor e compromisso. Ambos os parceiros prometem amar e cuidar um do outro por toda a vida — aconteça o que acontecer. Os votos são "enquanto ambos vivermos", não "enquanto acharmo-nos sexualmente atraentes".

Casais noivos podem pensar que a maior parte dos problemas conjugais são causados pelas dificuldades sexuais. "Não, o oposto é mais exato," diz o Dr. Dobson. "Muitos problemas sexuais são causados por dificuldades conjugais. Ou exposto de outro modo, os conflitos conjugais que ocorrem na cama são geralmente provocados pelos conflitos conjugais *fora da cama*."[4] Isto é exatamente tão verdadeiro para o antigo homossexual quanto para qualquer outro. E, só para apresentar uma pequena perspectiva, considere este fato: Depois do casamento você vai passar a maior parte do seu tempo pensando em questões não sexuais.

❑ *Fazer amor é uma arte que se aprende.* Um homem ex-gay que estava casado há seis meses expressou a sua opinião sobre o sexo no casamento mais ou menos assim: "Tornar-se um parceiro sexual habilidoso é como aprender a tocar piano. Você não pode esperar tocar belas músicas na primeira vez."

Sexo bom é uma coisa que se aprende! Leva tempo, paciência e prática, exatamente como qualquer outra habilidade em sua vida. Não coloque falsas expectativas sobre você mesmo (e seu futuro cônjuge) de que vocês vão de alguma maneira saber exatamente como satisfazer sexualmente um ao outro na primeira noite do seu casamento.

PAUSA

Está com medo do casamento? Nesse caso, quais os temores da seção acima se aplicam a você? Você quer vencer esses temores? Nesse caso, que passos práticos seriam úteis como ponto de partida?

Pureza Pré-Matrimonial

É triste dizer que alguns homens e mulheres ex-gays comprometem seus padrões morais antes do casamento. São tão inseguros acerca de sua capacidade de experimentar estímulo sexual com o seu cônjuge em potencial que permitem que o afeto vá além dos padrões próprios para ver se conseguem ficar sexualmente estimulados.

Alguns ex-gays foram até o ponto de praticarem o ato sexual com a pessoa que pretendem desposar num esforço errôneo de ver se conseguiram "satisfazê-lo". Não se deixe apanhar por essa armadilha. A Palavra de Deus proíbe o sexo antes do casamento. (1 Co 6:18; Ef 5:3). O fato de você funcionar sexualmente uma vez, duas vezes ou uma dúzia de vezes antes do casamento não prova *nada* acerca de sua satisfação sexual a longo prazo no casamento. Alguns homens e mulheres voltaram às suas atividades homossexuais depois de casados e tendo relações sexuais regulares. Portanto, saber que você pode funcionar sexualmente com o seu futuro cônjuge não é a chave para um casamento feliz.

Há um modo muito melhor e mais santo de prever se você terá ou não problemas sexuais a longo prazo no casamento, diz o conselheiro Paul Stevens. "Mais simples, as formas não sexuais de afeto durante um longo período de tempo são uma indicação melhor do que ter relações sexuais para ver se a pessoa gela ao toque do sexo oposto ou se reage de maneira adequada."[5] Se você tiver liberdade para experimentar afeição apropriada antes do casamento com a sua amada (ou amado), formas mais íntimas de afeto — inclusive a relação sexual — virão naturalmente depois do casamento.

A Lua-de-mel

Todos desejam ter uma lua-de-mel excitante e romântica. E, se você andou vasculhando suas livrarias locais ultimamente, saberá que não existem manuais disponíveis intitulados *Como Ter uma Lua-de-mel Maravilhosa — Dez Dicas para Ex-gays.* Portanto damos aqui algumas sugestões para ajudá-lo a vencer a insegurança pré-nupcial por causa do sexo. (Estas dicas vão se aplicar especialmente aos noivos que nunca experimentaram sexo heterossexual.)

❑ *Não se sinta pressionado a fazer sexo na noite de núpcias.* É uma expectativa cultural que pode aumentar a indevida pressão de "desempenho" no casal. Não ceda a esse tipo de pressão.

Converse acerca da noite de núpcias antes com o seu futuro cônjuge. Quais são as suas expectativas? O que a sua noiva (seu noivo) espera? Provavelmente vocês não tiveram oportunidade de perguntar a casais casados acerca deste aspecto muito pessoal do seu casamento, mas se o fizerem, podem ter uma surpresa: Não é como nos filmes, gente!

Até mesmo casais que não trazem um acréscimo de "bagagem sexual" no seu relacionamento (tal como lutas homossexuais, ou uma história de incesto ou estupro) não têm necessariamente uma experiência sexual satisfatória em sua noite de núpcias.

Quando vocês estiverem casados há algum tempo, entenderão que o dia de casamento quase *garante* alguns problemas para aquela noite. Primeiro, se vocês passaram por uma cerimônia e uma recepção de casamento completas, sobreviveram a um dos dias mais exaustivos de sua vida, física e emocionalmente falando. Em outras palavras, vocês provavelmente ficaram cansados além da conta. Seria mais apropriado darem-se mutuamente uma boa massagem nas costas e, então, ir para a cama dormir.

❑ *Não viajem uma longa distância nos dois primeiros dias de sua lua-de-mel.* Alguns casais programam-se tão rigidamente que precisam levantar-se às 4h30 da manhã depois do dia do casamento para pegar um vôo para algum local exótico do outro lado do mar. Que cenário para um desastre em potencial! Esse tipo de agenda não dá tempo para um aspecto importante e memorável de sua lua-de-mel — suas primeiras experiências sexuais juntos.

Considerem a possibilidade de ficar em um hotel da cidade por um dia, fazendo, depois, aquele longo vôo. Naturalmente, se vocês estão planejando uma lua-de-mel local, vão querer viajar um pouco, mas planejem uma agenda leve que deixe tempo de sobra para ficarem juntos e romanticamente a sós.

❑ *Levem um manual sobre sexo em sua lua-de-mel — e leiam-no juntos.* Existem excelentes livros cristãos no mercado que podem ser muito úteis, especialmente para aqueles que se casaram sem experiências sexuais no passado.[6] Alguns cristãos acham que esses livros são sexualmente explícitos demais para serem lidos antes do casamento, mas é uma leitura que pode proporcionar luas-de-mel maravilhosas. (Vão querer experimentar as coisas sobre as quais estarão lendo!)

❑ *Orem sobre a sua relação sexual.* Deus inventou o sexo e se deleita com o relacionamento sexual no casamento. (Se vocês duvidam disso, leiam Cantares de Salomão em uma tradução moderna da Bíblia.) Entreguem cada aspecto de sua vida conjugal a ele — inclusive a sua realização sexual. "Eu e meu marido achamos muito significativo orarmos juntos sobre o nosso relacionamento sexual," diz uma ex-lésbica. "E, mesmo no meio do ato sexual, com freqüência eu me pego orando pela satisfação emocional e física dele."

❑ *Seja realista em suas expectativas sexuais.* "Quase todos os casais precisam lidar com dificuldades em seu relacionamento sexual," diz Kathleen e Thomas Hart, autores de *The First Two Years of Marriage* (Os Dois Primeiros Anos do Casamento). "Desenvolver um relacionamento sexual mutuamente agradável leva tempo, muita comunicação, e considerável experiência."[7] Aqui está outra área onde a cultura popular pode nos enganar. Apesar do que você vê nos filmes de hoje, os homens e as mulheres não sabem necessariamente como agradar o seu parceiro sexual sem alguma experiência e prática.

❑ *Comuniquem-se primeiro, durante e depois das experiências sexuais em conjunto.* A conversa sobre o relacionamento sexual ajuda a clarear a atmosfera do "desempenho", que alimenta a ansiedade e reduz o desejo sexual. Não é ser realista pensar que o seu parceiro(a) vai ler sua mente sobre como agradá-lo(a). Por isso conversem sobre as maneiras e as técnicas que o(a) estimulam e aquelas que não.

Mitos sobre o Casamento para Ex-Gays

Alguns antigos homossexuais se casam com falsas expectativas:

Mito 1: O casamento vai automaticamente reduzir (ou eliminar) a tentação homossexual. Esta expectativa se fundamenta na falsa idéia de que as tentações homossexuais são um fenômeno estritamente físico, mas ter uma válvula de escape sexual não significa que não será tentado. Primeiro, grande parte da dinâmica da homossexualidade tem base *emocional.* Uma esposa pode ser emocionalmente vulnerável a outra mulher enquanto o seu marido está no mesmo recinto, exatamente como quando está ausente por duas semanas em uma viagem de negócios. Um marido pode experimentar uma tentação com o mesmo sexo uma hora depois de fazer amor com a sua esposa tão facilmente quanto cinco dias depois.

Nos homens, as tentações homossexuais podem ser promovidas por emoções tais como a raiva, a solidão, a frustração e o tédio.[8] No caso da mulher, as tentações para o lesbianismo podem resultar quando está faltando alguma coisa emotiva no seu casamento, como romance, intimidade ou ternura. Se as pressões de ser cônjuge ou pai (mãe) pressionarem esses "botões" emocionais, as tentações homossexuais podem realmente *aumentar* no ex-gay casado que não sabe como resolver esses problemas.

Mito 2: Os ex-gays e antigas lésbicas são cônjuges e pais piores em comparação àqueles que nunca tiveram que lutar contra a homossexualidade. Nada pode estar mais longe da verdade. Ao contrário, alguns antigos homossexuais são maridos e esposas bem melhores do que as pessoas comuns. Por quê?

Os ex-gays casados geralmente não aceitam o seu casamento como coisa garantida. Eles não presumem que problemas vão ser resolvidos sozinhos. Não negligenciam seus deveres de pais e cônjuges. Em outras palavras, trabalham pelo seu casamento e transformam o seu sucesso em uma prioridade. Um dos maiores mitos sobre casamento em nossa cultura é a idéia de que "bons casamentos acontecem" quando uma pessoa encontra o parceiro certo. Errado, errado, errado!

Doug Fields, autor de *Creative Romance* (Romance Criativo), tem falado com casais que são felizes no casamento. "Eu geralmente descubro," ele diz, "que o denominador comum por trás de sua felicidade é o princípio do trabalho duro em seus relacionamentos conjugais."[9]

Além disso, é verdade que alguns homens ex-gays apóiam-se sobre qualidades consideradas "femininas" em nossa cultura: são geralmente sensíveis, carinhosos, românticos, comunicativos. Essas qualidades talvez não sejam altamente estimadas pelos homens normais em nossa sociedade, mas são atraentes para as mulheres. Um homem com essas qualidades vai ganhar pontos mais altos na relação conjugal do que o homem que não as tem.

Mito 3: O casamento nunca será tão excitante como o envolvimento gay ou lésbico. Este mito pode ter algum traço de verdade nele — em um nível estritamente físico. Especificamente, pode ser verdade se o seu excitamento sexual se basear em tais fatores como a variedade (o sexo era sempre mais excitante com um novo parceiro); o perigo (o sexo em um banheiro público ou um parque tinha o risco da prisão, portanto aumentava a excitação); ou estimulantes químicos (o álcool para desinibir, drogas para aumentar a excitação sexual). Pelos mesmos motivos, uma mulher não pode experimentar com o seu marido a incrível intensidade emocional que teve nas relações passadas com outras mulheres. Além disso, muitos homossexuais suplementam os seus encontros sexuais com pornografia gráfica, vários fetiches e outros estimulantes artificiais que não fazem parte de um casamento cristão: "Digno de honra entre todos seja o matrimônio, bem como o leito sem mácula", (Hb 13:4).

Contudo, há um problema com os "fogos de artifício" sexuais que são artificialmente mantidos: essas experiências são governadas pela lei do retorno decrescente. O que foi uma vez sensação transforma-se em lugar-comum, depois tédio. Manter o mesmo nível de "paraíso sexual" exige encontrar um parceiro mais desejável, uma nova forma gráfica de pornografia ou um tipo diferente de estímulo químico para capturar a excitação perdida das escapadas sexuais do ano passado.

De um modo geral, os homens são principalmente excitados por estímulos visuais, dizem os técnicos. As mulheres são mais estimuladas pelos toques. Os homens ex-gays podem descobrir que este padrão comum não é verdadeiro no seu relacionamento conjugal. Mesmo quando o homem ex-gay continua vulnerável ao estímulo sexual para com outros homens através da visão, pode descobrir que o princípio no casamento se transforma no toque. Por isso, pode ser difícil para ele dizer de antemão quanto prazer terá na cama conjugal, quando estiver prejulgando seu nível de excitação puramente pela vista (olhar para a sua noiva).

Talvez ele nunca tenha o mesmo nível de sensualidade pura ao olhar para a sua noiva/esposa que tinha com a estimulação com os outros homens a qual recebia o combustível da concupiscência, não do amor. A concupiscência tem o amparo da sensualidade ilícita e do prazer proibido com o qual o relacionamento conjugal não pode competir.

Há um problema ao se tentar comparar o sexo conjugal com o sexo ilícito: o prazer do sexo é mais do que uma emoção física. Há componentes emocionais e espirituais com freqüência esquecidos no cenário gay. O sexo conjugal tem emoções acrescidas com as quais nenhum encontro gay pode competir. Há profundidade de emoções que aumentam através dos anos de compromisso, do amor altruísta e da intimidade emocional. E há o elemento espiritual da bênção divina na união física entre marido e mulher.

Eis alguns comentários de homens e mulheres que experimentaram o sexo homossexual e a emoção do amor conjugal:

Caroline: "Minha vida sexual me dá muito mais satisfação agora. Lá no meu estilo de vida passado, estava sempre tentando encher um lugar vazio dentro de mim com as atenções de minha amante e nosso relacionamento físico."

Jim: "No passado, estava sempre centralizado em minhas próprias necessidades. Eu pegava todo o prazer que podia conseguir. Agora é diferente. Quero dar prazer à minha esposa. Por isso, o sexo é muito mais do que apenas um alívio físico. Agora ele envolve todo um novo nível de intimidade."

Joyce: "Com meu marido eu me sinto segura. Sei que ele não vai me abandonar se nós começarmos a ter dificuldades em nosso relacionamento. O sexo é muito agradável. É muito melhor."

Mito 4: Meu cônjuge nunca será capaz de atender minhas necessidades sexuais ou emocionais como o meu amante. Alguns homens e mulheres ex-gays lutam contra este mito, porque assimilaram a idéia de que "apenas um homem pode entender as necessidades sexuais de outro homem" e "apenas uma mulher pode realmente saber o que me satisfaz emocionalmente e sexualmente". Com compromisso, comunicação e prática, seu relacionamento sexual no casamento pode satisfazer mais — não menos — do que qualquer coisa que você tenha experimentado antes.

Uma ex-lésbica casada fez este comentário: "Uma mulher sabe naturalmente como agradar melhor a outra mulher mais do que qualquer homem poderia. Mas um homem pode ser ensinado."

O que dizer de nossas necessidades legítimas de relacionamento com o mesmo sexo? É verdade que todos nós temos necessidades que não podem ser atendidas pelo nosso cônjuge. Mas nós podemos desenvolver intimidade emocional com o mesmo sexo de maneiras apropriadas com amigos.

Conforme vimos no capítulo nove, as amizades com o mesmo sexo são importantes, mesmo nas vidas de homens e mulheres casados. Um cônjuge não precisa atender a todas as necessidades que temos. Algumas necessidades só podem ser atendidas por Deus; outras podem ser atendidas apenas pelo cônjuge. Outras necessidades relacionais só podem ser atendidas por pessoas de nosso próprio sexo. Colocamos demasiada expectativa em nosso relacionamento conjugal quando pensamos que nosso cônjuge pode atender a cada uma das necessidades que temos. Não é realístico!

Apaixonar-se?

Um dos grandes mitos românticos de nossa cultura é que *homens e mulheres experimentam atração instantânea e intensa para com a pessoa com a qual vão se casar um dia.* Há uma "química" entre vocês no encontro. Fogos de artifício explodem quando vocês dão as mãos ou se beijam. Vocês saberão, já depois do primeiro encontro: "Este(a) é para mim!"

O Dr. James Dobson tem um interessante comentário sobre essa idéia: "Sabia que a idéia de casamento baseado em afeição romântica é uma manifestação muito recente dos negócios humanos? Antes de 1200 d.C., os casamentos eram arranjados pelas famílias da noiva e do noivo, e jamais ocorreu a alguém que eles deveriam 'se apaixonar'. Na verdade, o conceito do amor romântico foi realmente popularizado por William Shakespeare."

O verdadeiro amor, Dobson continua, é altruísta, dadivoso e carinhoso. "Essas não são atitudes de alguém que 'se apaixona' à primeira vista, como se estivesse caindo numa poça." Antes, são alguma coisa em que crescemos e esse processo leva tempo.[10]

"Amar alguém através dos anos é um assunto muito diferente de estar apaixonado. É muito menos um estado emocional, muito mais uma escolha," diz Kathleen e Thomas Hart. "Apaixonar-se é alguma coisa que *acontece* a uma pessoa; amar alguém é uma coisa que a pessoa *escolhe* fazer ou não."[11]

Amor Versus Atração Sexual

Isso quer dizer que devemos casar com uma pessoa pela qual não sentimos atração sexual? De modo nenhum. Mas também não devemos sair procurando um parceiro em potencial para o casamento que nos faça entrar em órbita com desejo sexual antes mesmo de sabermos o seu nome.

Na verdade, ex-gays podem ficar noivos com uma vantagem: Eles estão menos inclinados a fundamentar um relacionamento apenas na atração sexual. Quando o ápice sexual de um relacionamento se desvanece, um casal tem de trabalhar por questões mais materiais como finanças, planejamento familiar, escolha de móveis e alvos profissionais futuros.

O amor não é principalmente um sentimento; é basicamente um compromisso, diz James Dobson. "Esse compromisso essencial da vontade está infelizmente faltando em muitos casamentos modernos. Eu o amo, parecem dizer, enquanto me sentir atraído por você... ou enquanto não aparecer uma outra pessoa melhor... ou enquanto me for vantajoso continuar neste relacionamento. Mais cedo ou mais tarde, este amor sem compromisso vai certamente se evaporar."[12]

Homens ex-gays talvez não sintam uma atração física irresistível para com sua futura esposa, especialmente nos primeiros meses do seu relacionamento. Eles deveriam concentrar-se na formação de uma sólida amizade e uma intimidade emocional. Os sentimentos físicos virão a seguir.

Os ex-gays que são felizes no casamento geralmente gostam do sexo com suas esposas, mas a maioria não experimenta excitação sexual apenas olhando para o corpo dela.[13] Há duas fontes maiores de estimulação sexual: o toque e os sentimentos emocionais.

"Eu sinto o mais forte desejo sexual por minha esposa quando sou carinhoso para com ela," diz Alan Medinger, um homem casado que abandonou as atividades homossexuais em 1974. "Muitas vezes sinto esse desejo quando nos beijamos, ou quando estamos simplesmente sentados no sofá assistindo TV e meu braço está à sua volta."

Muitos ex-gays não lutam com a tentação sexual por mulheres em geral, pelo menos não a forte atração visual experimentada pela maioria dos homens normais. Condescender na concupiscência do sexo oposto pode ser chamado de "normal" em nossa sociedade, mas não é santo.

"Um excesso de reação sexual visual certamente é um reflexo da natureza humana pecadora," diz Alan, "e é a causa de muito sofrimento e disfunção no mundo atual. As mulheres são comumente avaliadas muito mais por sua aparência do que por seu caráter ou outros atributos. As esposas são com muita freqüência comparadas, menosprezadas e abandonadas."

Portanto, uma falta de dependência de estimulação visual pode na realidade ser considerada uma bênção. Além disso, conforme qualquer casal casado envelhece junto, há cada vez menos beleza física exterior para estimulá-los sexualmente. "Se o estímulo visual é o único fator importante na atração do homem (mais velho) por sua esposa, os dois estão com problemas," conclui Alan.

Quando Dois Ex-Gays se Casam

Estamos familiarizados com um crescente número de casais onde ambos, marido e mulher, são ex-gays. Como funcionam esses casamentos? É uma possibilidade saudável?

Pode ser. Conhecemos um casal em que só depois de 18 anos ambos confessaram um ao outro seus antecedentes homossexuais. Esse *não é* o padrão de revelação que recomendamos! Mas achamos que os casais — seja qual for o seu passado — podem envolver-se em casamentos saudáveis e excitantes se seus problemas do passado forem resolvidos.

Há possíveis pontos fortes e pontos fracos nos casamentos em que os dois parceiros são ex-gays:

- *Pontos fortes.* Pode haver uma compreensão maior das fraquezas um do outro. Se ocorrerem atrações pelo mesmo sexo, ambos os cônjuges serão capazes de oferecer apoio fundamentado em suas experiências e lutas do passado. Não serão indevidamente ameaçados pela confissão de tentações homossexuais ou lésbicas, sabendo que tais sentimentos surgem às vezes entre muitos homens e mulheres que lutam contra um passado homossexual. Ambos, marido e mulher, ficarão menos inclinados a considerar o cônjuge como "pior" em termos de seu passado. Embora ambos possam introduzir insegurança no casamento, podem apoiar um ao outro quando aqueles temores surgirem na vida diária.
- *Pontos fracos.* Se ambos os cônjuges não resolveram seus problemas, podem envolver-se em um tipo de relacionamento mutuamente dependente, tal como a dinâmica "mãe-filho", em que o marido é totalmente passivo e sua esposa toma todas as decisões no relacionamento. Este relacionamento "mulher forte-homem fraco" pode refletir feridas passadas de ambos os cônjuges, em vez de refletir um relacionamento maduro de parceiros emocionalmente saudáveis. Se ocorrer uma troca dos papéis convencionais do casamento, marido e mulher precisam examinar se este é o padrão que eles realmente desejam, ou se estão fugindo das atividades tradicionais por medo e devido a feridas passadas.

Realização no Casamento

No início deste capítulo, eu (Bob) descrevi quanto medo tinha de toda a idéia de me casar. Então, no outono de 1984, Deus me mostrou claramente que ele queria que eu me casasse. Senti-me fortemente induzido a namorar Pam, uma mulher de minha igreja que era minha amiga. Desde o início de nosso namoro, nós dois sentíamos que estávamos destinados a nos casar.

Estava esmagadoramente convencido da orientação de Deus. Recebemos encorajamento e aconselhamento através de nossos pastores, e nossos amigos ficaram felizes. Deus confirmou nosso relacionamento através de versículos especiais em sua Palavra. Olhando para trás nas nossas vidas, eu e minha noiva vimos maneiras sobrenaturais que Deus utilizou para nos unir.

Então aconteceu uma coisa estranha.

Todas aquelas dúvidas e temores acerca do casamento que se tinha abrigado em meu coração por tanto tempo se desvaneceram como uma névoa com o sol da manhã. Desde o momento do meu noivado até o casamento nove meses depois, desfrutei de paz profunda e satisfação acerca do futuro. Todos os meus temores acerca do casamento desapareceram — para nunca mais voltarem.

Agora, casado desde agosto de 1985, honestamente não desejaria ficar solteiro de novo. O casamento com Pam foi o maior presente que Deus me deu, sem falar de minha salvação.

Por que o casamento dá tanta satisfação? Por muitos motivos, mas existem três que me vêm à mente imediatamente. Primeiro, desfruto diariamente do companheirismo que minha esposa introduziu em minha vida. É maravilhoso ter alguém com quem partilhar os acontecimentos comuns de minha vida, colocar camadas sobre camadas de lembranças que ligam as nossas vidas em um tecido de experiências partilhadas.

Segundo, tenho mais confiança em minha identidade masculina desde que me casei. Naturalmente, o casamento não é um "símbolo de cura". Mas vejo meu casamento como resultado natural do crescimento que Deus providenciou em minha vida. Minha aliança de casamento é um lembrete contínuo das transformações que experimentei nos 15 anos passados.

Terceiro, quando experimentei o amor de Pam, regozijei-me na companhia dessa "amiga especial" que tantos homens gays e mulheres lésbicas estão procurando — e nunca encontram — através de seus relacionamentos homossexuais. Minhas profundas necessidades de intimidade emocional e companheirismo foram satisfeitas pelo casamento. As lutas com a solidão, tão comuns entre pessoas solteiras, já não fazem parte de minha vida.

Naturalmente, desfruto dos prazeres sexuais do casamento, e sou grato porque as lutas associadas ao celibato já passaram. Satisfaz muito (e é bastante divertido!) expressar minha sexualidade como Deus pretendeu, no contexto de um compromisso por toda a vida. Há pureza, satisfação — e sem culpa. Que presente!

Quando era um homem de 30 anos, não sonhava que um dia me casaria. Agora não consigo me imaginar solteiro de novo. Eu me regozijo em ver outros homens e mulheres ex-gays aos quais Deus está dirigindo para a mesma satisfação conjugal que deu a mim.

13

CRESCENDO NA INTIMIDADE CONJUGAL

Desde o momento em que John conheceu Lisa na faculdade, sentiu-se atraído pelo seu sorriso acolhedor e personalidade marcante. Logo, os dois estavam andando juntos regularmente. Não demorou muito para que John a pedisse em casamento. Para deleite dele, ela aceitou.

"Eu me senti tão entusiasmado," John se recorda. "Finalmente Deus havia me dado uma pessoa para amar, e agora ia endireitar minha vida."

Lisa não sabia, mas John havia lutado com sentimentos homossexuais desde a infância. O envolvimento sexual com um primo mais velho quando tinha 12 anos de idade aumentou a confusão sobre a identidade sexual de John. Na adolescência, ele se sentia só, sem valor e achava que não era amado.

As fantasias acompanhadas de masturbação e alimentadas pela pornografia davam alívio temporário.

A primeira experiência homossexual de John aconteceu na faculdade. Sentiu-se arrasado pela culpa. "Eu me odiei e pensei em suicídio."

Depois de um período no exército, John voltou à faculdade para concluir os estudos. Foi quando encontrou Lisa e logo ficaram noivos. Finalmente John sabia que seria capaz de atender suas necessidades sexuais de maneira santa. "Eu acreditava que era a vontade de Deus para a minha vida e que isso resolveria a minha crise de identidade sexual."

O sonho de John não durou muito tempo depois do casamento. "Nossa noite de núpcias foi um desastre," ele admite. Lisa era virgem, e John nunca tivera intimidade sexual com uma mulher. Ambos estavam "mortalmente amedrontados".

Sua primeira experiência sexual foi dolorosa para Lisa; outra tentativa no dia seguinte foi a mesma coisa. Depois, John tomou banho de chuveiro, sentou-se na banheira e chorou. "Eu esperei por isto tanto tempo e foi tão horrível. O sentimento de que não era um verdadeiro homem capaz de satisfazer minha esposa sexualmente rasgou a minha alma."

Felizmente, suas experiências sexuais melhoraram muito nas semanas seguintes. Mas as lutas de John não foram resolvidas tão rapidamente. Pouco tempo depois, ele retornou aos antigos hábitos de masturbação e visitas a livrarias só para adultos.

Em 1975, seu primeiro filho morreu seis horas depois de nascer. John interpretou o acontecido como castigo de Deus pelo seu comportamento passado e sentiu uma depressão esmagadora.

Nas semanas seguintes, John pediu a ajuda de Deus mas continuou experimentando forte desejo homossexual. Ele jejuou e orou, pedindo a Deus que o libertasse de seus desejos concupiscentes.

Em 1978, John foi pai de duas crianças. Mas suas responsabilidades de família não evitaram que continuasse tendo encontros homossexuais anônimos em banheiros públicos. Ele fazia promessas a Deus de parar com o seu comportamento pecador, depois caía de novo.

John e Lisa estavam se afastando um do outro. "Nós tínhamos um casamento apenas nominal," ele admite. "Tinha desistido completamente do meu desejo desesperado de ter uma vida sexual satisfatória com ela. A culpa e a vergonha do meu pecado me arrasavam. Meus clamores a Deus pelos 20 anos passados eram respondidos com o silêncio."

Finalmente, em silencioso desespero, John fez planos de cometer suicídio e achar uma maneira de fugir da miséria que estava rasgando-o pelo meio.[1]

Motivações Erradas

Provavelmente existem poucas pessoas em miséria mais profunda do que aqueles que se casaram com a esperança de que um cônjuge amoroso vai libertá-los, de uma vez para sempre, das lutas da homossexualidade. Infelizmente, o casamento não é a solução para as lutas gays ou lésbicas.

Contudo, quer você tenha ou não se casado pelos verdadeiros motivos, Deus pode redimir o seu casamento, diz R. Paul Stevens, autor de *Getting Ready for a Great Marriage* (Aprontando-se para um Grande Casamento). "A Bíblia descreve pessoas se casando de todo jeito. Alguns casais foram reunidos pelos pais, outros tiveram um relacionamento romântico, alguns se encontraram através da iniciativa de amigos piedosos e de confiança, e pelo menos em um exemplo uma aventura sexual pecaminosa acabou em casamento. *Mas Deus pegou até os casamentos malfeitos, ou casamentos com motivações erradas, e fez deles algo construtivo*" (grifo acrescentado).[2]

Conscientização Após o Casamento

Para algumas pessoas casadas — especialmente mulheres — os sentimentos homossexuais não são um problema até depois dos votos matrimoniais. Então, pela primeira vez, desejos pelo mesmo sexo começam a vir à tona.

Madge era casada e tinha filhos quando conheceu sua nova vizinha, Sue. Ambas se alegraram em descobrir que partilhavam da mesma fé. Considerando que o marido de Sue viajava muito, Madge sentia pena dela e com freqüência convidava a família dela para jantar.

Com o passar do tempo, Madge tomou consciência da crescente dependência de Sue para com ela. Sue começou a ter atitudes físicas que Madge achou estranhas e assustadoras. Falaram sobre isso, mas o relacionamento delas apenas se intensificou. "Sue tornou-se mais dependente e muito mais afetiva. Qualquer palavra sobre a necessidade de controlar nossa amizade colocava-a na defensiva."

Passaram-se meses. Madge parecia não conseguir dizer não às exigências crescentes de Sue para dedicar-lhe tempo e afeto. Finalmente, sentiu-se cada vez mais atraída por Sue e começou a corresponder aos avanços afetuosos da outra. Dentro de pouco tempo, tiveram um relacionamento sexual.[3]

Um Casamento Fracassado

Para muitos cônjuges, um envolvimento homossexual é apenas um sintoma de outros problemas dentro do casamento. Os parceiros que se perdem são geralmente solitários, sentem falta de intimidade emocional com o seu cônjuge. Podem enfrentar problemas sexuais que parecem intransponíveis, ou sentem-se frustrados por causa de uma comunicação superficial dentro do casamento.

Todas essas pessoas têm um senso crescente de desespero, de estarem presos em uma armadilha. Uma pergunta se sobrepõe a todo o resto: Há um jeito de sair desta situação?

Sim, há. Conhecemos muitas mulheres e homens casados que lutaram contra a homossexualidade. Com base na perspectiva deles, eis algumas perguntas para você fazer a si mesmo quando estiver passando por esta difícil situação.

O Que Eu Quero Realmente?

Existem apenas três alternativas para o homem ou a mulher casados que lutam contra desejos homossexuais:[4]

1. Pular a cerca. Esta é a tentativa fútil de "ter as duas coisas ao mesmo tempo". Alguns podem achar que é aproveitar do que há de melhor nos dois mundos. Uma pessoa pode continuar no conforto e na aceitação da família, mas também procurar gratificação e excitamento sexual fora do casamento.

Será que funciona? Não, diz Michael Babb, um ex-gay líder de ministério em Wichita, Kansas, que fala de sua própria experiência. Os primeiros anos do casamento de Michael foram bons, até completar 35 anos. "Eu vi meu corpo envelhecendo e comecei a fantasiar acerca de sexo com homens mais jovens," diz Michael. "Eu fui fortemente atraído por um sócio nos negócios e começamos a passar juntos algumas horas quase toda noite." O relacionamento transformou-se em dependência emocional, depois se tornou sexual. Logo Michael se preparou para abandonar sua esposa, seu emprego e sua caminhada com Deus por causa desse homem. "Eu sabia no meu coração que era errado o que estava fazendo," ele admite, "mas não tinha forças para parar."

A culpa de Michael se transformou em depressão. Ele sentia-se "doente e assustado" por dentro. Pensamentos de suicídio o perseguiam. Perdeu 16 quilos e começou a beber para aliviar o tumulto emocional. Quando sua esposa o confrontou com os rumores que ouvira de que ele era infiel, negou tudo.

Michael percebeu que a coisa que desejara ardentemente durante anos — um relacionamento sexual com outro homem — acontecera. *Finalmente, estou apaixonado por outro homem,* pensou consigo mesmo, *e eu queria estar morto.*

Michael, e muitos outros que a experimentaram, dizem que a síndrome da vida dupla é um modo de vida mais miserável, mais causador de culpa que uma pessoa poderia buscar.

2. Abandonar o casamento. Uma segunda opção é desistir do casamento e seguir a homossexualidade. Encontrar o Sr. ou a Sra. Perfeição e estabelecer um relacionamento permanente. Mas, antes de fazer esta opção, olhe à volta para a comunidade homossexual e veja quantos já encontraram o companheiro ideal e já assumiram esse tipo de compromisso com um companheiro do mesmo sexo para toda a vida. Tudo está esmagadoramente contra você.

Rebecca Anne Johnston, a coordenadora do ministério "Metanoia", em Seattle, é uma mulher que fez esta opção. Casada depois do 3º ano do 2º grau, Rebecca passou os 12 anos seguintes fazendo-de-conta que tudo era maravilhoso no casamento que agora ela descreve como "abusivo, co-dependente e disfuncional." Então, ela descobriu que seu marido lhe fora infiel, e a fachada desmoronou.

Emoções que foram sufocadas desde a infância se soltaram. Rebecca crescera se sentindo inferior a seu talentoso irmão mais novo. Quando tinha nove anos, seu avô começou a molestá-la sexualmente, e ela criou muros emocionais a fim de se proteger.

Subitamente, todos aqueles anos de emoções reprimidas se soltaram. "Eu já não podia manter as coisas no lugar. Estava cansada de sofrimento." Rebecca sentiu-se sobrecarregada de raiva, amargura e rejeição. "Eu me sentia inútil como esposa, mãe e pessoa. Minha identidade feminina se quebrou. Eu não sabia o que eu era."

Duas semanas antes de deixar o marido e dois filhos, Rebecca começou um relacionamento lésbico com uma colega de trabalho. "Durante os três anos seguintes, eu me perdi no modo de vida gay com essa mulher para preencher os vazios e tratar do sofrimento em minha vida. Fiquei viciada por ela, emocionalmente, espiritualmente e fisicamente."

No outono de 1984, Rebecca chegou ao fim da linha. "Eu desabei, pior do que quando saí do casamento. Não comia nem dormia. Minha saúde estava acabando e queria dar um fim à minha vida. Todas as emoções que sentia quando abandonei meu casamento foram aumentadas muitas vezes."

Em desespero, Rebecca voltou para sua educação espiritual. Ela conhecia a verdade da Palavra de Deus e clamou a ele pedindo ajuda. Rebecca está no processo de cura desde então, embora não tenha sido fácil.

"Tem havido uma porção de dor, porém mais vitória e cura do que dor," ela diz. "Se eu sou obediente a Deus, ele vai me restaurar os anos que os gafanhotos devoraram" (Jl 2:25-26).[5]

3. Entregar-se totalmente ao seu casamento. Inicialmente, esta pode ser a opção mais dolorosa e mais difícil. Você tem de abandonar sua busca lésbica ou gay se foi ativo, morrer para suas fantasias e sonhos de casos de amor com o mesmo sexo, e acabar com as dependências emocionais que competem com seu casamento.

Esta opção pode parecer horrenda, aterrorizadora e totalmente impossível. Pode parecer como uma morte lenta, uma negação de tudo que é significativo e cheio de alegria para você. E sim, há um certo processo de morte envolvido. Mas, finalmente, você estará vivendo em obediência à Palavra de Deus, condenando à morte as obras da carne (veja Rm 8:13), de modo que o poder do Espírito Santo possa reinar em seu coração novamente.

"Quem ama a sua vida, perde-a;" disse Jesus, "mas aquele que odeia a sua vida neste mundo, preservá-la-á para a vida eterna" (Jo 12:25). Jesus também deu esta perspectiva: "Se alguém quer vir após mim, a si mesmo se negue, tome a sua cruz e siga-me" (Mt 16:24). A vocação do evangelho é igual para todos — quer lutem ou não com a homossexualidade.

Portanto, a opção de abandonar a homossexualidade e abraçar seu casamento pode parecer como a escolha mais impossível. Mas volte atrás e examine as duas outras opções novamente. O que Deus deseja para você está claro. Mas o que você realmente deseja? Finalmente, só você pode tomar a decisão.

O Que Está Faltando em Meu Casamento?

Muitos de vocês provavelmente estão lutando contra a tentação de cometer adultério ou criar dependências emocionais com o mesmo sexo. Essas tentações são um sintoma do que pode estar faltando no seu relacionamento conjugal.

Por exemplo, as mulheres geralmente estão procurando atender suas necessidades emocionais de amizade e segurança. "Quando uma esposa tem um caso, geralmente não está procurando sexo," dizem Richard e Elizabeth Brzeckek, autores de *Addicted to Adultery* (Viciado em Adultério), "mas alguma coisa emocional que está faltando no casamento dela: romance, intimidade, ou talvez ternura."[5]

Alguns homens são tentados pelo adultério por motivos semelhantes. Estão procurando um laço emocional e o elemento sexual se desenvolve conforme a amizade se aprofunda.

Para outros homens a motivação é puramente sexual, especialmente para os homens que têm uma história de participação em encontros sexuais anônimos. Quando enfrentam a pressão emocional, por causa de fatores como tensão, tédio, depressão ou solidão, seus antigos hábitos sexuais retornam.[7] Sexo anônimo é uma válvula de escape temporária das pressões da vida.

PAUSA

Pergunte-se o que está atraindo você na direção do adultério. A motivação é puramente sexual, uma escapada? Ou existem necessidades emocionais básicas que você sente que não estão sendo atendidas por seu cônjuge? Quando começar a identificar essas necessidades, você dará o primeiro passo para sair do isolamento e da frustração que atormentam seu casamento.

Necessidades emocionais não atendidas não podem ser simplesmente ignoradas. É essencial que você dê passos concretos para atender aquelas necessidades de maneira adequada e santa. Todos nós temos necessidades que não podem ser atendidas por seu cônjuge. Eu (Bob) faço parte de um grupo de prestação de contas de quatro homens que se reúnem uma vez por mês. Através dos meses, cada um de nós tem ficado exposto a situações de crescente vulnerabilidade em nossas lutas e preocupações de homens cristãos casados.

Conheço outros homens ex-gays que são capazes de partilhar suas vidas no contexto de um estudo bíblico ou reunião de oração mensal ligada à sua igreja. Outras mulheres e homens têm se juntado a um grupo de apoio patrocinado por um ministério com ex-gays (veja apêndice C).

Alguns assumem o risco (e *é* um risco!) de partilhar as suas lutas gays ou lésbicas com um ou dois amigos do mesmo sexo na igreja. Aqui há necessidade de cautela. Recomendamos que *mais de uma pessoa* forneça o apoio emocional e ouça as confissões. Há um grande perigo de "queimar" a pessoa, de formar um relacionamento co-dependente, de se tornar excessivamente confuso emocionalmente com o sistema de apoio com uma só pessoa.

O Que Estou Querendo Mudar em Mim?

Em qualquer situação matrimonial difícil, os fatores de ambos, marido e mulher, podem estar contribuindo para os problemas. Contudo, para que haja cura do seu casamento, não serve aos propósitos focalizar apenas o que está errado em seu parceiro. Mesmo se os atos, palavras, sentimentos ou decisões de seu cônjuge estiverem atrapalhando o seu casamento, saiba que — por enquanto — a mudança deve centralizar-se em você, não em seu parceiro.

É fácil focalizar "o problema", acusar a homossexualidade de todos os problemas conjugais. Mas, nos anos em que temos observado casamentos com problemas onde um dos parceiros é ex-gay, fizemos uma descoberta interessante: muitas lutas conjugais têm pouco a ver com a homossexualidade. Antes, atingem questões mais profundas tais como preguiça, o egoísmo, a imaturidade emocional, a irresponsabilidade financeira, a falta de compromisso e outros problemas comuns em *qualquer* casamento estável. Ore para que Deus comece a expor e curar esse tipo de problemas em sua vida.

Tenho Sido Honesto(a) com Meu Cônjuge?

Alguns homens e mulheres casados lidando com a homossexualidade nunca contaram à outra pessoa acerca de suas lutas. Neste assunto, a grande maioria dos conselheiros cristãos concorda: *Para restaurar um casamento sadio, você tem de contar a seu cônjuge acerca de suas lutas gays ou lésbicas.* Naturalmente, a idéia de informar seu marido ou esposa pode ser assustadora, e talvez você tenha medo que a revelação destrua o seu casamento.

Mas temos alguns motivos por que cremos que partilhar este problema com o seu cônjuge seja tão importante:

❑ *Intimidade emocional — um elemento importante em um casamento de sucesso — baseia-se na honestidade.* Como pode o seu casamento desenvolver-se quando você esconde uma parte tão importante da sua vida ao seu companheiro(a)? A mais alta doação no casamento, diz um casal, é a "doação do *eu*, que só pode ser dado se a pessoa está pronta a abrir o seu coração para o outro."[8]

Para ter uma outra perspectiva, inverta a pergunta. Você não gostaria de saber se o seu cônjuge esteve lutando com um problema importante que ameaçava destruir o seu casamento?

❑ *Prestação de contas é uma das chaves para vencer o pecado.* "Confessai, pois, os vossos pecados uns aos outros, e orai uns pelos outros, para serdes curados" (Tg 5:16). Se seu parceiro tem acesso a esta área de sua vida, você encontrará novas forças para resistir à tentação. Se seu cônjuge é cristão, ele ou ela pode se tornar o seu mais importante apoio na oração nesta área também.

Seu cônjuge deve saber se você foi sexualmente infiel desde o dia do casamento. Isto é especialmente crucial se você está lutando agora contra um relacionamento de dependência emocional ou sexual fora do casamento. Não é realista, mas ingênuo, pensar que você pode reparar o seu casamento sem seu cônjuge jamais descobrir suas atividades passadas ou atuais.

❑ *Confessar é um passo importante no processo do arrependimento.* "Se confessarmos os nossos pecados," diz a Bíblia, "ele (Deus) é fiel e justo para nos perdoar os pecados e nos purificar de toda injustiça" (1 Jo 1:9). Mas não podemos confessar os nossos pecados apenas a Deus? Não neste caso, porque pecamos *contra nosso cônjuge* acolhendo desejos ilícitos e buscando relacionamentos ímpios fora da aliança do casamento. Se quebramos os nossos votos do casamento, temos de trazer a transgressão "à luz" para experimentar o perdão de nosso cônjuge.

Doug, um ex-pastor que perdeu a sua igreja por causa de dois casos heterossexuais simultâneos, começou a sentir sua vida sendo restaurada quando confessou toda sujeira à sua esposa, Sally.

"Eu abri a minha vida sobre tudo que fiz," diz Doug. "Deixei sair tudo. As mentiras, os enganos. Embora ela chorasse, aceitou-o extremamente bem. Nunca exigiu detalhes, embora estivesse preparado para lhe dar cada detalhe, qualquer coisa que ela perguntasse. Foi uma grande catarse, embora muito dolorosa para Sally e especialmente para mim.

"Entretanto, pela primeira vez em minha vida percebi que se nossas vidas e casamento pudessem ser salvos, seria através da honestidade."

Doug fez uma promessa para toda a vida. "Foi um ato de minha vontade de que nunca mais permitiria que alguma coisa penetrasse em nosso relacionamento se não pudesse ser partilhado com ela. Nada."

Doug e Sally salvaram o seu casamento fazendo esse compromisso de andar na verdade um com o outro. "O adultério sozinho não destrói necessariamente o casamento," disse Doug. "Fomos capazes de lidar com o adultério quando o trouxemos à luz. Todo homem tem falhas e pecados. Apenas quando você os mantém nas trevas é que o pecado cresce e se multiplica. Se for trazido à luz, então tem solução."[9]

❑ *A confissão capacita ambos os parceiros no casamento a encontrar ajuda para lidar com os respectivos problemas.* Em muitos casos, o cônjuge já está consciente de que alguma coisa está errada no casamento e pode estar muito infeliz — mas não sabe o que fazer acerca da situação. Às vezes, as mulheres foram atraídas por homens que se revelam gays, então se encontram em um casamento que é vazio de amor romântico.

John, cuja história iniciou este capítulo, começou a sair do seu poço negro de desespero quando foi parar no hospital com um aparente ataque de coração. Pela primeira vez em sua vida, admitiu que precisava de ajuda e que era incapaz por si só. Clamou a Deus pedindo ajuda.

Então, pela primeira vez, foi honesto com sua esposa acerca de suas lutas homossexuais.

"Um domingo à tarde, estava deitado na cama ao lado de Lisa, que eu amava mais do que qualquer outra pessoa, e lutava para pôr em palavras os 38 anos passados de feridas, dores e confusão. Choramos durante vários dias depois da confissão."

John e Lisa começaram juntos um aconselhamento conjugal, e John começou a freqüentar um grupo de apoio para homens que lutavam contra a homossexualidade. Embora ainda tenha profundos problemas a serem resolvidos, John está finalmente vendo alguma luz no fim do túnel escuro.

"Encontrei forças para partilhar minha luta com minha família, muitos amigos e mais importante, meus filhos," ele diz. "Tenho sentido o amor de Deus expresso através dos outros de maneiras muito amorosas." A escalada de John para fora do desespero começou quando ele partilhou suas lutas com os outros.

Madge e Sue começaram a descobrir algumas respostas para o seu dilema quando Madge confessou o seu relacionamento lésbico a uma amiga cristã. Embora levasse meses de esforço no meio de muitas lágrimas, foram capazes de redimir o seu relacionamento com muita ajuda de sua amiga.

❑ *A honestidade é necessária por causa dos riscos de saúde sérios em potencial para o seu cônjuge.* Inúmeras doenças sexualmente transmitidas podem ser adquiridas até mesmo em um ato único de infidelidade. A mais séria, naturalmente, é a AIDS. Se você foi sexualmente ativo fora do seu casamento ainda que uma vez nos dez anos passados, você *precisa* fazer o teste de HIV antes de retomar as relações sexuais com seu cônjuge. É uma questão de vida ou morte.[10]

Não existe aquilo que chamam de "sexo seguro". Mesmo com o uso de camisinhas, há um certo risco de infecção se um dos parceiros tiver o vírus HIV.[11] Testes anônimos estão à disposição de quem precisar nas maiores cidades. Um médico ou membros de equipe de uma clínica local podem responder às suas perguntas acerca do HIV e outras infecções sexuais.[12]

Se você está infectado com a AIDS, isso não significa o fim automático do seu casamento. Mas o seu cônjuge deve saber a situação de sua saúde, e ambos devem estar conscientes dos riscos envolvidos se vocês decidirem continuar tendo relações sexuais. Esta situação — um casamento cristão onde um dos parceiros está infectado com o HIV — podia ser coisa rara há alguns poucos anos, mas está ficando cada vez mais comum.

Praticando a Manutenção Preventiva

❑ *Focalize as necessidades emocionais do seu parceiro(a).* Em seu livro *His Needs, Her Needs* (As Necessidades Dele, as Necessidades Dela), Willard Harley descreve o princípio que pode restaurar um casamento quebrado. "Conscientizemse das necessidades um do outro e aprendam como atendêlas."[13] Cada um de nós pode beneficiar-se arranjando tempo para estar com o cônjuge a fim de identificar honestamente e partilhar nossas necessidades emocionais mais profundas. Um homem contou à sua esposa: "Preciso sentir sua confiança em mim, mesmo quando estou inseguro em uma área como a de tomar decisões." Uma ex-lésbica explicou a seu marido: "Eu preciso que você não me pressione quando estiver resolvendo alguma questão emocional profunda. Quando sei que você está ali, apoiando-me, dando-me o tempo necessário, sou capaz de resolver muito mais rapidamente. E me sinto amada por você no processo."

❑ *Agradeça a Deus o seu casamento.* Embora você tenha problemas com a homossexualidade, sem dúvida já experimentou muitas alegrias e bênçãos da vida de casado: formar um lar juntos, sexo heterossexual, talvez filhos. Peça a Deus que traga à sua mente e coração as alegrias, as boas experiências do começo de seu casamento.[14]

- ❑ *Conheça os seus limites nos relacionamentos com o mesmo sexo.* A maioria de nós está consciente de nossas áreas de fraqueza para a tentação sexual. Com os homens pode ser um certo olhar, ou o tipo de homem que detona o ciclo de nossa tentação. Com as mulheres, podemos ser continuamente atraídos por um certo tipo de mulher que é mais velha, maternal, profundamente carinhosa.

"Se uma determinada pessoa desperta sentimentos em você que não são santificados," aconselha Lois Mowday, autor de *The Snare* (A Cilada), "não alimente esses pensamentos através da manipulação das maneiras de ficar perto dela. Se for alguém que você não possa evitar, como um colega, não alimente sua fraqueza tornando-se amigo íntimo dele."[15] E não racionalize um relacionamento impróprio que esteja se tornando sexualizado ou excessivamente íntimo e emocional.

- ❑ *Continue comprometido em sua mente e vontade.* Seu casamento se fundamenta em um compromisso feito diante de Deus, não em seus sentimentos. O amor com base apenas em sentimentos é instável e é deficiente para o casamento. Ore para que Deus capacite você a tomar esta decisão de amar. Jesus é a fonte de amor e o exemplo do amor perfeito. Busque-o diligentemente para ter forças e a capacidade de colocar seu cônjuge em primeiro lugar.

14

UMA VISÃO PARA O FUTURO

"*O processo de mudança é comparável a escalar as escadas quando o final não está claramente visível,*" diz Gerard van den Aardweg, um psicólogo holandês, em seu livro *Homosexuality and Hope* (Homossexualidade e Esperança). "Você não sabe exatamente onde vai parar; mas cada degrau significa melhoramento, progresso."[1]

Sim, para o restante de nossas vidas estaremos "subindo escadas" e enfrentando novos desafios. Muitos de nossos problemas, entretanto, não terão nada a ver com as questões homossexuais. Mas alguns deles podem ser um lembrete das nossas lutas passadas na área de nossa sexualidade.

Avançando Além dos Rótulos

Aqueles de nós que estiveram no ministério com ex-gays há anos percebem um fenômeno interessante. Depois que homens e mulheres permanecem em um ministério por alguns anos, muitos deles começam a desenvolver aversão pela etiqueta "ex-gay" ou "ex-lésbica". Acham que esses rótulos já não descrevem mais suas vidas, seus relacionamentos ou sua visão do futuro. Tais termos como *antigo homossexual* ou *antiga lésbica* se fundamentam no que eles eram, não o que eles são agora.

Esses rótulos começam a parecer restritivos, em vez de libertadores. Exatamente como uma serpente deve deixar cair sua antiga pele para poder continuar crescendo, as pessoas que estão derrubando os velhos rótulos auto-impostos de "ex-gay" ou "ex-lésbica" estão dando mostras de significativo progresso.[2]

"Eu tenho problemas com a expressão 'ex-lésbica'," diz uma mulher, agora casada, mãe de dois filhos. "Eu simplesmente não consigo descrever a obra do Senhor em mim principalmente com uma declaração do que eu *não* sou. É negativo demais. Por mais que as pessoas falem acerca de sua libertação, tenho medo de que haja uma tendência de se apegar ao passado, até que sintam a verdade de serem uma 'nova criatura' (2 Co 5:17).

Aqueles que insistem em apegar-se à sua antiga identidade podem realmente estar resistindo ao que Deus está tentando fazer em suas vidas. Alguns homens e mulheres antes envolvidos em atividades gays ou lésbicas ficaram atolados em um nível de crescimento que alguém intitulou de "platô ex-gay".

Andy Comiskey, diretor do *Desert Stream Ministries* (Ministérios dos Rios no Deserto) em Los Angeles, tem o seguinte a dizer acerca do platô: "Os ministérios com ex-gays correm o risco de criar uma subcultura distinta. Composta exclusivamente de indivíduos que buscam sair da homossexualidade, esta subcultura substituiu o estilo de vida gay como uma comunidade alternativa."[3]

Formar ambas, amizades com o mesmo sexo e amizades com o sexo oposto com indivíduos que não partilham de nossos antecedentes homossexuais, é extremamente importante para se alcançar um ambiente saudável para o crescimento emocional e espiritual. Aqueles homens e mulheres que se cercam apenas de amigos ex-gays descobrem que há uma tendência sutil de manter-se pensando com uma mentalidade "nós-eles". "Nós" são aqueles de nós com antecedentes homossexuais; "eles" são os cristãos que sempre foram normais. E restringimos nossos relacionamentos aos antigos homossexuais que "realmente entendem" nossos problemas e lutas.

Há um perigo nesta mentalidade exclusiva. "Quando nos destacamos da igreja como um todo," diz Andy, "minimizamos a realidade de que Cristo — não os nossos antecedentes sexuais — é o fundamento para a nossa identificação com a comunidade crente."[4]

Este tipo de exclusivismo impede nosso crescimento relacional também. Ir além da multidão ex-gay para obter amizades de apoio é como jogar tênis com alguém que tem uma cortada melhor. O jogo já não é mais seguro e fácil; somos forçados a recorrer à nossa habilidade de continuar, e acabamos sendo jogadores de tênis mais fortes e mais maduros em resultado disso. Mas temos alguma coisa a oferecer também — talvez uma bola alta melhor. Portanto, o outro jogador também se beneficia. O mesmo acontece com a mudança para os relacionamentos além dos ex-gays. Todo o corpo de Cristo pode ser fortalecido.

Algumas pessoas identificaram sintomas do "platô" em suas vidas que resultaram em medo acerca de onde sua cura emocional os levaria:

Luanna: "Quando me tornei cristã, tinha medo de que Deus me obrigasse a casar. Apenas depois de vencer esse medo é que o Senhor realmente pôde começar a trabalhar em minha vida. Alguns anos depois, percebi que não era mais homossexual. Cheguei ao platô, um lugar de satisfação assexuada.

"Agora, depois de mais quatro anos, houve um despertamento de sentimentos heterossexuais. Para sair do platô, você precisa estar pronto a assumir riscos. O caminho da saída começa com oração."

Shawn: "Alguns anos depois de sair da homossexualidade, cheguei a um lugar confortável. Tinha algumas amizades do mesmo sexo que me satisfaziam. Eu pensava: *Poderia ficar neste lugar pelo restante de minha vida.* Então percebi que alguma coisa estava errada — não havia amizades femininas significativas em minha vida."

Starla: "O platô é um lugar onde você está realmente satisfeito, rodeado com pessoas 'no ministério', e evita entrar na igreja. Para sair, você precisa envolver-se com o cenário heterossexual da igreja. Você tem de assumir esse risco e dizer: 'Ora bolas! vou fazer isto, e vou gostar, ainda que isso me mate!'

"Essa foi a minha atitude quando eu e minha colega de quarto demos uma festa de Natal diversos anos atrás. Convidamos um número igual de homens e mulheres e fiquei surpresa como nos divertimos. Aquele foi um ponto de partida para mim."[5]

Sair desse platô de crescimento represado significa enfrentar seus temores, especialmente o temor das amizades com o sexo oposto e fazer amizades íntimas com homens e mulheres que não têm um passado homossexual.

Para alcançar a maturidade temos de parar de fugir dos problemas e dos relacionamentos que nos mantiveram parados. Muitas pessoas foram desafiadas por esta declaração de Jeff Konrad, autor de *You Don't Have to Be Gay* (Você Não Precisa Ser Gay): "Corra ao encontro das coisas que o assustam. Enfrente os seus medos. Nossos medos nos acorrentaram às mentiras de Satanás, evitando que vivêssemos e fôssemos os homens e as mulheres que Deus nos criou para sermos."[6]

O Desafio do Celibato

Examinamos detalhadamente nos diversos capítulos passados diferentes aspectos da caminhada para os relacionamentos heterossexuais em termos de namoro, noivado e casamento. Este é um lugar apropriado para reafirmar a validade de ser solteiro.

A maioria dos antigos homossexuais é solteira, até mesmo aqueles que saíram da imoralidade com o mesmo sexo há muitos anos. Alguns abandonaram a homossexualidade quando estavam com vinte e tantos anos ou mais velhos e simplesmente não encontraram um cônjuge adequado em potencial. Outros foram casados antes e hesitam em iniciar um novo casamento. Seja qual for o motivo, a Bíblia nos assegura que o celibato é uma coisa positiva; não deveria nos causar embaraço ou vergonha.

O apóstolo Paulo apresentou a vida celibatária como um caminho ideal para o cristão servir a Deus com um mínimo de distrações. "... é bom que o homem não toque mulher... Quero que todos os homens sejam tais como também eu sou (solteiro)," ele disse (1 Co 7:1,7).

Eu (Bob) fui solteiro nos seis primeiros anos de meu envolvimento com o ministério "Amor em Ação". Olhando para trás, vejo que realizei muito mais coisas naquele tempo do que consigo realizar agora como casado. Vivia em nossa comunidade com programa de internato, portanto podia conversar com uma vasta gama de pessoas quase a qualquer hora do dia ou da noite. Além disso, ardia de entusiasmo por estar no ministério com ex-gays, e não conseguia fartar-me de entusiasmo em um dia de oito horas no escritório. Por isso, com freqüência voltava a trabalhar à noite para realizar ainda mais. Minha agenda como pessoa solteira era totalmente flexível; podia mudar de idéia a qualquer momento.

Agora, naturalmente, esse nível de envolvimento no ministério é simplesmente impossível. Eu tenho uma agenda muito mais fixa, com menos espontaneidade. Tenho de reservar noites suficientes em casa para providenciar qualidade de companheirismo para minha esposa. Ela está envolvida em uma carreira de negócios de tempo integral, como também está fazendo estudos de pós-graduação, por isso tenho inúmeros deveres em casa à noite e nos fins de semana.

Paulo disse que "o que se casou cuida das cousas do mundo, de como agradar à esposa, e assim está dividido. Também a mulher... a que se casou... se preocupa com as cousas do mundo, de como agradar o marido"(1 Co 7:32-34). Se houver filhos no casamento, os deveres e as distrações são grandemente multiplicadas.

Um adulto solteiro pode enfrentar muitas pressões sociais, mesmo dentro da igreja. Os solteiros ouvem comentários tais como, "Você está ficando para titia," "Você não sabe o que está perdendo" ou "O que há de errado com você?"

O antigo homossexual que é solteiro também pode experimentar outras pressões. Muitos de nós conhecemos a humilhação de sermos confrontados pelos amigos da igreja. "E quando você vai começar a pensar em casamento?" eles perguntam. Muitas vezes não é apropriado dizer-lhes a verdade: "Quando resolver essas questões homossexuais em minha vida e Deus me levar à pessoa certa!"

Outros antigos gays ou lésbicas podem lutar com sentimentos de condenação: "Eu devo estar fazendo alguma coisa errada. Estou fora das atividades homossexuais há quatro anos. Se estivesse *realmente* curado, estaria casado agora!"

Resista a esses pensamentos condenadores. Com freqüência homens e mulheres ficam solteiros por falta de oportunidade de se casarem — não falta de vontade. O celibato é apenas um problema quando Deus está nos conduzindo a um relacionamento heterossexual e nós resistimos contra a vontade dele em nossas vidas. Eu (Bob) sei que Deus me conduziu clara e diretamente para um relacionamento que acabou em casamento. Se tivesse resistido à sua orientação, estaria andando em desobediência.

Mas há 14 anos, quando vim para o "Amor em Ação", meu único desejo era me tornar o homem que Deus me criou para ser. Não estava preocupado com o casamento naquela época. Desfrutei de muitos anos emocionantes e realizadores como adulto solteiro em ministério ativo antes mesmo do casamento se tornar uma opção para mim. Nosso desafio final é viver cada dia o mais plenamente possível, buscando realizar tudo o que Deus nos mandou pelo período de 24 horas. Esse alvo se aplica a *todo* cristão — seja solteiro ou casado.

A Alegria da Liberdade

Deus deseja que todos nós vivamos em liberdade. Livres dos efeitos prejudiciais de nosso passado. Livres para amá-lo e servi-lo com propósito e realização. O que está motivando você a buscar recuperação homossexual?

Jeff Konrad explica sua motivação básica em buscar a libertação da homossexualidade: "Tudo o que desejava era mais de Jesus em minha vida. E mais do seu poder ressurreto em minha vida."

Ele diz que a transformação que Deus realizou em sua vida não é nada menos que um milagre. "Anos atrás, era um garotinho acanhado. Se eu estivesse caminhando por um corredor na escola e visse pessoas vindo na minha direção, corria e dava volta no edifício para não precisar passar por elas. Andava de cabeça baixa, para não precisar fazer contato visual com elas. Eu me desprezava. Eu me sentia feio e nada masculino."

Agora, depois de buscar sua libertação do homossexualismo desde 1983, Jeff sente-se radicalmente diferente. "Hoje, estou entusiasmado com a vida. Deus me transformou em umhomem. Posso olhar no espelho e gosto do que vejo.

"Deus nos quer abençoar muito, mas temos de nos abrir para receber o que ele tem para nos dar. Podemos manter a couraça e evitar que seu amor penetre, ou podemos nos abrir e dizer: 'Deus, faça a tua obra.'

"Estou entusiasmado com o que o Senhor fez em minha vida. Eu jamais sonhei que poderia ser livre assim."[7]

Starla Allen, cuja história partilhamos no capítulo um, também está entusiasmada com as mudanças que Deus realizou na vida dela. "Experimentar o amor incondicional de Deus me deu uma liberdade tal e tanta força interior," ela diz. "Nos poucos anos passados, o Senhor tem trabalhado comigo para me ajudar a apropriar-me dessa força. Agora, posso abandonar a rudeza exterior que usava e permitir-me ser vulnerável nos relacionamentos. É excitante perceber que a força verdadeira não é ficar sozinha; é ser bastante forte e bastante livre para precisar de outras pessoas, ser aberta para elas, capaz de confiar nelas e amá-las."

As lições de Starla em aprender a confiar nos homens têm sido contínuas. Anos atrás, enquanto trabalhava com uma equipe de um ministério cristão em um rancho isolado, ela percebeu em um fim-de-semana que estava sozinha no rancho com dois outros membros masculinos da equipe. Lembranças de seu estupro quando adolescente começaram a fluir em sua mente e ela entrou em pânico. Finalmente, disse a si mesma: "Deus vai cuidar de mim. Aconteça o que acontecer, eu sei que Deus está aqui comigo."

Antes do fim de semana acabar, Starla e os homens passaram juntos alguns momentos de oração. "Vi que aqueles homens tinham suas próprias lutas e vulnerabilidades, exatamente como eu." Através dessa experiência, Starla aprendeu que os homens podem ser gentis, respeitosos e darem apoio, exatamente como suas amigas femininas. O fim-de-semana marcou um outro pequeno passo na direção do seu processo de cura.

Hoje, Starla diz que permanece "maravilhada" com a obra que Deus efetuou em sua vida. "Não sou mais nem um pouco a mesma pessoa que era anos atrás quando me envolvi com o lesbianismo. Naquele tempo, a vida era tão vazia que lutava contra pensamentos de suicídio. Agora, minha vida está cheia de propósito e esperanças para o futuro.

"Toda esta graça eu devo à orientação gentil mas firme do Espírito Santo, a fidelidade de Deus e seu amor infinito."[8]

A história de Mike Reed iniciou este livro. Seu crescimento continua. Vários meses atrás, um amigo artista desenhou um quadro de Mike com dois dos seus três filhos. Quando Mike olhou para o desenho, ficou profundamente impressionado com a imagem. "Eu vi minha aparência sadia, corada. Havia confiança, serenidade. Vi segurança, masculinidade. O quadro mostrava meu filho mais velho agasalhado sob o meu braço. Segurava minha filhinha no colo. Podia ver o espírito paternal e o senso de satisfação em meu rosto. Vi uma pessoa que foi provada e que venceu."

Dezoito anos atrás, Mike estava na homossexualidade. "Se alguém tivesse desenhado um quadro meu naquele tempo, você teria visto exatamente as qualidades opostas. Alguém pálido e doentio, inseguro e inquieto. A melancolia era a minha principal característica naquele tempo. Era solitário e tinha medo, era cínico e duro." Olhando para o quadro, Mike percebeu quanto Deus o havia mudado. "Ele mudou toda a minha personalidade."

Mike diz que as duas últimas décadas não foram fáceis. "Houve muitos anos que eu chamei de minha 'experiência no deserto'. Havia realmente sequidão. Muitas vezes, senti como se Deus não estivesse ali. Ficava imaginando por que tinha de passar por tudo aquilo. Qual era o propósito de Deus em tudo?" Mas quando Mike lia as Escrituras, via que Deus com freqüência conduz o seu povo para o deserto para refinar e provar, para equipar e possibilitar a entrada na "Terra Prometida" da satisfação.

"Agora, não queria a minha vida de nenhum outro jeito," diz Mike. "Até o melhor lado do estilo de vida gay ainda é pouco se comparado com a minha vida em Cristo. Não importa o que aconteça, eu tenho o seu propósito, direção e satisfação.

"Eu sei que minha vida continuará sendo difícil às vezes. Ainda vou encontrar uma porção de dificuldades e provações. Mas tudo faz parte do crescimento. É parte do processo de Deus, transformando-nos na pessoa que deseja que sejamos."

Que Deus lhe dê a força e a perseverança para buscar a mesma liberdade nova que está sendo descoberta por Jeff, Starla e Mike — como também outros milhares de homens e mulheres que estão caminhando na sua frente pelo caminho da recuperação da homossexualidade.

Apêndice A

Respostas aos Argumentos Comuns Pró-Gay

Desde a década de 1950, um crescente número de igrejas e denominações começou a abraçar uma interpretação diferente das Escrituras no que se refere à homossexualidade. Neste apêndice queremos apresentar rápidas respostas a alguns dos mais costumeiros argumentos bíblicos e teológicos ouvidos nos grupos religiosos pró-gay quando essas Escrituras são discutidas.

Primeiro vamos examinar as sete passagens específicas na Bíblia que mencionam a homossexualidade, examinando ao mesmo tempo os argumentos pró-gay dessas passagens (citadas em itálico). Em seguida vamos examinar os argumentos teológicos que surgem da mais ampla ética sexual da Bíblia.

Gênesis 19:4-5 (Sodoma e Gomorra) e Juízes 19:22 (Gibeá)
"Mas, antes que se deitassem, os homens daquela cidade cercaram a casa, os homens de Sodoma, assim os moços como os velhos, sim, todo o povo de todos os lados; e chamaram por Ló, e lhe disseram: 'Onde estão os homens que, à noitinha, entraram em tua casa? Traze-os fora a nós para que abusemos deles.'"

"Enquanto eles se alegravam, eis que os homens daquela cidade, filhos de Belial, cercaram a casa, batendo à porta; e falaram ao velho, senhor da casa, dizendo: Traze para fora o homem que entrou em tua casa, para que abusemos dele."

"Deus puniu o povo de Sodoma e Gomorra por quebrar as regras da hospitalidade, não por ameaçar um assalto homossexual." É verdade que a quebra da hospitalidade era uma coisa muito séria naquela cultura, mas este argumento não se sustenta com um exame minucioso e completo. Grande parte da discussão aqui centraliza-se sobre o significado exato das exigências dos homens para trazer para fora os visitantes para que pudessem "conhecê-los" (Gn 19:5; Jz 19:22, ERC).

D.S. Bailey, em seu livro amplamente citado, *Homosexuality and the Western Christian Tradition* (A Homossexualidade e a Tradição Cristã Ocidental), argumenta que os homens de Sodoma e Gibeá pediram para "conhecer" (em hebraico *yada'*) os homens no sentido de "conhecer socialmente". Esta palavra hebraica aparece 943 vezes no Antigo Testamento. Em apenas alguns poucos casos se refere à relação sexual, e nesse caso sempre à heterossexualidade.[1]

Há um problema maior com este argumento: a reação às exigências dos homens exige fortemente o apoio à conotação de violência sexual. Ló protesta: "Rogo-vos meus irmãos, que não façais mal"(Gn 19:7). O homem em Juízes 19 responde: "Não, irmãos meus, não façais semelhante mal" (v.23). Estas respostas parecem inapropriadas para protestar contra a quebra de hospitalidade, em oposição a um estupro; certamente essas palavras não fariam sentido se os homens apenas quisessem conhecer os visitantes. Além disso, Ló utiliza a mesma palavra, *yada'*, em sua próxima declaração: "Tenho duas filhas, virgens." Obviamente a implicação é sexual.

"As interpretações de Bailey foram extremamente influentes... apesar do fato de que a maioria dos comentaristas bíblicos não concorde com ele," diz Ronald M. Springett, professor de religião no "Southerns College" de Collegedale, Tennessee. "A maioria dos mestres considera a sua interpretação engenhosa mas não convincente, uma vez que deixa de fazer justiça ao contexto imediato."[2]

"Outras passagens bíblicas listam os pecados de Sodoma, mas não mencionam a homossexualidade." Alguns versículos mencio-

nam pecados tais como a soberba, desprezo pelos pobres, e apoio aos malfeitores (Jr 23:14; Ez 16:49-50), mas outras passagens ligam Sodoma com a imoralidade sexual, perversão e "procedimento libertino daqueles insubordinados"(2 Pe 2:7; Jd 7). Deus julgou a cidade por uma ampla variedade de pecados, inclusive a homossexualidade.

"Deus estava julgando o estupro pretendido, não o comportamento homossexual amoroso." Deus enviou os visitantes divinos para confirmar a perversidade da cidade. Muito antes deste incidente, a Bíblia diz que "os homens de Sodoma eram maus e grandes pecadores contra o Senhor" (Gn 13:13) e que "o clamor de Sodoma e Gomorra tem-se multiplicado e o seu pecado se tem agravado muito" de maneira que Deus determinou investigar (18:20-21). Portanto, este incidente foi apenas uma confirmação final das atividades homossexuais já ocorrentes. Certamente, nem todos os comportamentos homossexuais anteriores na cidade foram caracterizados pelo estupro.

Contudo, os teólogos pró-gay estão certos quando dizem que esta passagem não fornece um argumento forte para a proibição de todos os atos homossexuais. Para maiores esclarecimentos devemos nos voltar para outras passagens bíblicas.

Levítico 18:22 e 20:13 (Código de Santidade)

"Com homem não te deitarás, como se fosse mulher; é abominação."

"Se também um homem se deitar com outro homem, como se fosse mulher, ambos praticaram cousa abominável; serão mortos; o seu sangue cairá sobre eles."

"Os cristãos não estão mais sob a lei do Antigo Testamento." Jesus Cristo disse que veio cumprir a lei — não aboli-la. "Aquele, pois, que violar um destes mandamentos, posto que dos menores, e assim ensinar aos homens, será considerado mínimo no reino dos céus; aquele, porém que os observar e ensinar, esse será considerado grande no reino dos céus" (Mt 5:19).

Esta seção de Levítico inclui outras proibições morais contra o incesto, o adultério, a bestialidade, a necrofilia e outras práticas sexuais. "Mas," diz o professor Ronald Springett, "poucos cristãos estariam preparados para dizer que todas essas atividades são agora permitidas por a Igreja Primitiva ter-se tornando livre da lei levítica."[3]

"Os cristãos transgridem outras leis do Antigo Testamento o tempo todo, como comer carne de porco. Seguir algumas leis e transgredir outras é ser grosseiramente inconsistente." Inúmeros mestres da Bíblia já destacaram a diferença entre as categorias mais importantes da lei do Antigo Testamento. Primeiro, temos as leis civis e cerimoniais, que se aplicavam apenas à nação de Israel. Foram especificamente revogadas no Novo Testamento (Mc 7:19; Ef 2:15; Hb 7:18; 8:13; 10:8-10). Segundo, havia mandamentos que constituíam a lei moral, que não era limitada a determinado tempo e lugar. Muitas dessas leis — inclusive aquela que se aplica ao comportamento homossexual — foram repetidas no Novo Testamento (Mt 5:27-30; Mc 7:21-23; 1 Co 5:1; 6:9-10,18).

As leis civis referiam-se a questões tais como a vida diária: tomar emprestada alguma cabeça de gado (Êx 22:10-14), princípios de restituição de propriedade perdida (Êx 22:7-9), e dar testemunho no tribunal (Êx 23:1-3). As leis cerimoniais definiam atos ou eventos que tornavam a pessoa impura para propósitos cerimoniais, como mexer com um morto, ter hemorragia ou emissão do corpo, ou comer alimento impuro.[4]

Depois havia as leis morais. Eis como o Dr. John Oswalt, professor de estudos bíblicos no "Asbury Theological Seminary" em Wilmore, Kentucky, os descreve: "Essas ofensas não estão relacionadas ao comportamento civil ou cerimonial. Elas não tornavam ninguém impuro nem exigiam o pagamento de uma multa. Antes, essas atitudes erradas são erradas em qualquer tempo ou lugar. Sugerir que essas ações, que exigiam a pena de morte, não têm maior significado do que comer carne de porco, que apenas deixa a pessoa cerimonialmente impura, traz uma séria desinformação das declarações bíblicas."[5]

"Esses versículos proíbem práticas homossexuais idólatras, não o comportamento homossexual que não tem conotação religiosa." Semelhantemente, este argumento diz que a presença de homens prostitutos na terra era condenada; sua remoção era aceita como sinal de reforma espiritual (1 Rs 14:24; 22:46). Assim a proibição divina contra práticas sexuais com o mesmo sexo, eles dizem, falam desse julgamento contra a idolatria, não contra o amor físico entre dois homossexuais comprometidos. Mas o contexto

dessas leis contra o comportamento homossexual inclui a condenação da relação sexual com as relações consagüíneas e o adultério. Esses relacionamentos poderiam ser em tudo tão ternos e afetivos quanto os laços de amor entre dois homens e duas mulheres. Mas são estritamente proibidos — não importa qual seja o contexto. Esses versículos falam contra certas práticas sexuais — inclusive a homossexualidade — em todas as circunstâncias. O banimento é absoluto.

Romanos 1:24-27

"Por isso Deus entregou tais homens à imundícia, pelas concupiscências de seus próprios corações, para desonrarem os seus corpos entre si; pois eles mudaram a verdade de Deus em mentira, adorando e servindo a criatura, em lugar do Criador, o qual é bendito eternamente. Amém.

"Por causa disso os entregou Deus a paixões infames; porque até as suas mulheres mudaram o modo natural de suas relações íntimas, por outro contrário à natureza; semelhantemente, os homens também, deixando o contato natural da mulher, se inflamaram mutuamente em sua sensualidade, cometendo torpeza, homens com homens, e recebendo em si mesmos a merecida punição do seu erro."

"As declarações do apóstolo Paulo são 'culturalmente comprometidas'. Elas foram dirigidas aos judeus do primeiro século; não se aplicam a nós atualmente." Sob tal raciocínio, podemos jogar fora toda a Bíblia. Nada nela foi escrito para pessoas do século 20. Este argumento implica em que os padrões de Deus mudam de tempo para tempo. Mas aqui está o que os escritores bíblicos disseram: "A palavra de nosso Deus permanece eternamente" (Is 40:8) e "As tuas palavras são em tudo verdade desde o princípio, e cada um dos teus justos juízos dura para sempre" (Sl 119:160).

"Paulo apenas está condenando homens e mulheres que abandonam o comportamento sexual que lhes é natural, isto é, os heterossexuais que têm relações homossexuais. Ele não está condenando aqueles que são naturalmente homossexuais." Este debate centraliza-se no significado da palavra "natural" de Paulo. O professor Ronald Springett diz que "Paulo utiliza os termos *para physin* (con-

tra, ao lado de, ou contrário à natureza) e *kata physin* (de acordo com a natureza). Essas palavras gregas são utilizadas para expressar julgamento ético da homossexualidade."[6]

Outros mestres bíblicos concordam. A frase "contrário à natureza", diz o Dr. Richard Lovelace, professor de História da Igreja em "Gordon-Conwell Theological Seminary", "não significa que seja contra a 'orientação natural' ou impulsos íntimos de um indivíduo, pois (Paulo) diz distintamente que os desejos e atos daqueles mencionados nos versículos 26 e 27 são homossexuais e em harmonia um com o outro. 'Contrário à natureza' significa simplesmente contra a intenção de Deus para o comportamento sexual humano que é explicitamente visível na natureza, na função complementar dos órgãos sexuais e dos temperamentos do macho e da fêmea."[7]

"Paulo não entendia as complexidades da homossexualidade como entendemos hoje. Ele nunca condenou os relacionamentos homossexuais permanentes, amorosos, apenas a concupiscência e promiscuidade homossexual." Paulo vivia em uma sociedade complexa, semelhante à nossa em muitas maneiras. "Os autores do Novo Testamento não poderiam ser ignorantes de alguma coisa tão comum como a homossexualidade no mundo greco-romano," diz o Dr. J.Harold Greenlee, ex-professor de Novo Testamento Grego no "Asbury Theological Seminary".[8] William Barclay, um famoso mestre do Novo Testamento, diz que, embora a homossexualidade permeasse a sociedade grega, "era considerada anormal, e nunca foi legal."[9]

Paulo poderia facilmente traçar uma diferença entre as diversas formas de homossexualidade se fosse apropriado, mas ele condenou todo o comportamento homossexual, sem exceções.

Primeira aos Coríntios 6:9-10 e 1ª a Timóteo 1:9-11

"Ou não sabeis que os injustos não herdarão o reino de Deus? Não vos enganeis: nem impuros, nem idólatras, nem adúlteros, nem efeminados, nem sodomitas, nem ladrões, nem avarentos, nem bêbados, nem maldizentes, nem roubadores herdarão o reino de Deus."

"Tendo em vista que não se promulga lei para quem é justo, mas para transgressores e rebeldes, irreverentes e pecadores, ímpios e profanos, parricidas e matricidas, homicidas, impuros, sodomitas, raptores de homens, mentirosos, perjuros, e tudo quanto se opõe à sã doutrina, segundo o evangelho da glória do Deus bendito, do qual fui encarregado."

"As palavras originais nesses versículos referem-se a outras formas de imoralidade, tais como prostituição masculina, não relacionamentos gays amorosos e permanentes." A palavra grega traduzida para "sodomitas" em 1 Coríntios 6:9 e em 1 Timóteo 1:10 é *arsenokoites*. O léxico grego-inglês de Thayer (1885) traduz esta palavra para "alguém que se deita com um homem como se fosse mulher, um sodomita". O léxico de Bauer, Arndt e Gingrich (1957) traduz a palavra por "um homem homossexual, pederasta, sodomita", o mesmo significado que ocorre nas antigas obras gregas, tais como *Anthologia Palatina* e o *Catalogus Codicum Astrologorum Graecorum.*[10] A palavra é derivada de *arsen*, "um macho" e *koite*, "uma cama." Com o sufixo *tes* indicando a pessoa que realiza a ação, a etimologia da palavra é "um macho de cama."

"Está claro, então," diz o Dr. Harold Greenlee, "que um *arsenokoites* no Novo Testamento é um homem que vai para a cama com um macho com propósitos sexuais. Este tem sido o seu significado aceito desde o tempo da antiga literatura grega."[11] Na passagem, Paulo está condenando de maneira ampla todos os atos homossexuais, não apenas a prostituição. "Se Paulo estava condenando apenas um tipo de atividade sexual aqui, e por implicação permitindo os outros, certamente teria sido mais explícito," concorda Ronald Springett.[12]

Argumentos Teológicos

Ao lado de versículos específicos sobre homossexualidade, a perspectiva bíblica sobre este tipo de comportamento deve ser olhada em um contexto mais amplo de ensinamentos bíblicos sobre a sexualidade como um todo.

"Jesus não falou contra a homossexualidade." "Há diversos pontos a considerar em resposta a este argumento comum. Primeiro, a Bíblia não menciona declarações de Jesus sobre outras formas de comportamento sexual, tais como incesto, estupro, abuso de crianças e bestialidade. Poucos poderiam argumentar que, portanto, esses comportamentos são permissíveis. A Bíblia diz que muitas

coisas que Jesus disse não foram registradas (Jo 21:25). Portanto, ele poderia ter mencionado a homossexualidade, embora provavelmente não tenha tido ocasião para tanto. Os judeus do seu tempo se opunham fortemente a tais práticas.

Jesus apoiava as leis do Antigo Testamento sobre comportamento sexual (Mt 5:27-30; Mc 7:21-23), que condenavam fortemente atos homossexuais. E Jesus apenas falou de sexualidade no contexto de um compromisso heterossexual para toda a vida, quando mencionou a criação de macho e fêmea (Mt 19:4-9).

Esta referência da narrativa da criação é muito significativa. A perspectiva bíblica sobre a expressão sexual é consistente através das Escrituras. Richard F. Lovelace diz que os teólogos pró-gay com freqüência rejeitam versículos sobre a homossexualidade mas "geralmente deixam de lidar teologicamente com o assunto em termos do ensinamento geral da Bíblia sobre a sexualidade humana."[13]

"O ponto de partida," continua Lovelace, "para entender ambas, a sexualidade humana de modo geral e a homossexualidade deveria ser a narrativa da criação do homem e da mulher em Gênesis 1 e 2."[14]

Lovelace observa que a narrativa da criação enfatiza como a humanidade foi criada à imagem de Deus, macho e fêmea. Para remediar a "solidão" de Adão, o Senhor não criou outro homem, mas uma mulher. Isto sugere que o macho e a fêmea são complementares, não apenas sexualmente, mas também de outras maneiras, tais como emocional e socialmente.

Deus abençoou o homem e a mulher, e lhes deu este primeiro mandamento: "Sede fecundos, multiplicai-vos" (Gn 1:28). A primeira mulher foi fisicamente esculpida da carne do homem (2:21,22). Quando eles se uniram fisicamente, tornaram-se "uma só carne" novamente (2:24). "O ato heterossexual no casamento é mais do que uma união," diz o teólogo John R.W.Stott. "É um tipo de reunião. Não é uma união de pessoas estranhas que não se pertencem e não podem apropriadamente se tornar uma só carne. Pelo contrário, é a união de duas pessoas que originalmente foram uma, depois foram separadas uma da outra, e agora no encontro sexual do casamento se uniram novamente."[15]

Cada união sexual de marido e esposa é um lembrete poderoso da ordem criada por Deus. "Portanto não é um acidente," diz

Lovelace, "que toda forma de expressão sexual fora da aliança do casamento, que é o centro da família, seja explícita ou implícitamente condenada no restante das Escrituras."[16]

Jesus mesmo mencionou diretamente Gênesis 2:24 quando ensinou que o casamento deveria ser um relacionamento permanente entre um homem e uma mulher; ele apresentou o celibato como o único estilo de vida aprovado fora do casamento heterossexual (Mt 19:4-12). Em um sermão, Jesus condenou a "imoralidade sexual" (Mc 7:21). A palavra grega que ele utilizou foi *porneia*, que inclui qualquer forma de comportamento sexual fora do casamento heterossexual.

"Jesus falou de uma lei mais elevada de amor, e os relacionamentos homossexuais de fidelidade a longo prazo podem ser exatamente tão cheios de amor quanto os casamentos heterossexuais." Este argumento centraliza-se em uma discussão do que significa a palavra *amor*. Se definirmos o amor cristão em termos de auto doação, é verdade que alguns relacionamentos homossexuais são mais cheios de amor do que alguns casamentos heterossexuais.

Mas, apesar do destaque que Jesus deu à necessidade de uma motivação de amor, em lugar algum ele ensinou que uma motivação de amor pode justificar alguma coisa. Ele jamais deu a seus discípulos qualquer motivo para crerem que, por causa dos seus ensinamentos sobre o amor, eles poderiam ignorar as leis do Antigo Testamento que rotulavam algumas coisas de ruins em si mesmas, seja qual for a motivação (veja Mt 5:17-20). Jesus disse que o seu amor se refletia pela nossa obediência aos seus mandamentos (Jo 14.15).

Substituir todos os outros padrões absolutos pelo simples mandamento de amar não é fiel aos ensinamentos do Novo Testamento, e também é totalmente impróprio como guia para a vida moral. A auto-ilusão e as influências externas borram a visão de qualquer um às vezes, especialmente no contexto da expressão de nossos desejos sexuais.

Alguns Pensamentos Finais

Se alguém tenta apoiar o comportamento homossexual com as Escrituras, examine o versículo em diversas traduções, e estude o contexto de toda a passagem. Por exemplo, alguém já disse que este versículo apóia a homossexualidade: "Não seja, pois, vituperado o vosso bem" (Rm 14:16). Mas o contexto está falando das leis dietéticas do Antigo Testamento. Paulo está discutindo alimentos puros e impuros — não práticas morais puras ou impuras.

A Bíblia nunca fala positivamente acerca da homossexualidade ou qualquer outra prática sexual fora de um compromisso heterossexual para a vida inteira. Difícil como é de obedecer a este padrão, é a vocação de Cristo para *todos* os seus seguidores, inclusive aqueles com atrações e desejos pelo mesmo sexo.

Para estudos suplementares sobre este importante assunto, veja a seção "Pro-Gay Theology" (Teologia Pró-Gay) do apêndice B. Algumas das respostas às questões neste apêndice foram adaptadas de *The Homossexual Way — A Christian Option*? (O Caminho Homosexual — Uma Opção Cristã?) de David Field (InterVarsity Press, 1979).

Apêndice B

Para Leitura Adicional

Vencendo a Homossexualidade

Comiskey, Andrew. *Pursuing Sexual Wholeness* (Em busca da Inteireza sexual). Lake Mary, Fla.: Creation House, 1989. Um ex-gay partilha princípios de libertação da homossexualidade.

Consiglio, William. *Homosexual No More* (Homossexual, Não Mais). Wheaton, Ill.: Victor Books, 1991. Estratégias práticas por um psicólogo.

Dallas, Joe. *Desires in Conflict* (Desejos em Conflito). Eugene, Ore.: Harvest House, 1991. Um livro útil para vencer a homossexualidade, especialmente para homens.

Howard, Jeanette. *Out of Egypt* (Fora do Egito). Tunbridge Wells, England: Monarch, 1991. Um livro muito útil para mulheres, escrito por uma antiga lésbica. Pode ser comprado na América do Norte através da "Regeneration Books", P.O.Box 9830, Baltimore, MD 21284, EUA.

Konrad, Jeff. *You Don't Have to Be Gay* (Você Não Precisa ser gay). Hilo, Hawaii: Pacific Publishing, 1992. Um ex-gay apresenta ajuda prática para vencer a homossexualidade. Pode ser adquirido através da "Regeneration Books", P.O.Box 9830, Baltimore, MD 21284, EUA.

Moberly, Elizabeth R. *Homossexuality: A New Christian Ethic.* Greenwood, S.C.: Attic Press, 1983. Leitura muito útil sobre as causas do homossexualismo, especialmente o papel crucial do rompimento nos laços entre pais e filhos.

Payne, Leanne. *The Broken Image* (A Imagem Quebrada). Westchester, Ill.: Crossway Books, 1981. Um livro importante para entender o papel da oração na cura homossexual.

Saia, Michael R. *Counseling the Homosexual* (Aconselhando o Homossexual). Minneapolis: Bethany House, 1988. Embora escrito para pastores e conselheiros, contém perspectivas muito boas para o leitor ex-gay.

Homossexualidade e Casamento

Baker, Don. *Beyond Rejection* (Além da Rejeição). Portland, Ore.: Multnomah, 1985. Testemunho das lutas de um homem casado contra a homossexualidade.

Questões entre Pais e Filhos

Coleman, William. *How to Go Home Without Feeling Like a Child* (Como Ir para Casa Sem Sentir-se uma Criança). Dallas: Word, 1991. Resolvendo problemas entre filhos crescidos e seus pais.

Frank, Maureen. *Dealing with the Dad of Your Past* (Lidando com o Pai do Seu Passado). Minneapolis: Bethany House, 1990. Resolvendo questões entre pai e filha.

Love, Patricia, com Jo Robinson. *The Emotional Incest Syndrome* (A Síndrome de Incesto Emocional). New York: Bantam, 1990. Um livro secular que trata de um relacionamento exageradamente íntimo entre pais e filhos. Especialmente útil para filhos com "mães sufocantes".

Smalley, Gary, and John Trent. *The Blessing* (A Bênção). Nashville: Thomas Nelson, 1986. Inclui uma seção importante para adultos sobre reparação de relacionamentos com os pais.

Strom, Kay Marshall. *Making Friends with Your Father* (Fazendo Amizade com Seu Pai). Grand Rapids: Zondervan, 1992. Um livro para filhas.

Williams, Charles. *Forever a Father, Always a Son* (Para Sempre Pai, para Sempre Filho). Wheaton, Ill.: Victor Books, 1991. Explora um relacionamento de pai-e-filho e apresenta orientação para consertá-lo.

Noivado

Smith, M.Blaine. *Should I Get Married?* (Devo me Casar?). Downers Grove, Ill.: InterVarsity Press, 1990. Leitura crucial para tomar a grande decisão.

Wright, H. Norman. *So You're Getting Married* (Então Você Vai se Casar). Ventura, Calif.: Regal, 1985. Abrange todos os pontos básicos para noivos.

Casamento (Geral)

Dobson, James. *What Wives Wish Their Husbands Knew About Women* (O Que as Esposam Desejam Que Seus Maridos Saibam Acerca das Mulheres). Wheaton, Ill.: Tyndale, 1975. Útil para os homens que desejam atender às necessidades emocionais de suas esposas.

Drescher, John, e Betty Drescher. *If We Were Starting Our Marriage Again* (Se Nós Começássemos Nosso Casamento Outra Vez). Nashville: Abingdon, 1985. Leitura estimulante para casais, noivos e recém-casados.

Frank, Don, e Jan Frank. *When Victims Marry* (Quando as Vítimas se Casam). San Bernardino, Calif.: Here's Life, 1990. Ajuda para casais que estão superando os efeitos de abuso na infância.

Hart, Kathleen Fischer, e Thomas N.Hart. *The First Two Years of Marriage* (Os Dois Primeiros Anos do Casamento). New York: Paulist Press, 1983. Excelente para recém-casados.

Hybels, Bill, e Lynne Hybels. *Fit to Be Tied* (Prontos para Serem Amarrados). Grand Rapids: Zondervan, 1991. Princípios úteis entremeados com o testemunho de um pastor e sua esposa que tiveram inúmeras incompatibilidades a resolver — excelente.

Rainey, Barbara, e Dennis Rainey. *Building Your Mate's Self-Esteem* (Edificando a Auto-estima de Seu Cônjuge). San Bernardino, Calif.: Here's Life, 1986. Leitura útil para cônjuges com questões emocionais do passado.

Sexualidade no Casamento

Ells, Alfred. *Restoring Innocence* (Restaurando a Inocência). Nashville: Thomas Nelson, 1990. Trata das lembranças do passado que estão ferindo sua intimidade conjugal.

Penner, Cliffor, e Joyce Penner. *The Gift of Sex* (O Dom do Sexo). Dallas: Word, 1981. Um excelente guia para uma vida sexual mais gratificante no casamento. (Infelizmente, os autores declaram que aqueles que foram perturbados pela homossexualidade raramente alcançam casamentos que satisfazem. Ignore-os nesse ponto!)

Wheat, Ed, e Gay Wheat. *Intended for Pleasure* (Intenção: Prazer). Old Tappan, N.J.: Fleming H.Revell, 1981. Conselhos detalhados para se alcançar uma vida sexual gratificante no casamento.

Casamentos Perturbados

Carter, Les. *The Prodigal Spouse* (O Cônjuge Pródigo). Nashville: Thomas Nelson, 1990. Trata do adultério.

Rosenau, Douglas. *Slaying the Marriage Dragons* (Matando os Dragões do Casamento). Wheaton, Ill.: Victor, 1991. Edificando um relacionamento conjugal mais forte.

Talley, Jim. *Reconcilable Differences* (Diferenças Reconciliáveis). Nashville: Thomas Nelson, 1991. Para casais separados ou divorciados que desejam reparar seu relacionamento.

Virkler, Henry A. *Broken Promises* (Promessas Rompidas). Dallas: Word, 1992. Lidando com o adultério.

Williams, Pat, e Jill Williams com Jerry Jenkins. *Rekindled* (Aceso de Novo). Old Tappan, N.J.: Fleming H.Revell, 1985. A história de um casamento que quase morreu e como foi revigorado.

Incesto/Abuso Sexual

Allender, Dan B. *The Wounded Heart* (O Coração Ferido). Colorado Springs: NavPress, 1990. Um exame penetrante nas questões mais profundas que surgem do abuso sexual.

Buhler, Rich. *Pain and Pretending* (Dor e Fingimento). Nashville: Thomas Nelson, 1988. Perspectivas úteis para a vítima de abuso sexual no passado. Inclui algumas anedotas sobre abuso de homens.

Frank, Jan. *A Door of Hope* (Uma Porta de Esperança). San Bernardino, Calif.: Here's Life, 1987. Guia prático passo a passo para lidar com o incesto, escrito por um sobrevivente.

Lew, Mike. *Victims No Longer* (Já não mais vítimas). New York: Harper & Row, 1988, 1990. Um livro secular para homens que sofreram abuso sexual.

Talley, Jim A., e Jane Carlile Baker. *My Father'se Love* (O Amor de meu Pai). San Bernardino, Calif.: Here's Life, 1992. Testemunho de uma mulher vencendo o abuso sexual.

Walters, Candace L. *Invisible Wounds: What Every Woman Should Know About Sexual Assault* (Feridas Invisíveis: O Que Toda Mulher Deveria Saber Acerca de Ataques Sexuais). Portland, Ore.: Multnomah, 1987, 1988. Leitura útil para mulheres que foram estupradas.

Vício Sexual

Arterburn, Steve. *Addicted to "Love"* (Viciado em "Amor"). Ann Arbor, Mich.: Servant Publications, 1991. Vencendo dependências doentias no romance, nos relacionamentos e no sexo.

Carnes, Patrick. *Don't Call It Love* (Não o Chame de Amor). New York: Bantam, 1991. Conselhos úteis sobre como vencer vícios sexuais numa perspectiva secular.

Carnes, Patrick. *Out of the Shadows* (Fora das Sombras). Minneapolis: CompCare Publishers, 1983. O livro secular clássico para vencer o vício sexual.

Schaumburg, Harry, *False Intimacy* (Falsa Intimidade). Colorado Springs: NavPress, 1992. Um livro excelente sobre a solução bíblica do vício sexual.

HIV/AIDS

Jarvis, Debra. *HIV Positive* (HIV Positivo). Batavia, Ill.: Lion, 1990. Resistindo às emoções de viver com a enfermidade do HIV.

Perry, Shireen, com Gregg Lewis. *In Sickness and in Health* (Na Enfermidade e na Saúde). Downers Grove, Ill.: InterVarsity Press, 1989. Narrativa esclarecedora de um casal cujo casamento foi invadido pela AIDS.

Amizades/Relacionamentos

Inrig, Gary. *Quality Friendship* (Amizade com Qualidade). Chicago: Moody Press, 1981. Princípios básicos para formar relacionamentos significativos.

Rentzel, Lori. *Emotional Dependency* (Dependência Emocional). Downers Grove, Ill.: InterVarsity Press, 1991. Perspectivas úteis quando uma amizade se torna emocionalmente muito emaranhada.

Smith, David W. *Men Without Friends* (Homens Sem Amigos). Nashville: Thomas Nelson, 1990. Ajuda para homens desenvolvendo amizades significativas com o mesmo sexo.

Contra a Teologia Pró-Gay

Lanning, Cynthia, ed. *Answers to Your Questions About Homosexuality* (Respostas a suas perguntas acerca da homossexualidade). Wilmore, Ky.: Bristol Books, 1988. Inclui um capítulo sobre passagens do Antigo Testamento e outro capítulo sobre os ensinamentos do Novo Testamento.

Stott, John. *Homosexual Partnerships? Why Same-Sex Relationships Are Not a Christian Option* (Sociedade Homossexual? Por que os Relacionamentos Com o Mesmo Sexo Não São Uma Opção Cristã). Downers Grove, Ill.: InterVarsity Press, 1984, 1985. Um livreto que inclui uma discussão breve mas concisa das passagens pertinentes.

Yamamoto, J. Isamu, ed. *The Crisis of Homosexuality* (A Crise da Homossexualidade). Wheaton, Ill.: Victor Books, 1990. Inclui um capítulo sobre textos do Antigo Testamento e um capítulo sobre os ensinamentos do Novo Testamento referentes à homossexualidade.

Apêndice C

Recursos para Ajuda Adicional

Grupos de Apoio Locais

A "Exodus International" é uma coalizão de ministérios cristãos mundiais que oferecem apoio a homens e mulheres que estão buscando vencer a homossexualidade. Esses grupos oferecem apoio, aconselhamento particular, literatura, boletins e outros recursos úteis. Para receber um pacote introdutório de literatura grátis, inclusive uma lista completa de ministérios referenciais, entre em contato com "Exodus International", P.O.Box 2121, San Rafael, CA 94912;415/454-1017, EUA.

Audiotapes

Todos os anos a "Exodus International" patrocina uma assembléia nacional sobre a luta com a homossexualidade. Dúzias de grupos de trabalho são profissionalmente gravados, cobrindo assuntos tais como problemas de homens ex-gays, problemas de ex-lésbicas, ajuda para amigos e membros da família, problemas de aconselhamento, e lidando com a AIDS. Para receber um catálogo grátis das fitas e formulários de pedido, entre em contato com a "Exodus International", P.O.Box 2121, San Rafael, CA 94912;415/454-1017, EUA.

Livros

Há inúmeros livros excelentes sobre os diferentes aspectos da luta contra a homossexualidade e o lesbianismo. A maior parte deles está à venda numa livraria cristã de sua cidade (veja apêndice B para detalhes de títulos sugeridos). Se preferir, pode obter convenientemente muitos desses livros através de pedido pelo correio. Para receber um catálogo grátis dos livros sobre homossexualidade e assuntos relacionados, entre em contato com "Regeneration Books", P.O.Box 9830, Baltimore, MD 21284;410/661-0284, EUA.

NOTAS

Capítulo 1:
Os Homossexuais Podem Realmente Mudar?

1 Por amor à simplicidade os autores preferiram usar os termos *normal* para homens ou mulheres que nunca lutaram com a homossexualidade e *antigos homossexuais (ex-gays, ex-lésbicas, etc)* para aqueles que experimentaram esta luta, ainda que os últimos sejam agora predominantemente ou exclusivamente heterossexuais nos pensamentos, sentimentos, identidade e/ou atos.

2 Algum material foi tirado de Starla Allen, "Releasing the Woman Within" (Liberando a Mulher que Está Dentro), em *Pursuing Sexual Wholeness Guide* (Guia da Busca da Inteireza Sexual), (Lake Mary, Fla.: Creation House, 1988), pp. 172-74. Usado com permissão.

Capítulo 2:
Evidências Bíblicas e Científicas para a Mudança

1 Se você quiser estudar mais sobre essas passagens referentes à homossexualidade, existem recursos disponíveis excelentes sobre este assunto, tais como John Stott, *Homosexual Partnerships?* (Sociedades Homossexuais?) (Downers Grove, Ill.: InterVarsity Press, 1985) e J. Isamu Yamamoto, ed. *The Crisis of Homosexuality* (A Crise da Homossexualidade) (Wheaton, Ill.: Victor Books, 1990), caps. 9-10. Veja também

o apêndice A para respostas específicas aos argumentos pró-gay sobre essas passagens bíblicas.

2 *The Teaching of the Twelve Apostles* (Os Ensinamentos dos Doze Apóstolos) 2.2, citado por David D. Bundy, *What You Should Know About Homosexuality* (O Que Você Deveria Saber Acerca da Homossexualidade), ed. Charles W. Keysor (Grand Rapids: Zondervan, 1979), p 120.

3 Simon LeVay, "A Difference in Hypothalamic Structure Between Heterosexual and Homosexual Men" (Uma Diferença na Estrutura Hipotalâmica Entre os Homens heterossexuais e homossexuais), *Science 253* (Aug.1991): 1034-37.

4 Ibid, p 1036.

5 Sharon Begley com David Gelman, "What Causes People to Be Homosexual?" (O Que Leva as Pessoas a Serem Homossexuais?) *Newsweek*, 9/setembro/1991, p 52.

6 Anne Fausto-Sterling, professora de medicina na "Brown University", conforme citado na *Time*, 9/setembro/1991, p 61.

7 Kathy Tait, "Homosexuality: Born or Bred?" (Homossexualidade: Inata ou Provocada?) *The Province* (A Província) (Vancouver, B.C.), 23/março/1992, pág. C7.

8 Houve um outro resultado curioso neste estudo. Dos 27 gêmeos idênticos que não foram concordes (i.e. pares de homossexuais-heterossexuais), 21 dos heterossexuais alcançaram 0 pontos na escala Kinsey (o membro homossexual era 6). Poderíamos esperar um fator genético mais forte para dar muito mais resultados na avaliação 3-4 de Kinsey. (Obrigado ao Dr.Neil Whitehead, da Nova Zelândia, por fornecer esta importante perspectiva na correspondência pessoal com os autores, 20/janeiro/1993).

9 Reuben Fine, "Psychoanalytic Theory" (Teoria Psicoanálitica), em *Male and Female Homosexuality: Psychological Approaches* (Homossexualidade Masculina e Feminina: Métodos Psicológicos), ed. Louis Diamant (New York: Hemisphere, 1987), pp 84-86.

10 William H. Masters e Virginia E. Johnson, *Homosexuality in Perspective* (Homossexualidade em Perspectiva) (New York: Bantam, 1979), p 400.

11 Ibid, p 251.

12 Charles W. Socarides, "Homosexuality" (Homossexualidade), em *American Handbook of Psychiatry* (Manual de Psiquiatria Americano), ec. Silvano Arieti e Eugene B. Brody, 2a. ed. (New York: Basic Books, 1974), 3:309.

13 Irving Bieber, *Homosexuality: A Psychoanalytic Study* (Homossexualidade: Um Estudo Psicanalítico) (New York: Basic Books, 1962), pp 318-19.

14 Irving Bieber e Toby Bieber, "Male Homosexuality" (Homossexualidade Masculina), *Canadian Journal of Psychiatry* (Jornal Canadense de Psiquiatria) 24, n.5 (1979): 416.

Capítulo 3: A Dinâmica da Transformação

1 C.S.Lewis, *Mere Christianity* (Mero Cristianismo) (New York: Macmillan, 1951), pág. 44.

2 Leanne Payne, *The Broken Image: Restoring Personal Wholenesse Through Healing Prayer* (A Imagem Quebrada: Restaurando a Inteireza Pessoal Através da Oração que Cura) (Westchester, Ill.: Good News, Crossway Books, 1981), pág. 150.

3 Adaptado de Jeanette Howard, *Out of Egypt* (Fora do Egito) (Speldhurst, Kent, England: Monarch, 1991), p 232.

4 Existem excelentes estudos bíblicos disponíveis que vão ajudá-lo com este princípio de aplicação. Recomendamos especialmente a "Life Application Bible" (Bíblia de Aplicação para a Vida) e a "Life Recovery Bible" (Bíblia para Recuperação da Vida).

5 Jeff Konrad, *You Don't Have to Be Gay* (Você Não Precisa Ser Gay) (Hilo, Hawaii: Pacific House, 1992), pp 57-59, pode ser adquirido de "Regeneration Books", P.O.Box 9830, Baltimore, MD 21284, EUA.

6 Adaptado do artigo "Overcoming Fears of Relating to Men" (Vencendo Temores de Relacionar-se com Homens) de John Smid ("Love in Action", P.O.Box 2655, San Rafael, CA 94912). Usado com permissão.

Capítulo 4:
Expondo as Raízes

1 Erik Erikson, *Childhood and Society* (Infância e Sociedade) (New York: Norton, 1950, 1963), p 249.

2 Leanne Payne, *The Broken Image* (A Imagem Quebrada) (Westchester, Ill.: Good News, Crossway Books, 1981), pp 121 136.

3 Este importante assunto é totalmente explanado em *Homosexuality: A New Christian Ethic* (Homossexualidade: Uma Nova Ética Cristã) de Elizabeth R. Moberly, (Cambridge, England: James Clarke & Co, 1983).

4 Erikson, *Childhood and Society* (Infância e Sociedade), p 249.

5 George Rekers, *Growing Up Straight* (Crescendo Corretamente) (Chicago: Moody Press, 1982), p 73.

Capítulo 6:
Quebrando Padrões Viciados

1 William Consiglio, *Homosexual No More* (Homossexual nunca mais) (Wheaton, Ill.: Victor Books, 1991), p 36.

2 Alguns conceitos desta seção foram extraídos da fita cassete "Fetishes, Partialisms and Fantasy" (Fetiches, Predileções e Fantasia) de Frank Worthen (Exodus International, 1992).

3 Alguns exemplos foram tirados de *Counseling the Homosexual* (Aconselhando o Homossexual) de Michael Saia (Minneapolis: Bethany House, 1988), p 136-37.

4 A passagem bíblica mais comum usada para condenar a masturbação é Gênesis 38:9, quando Onã "deixava o sêmen cair na terra". Mas esta passagem está falando do "coitus interruptus", um método de controle de natalidade em que, durante o ato sexual, o homem retira o seu pênis antes do orgasmo para evitar engravidar a sua parceira. No caso de Onã, ele estava se rebelando contra a ordem do Senhor de engravidar a viúva do seu irmão para que houvessem herdeiros do seu falecido irmão. Este dever era cumprido na antiga Israel sob a lei de herança do levirato. Quando Onã

desobedeceu esta lei cultural, a Bíblia condenou seu ato como mau. Mas seu comportamento nada tinha a ver com a masturbação.

5 Algumas idéias desta seção foram extraídas da fita cassete "Overcoming Masturbation" (Vencendo a Masturbação) de Starla Allen (Exodus International, 1992).

6 Harvey B. Milkman e Stanley Sunderwirth, *Craving for Ecstasy: The Consciousness and Chemistry of Escape* (Fome de Êxtase: A Consciência e a Química da Fuga) (New York: Lexington Books, 1987), pp 95-97, 104.

Capítulo 7: O Que Você Está Pensando?

1 Adaptado de "The War Within Continues" (A Guerra Interna Continua), *Leadership*, Winter 1988, p 28.

2 Algumas idéias nesta seção foram extraídas da fita cassete "Men Who Never Acted Out" (Homens que Nunca Conseguiram) de Brad Sargent (Exodus International, 1992).

Capítulo 8: Mudança na Identidade do Eu

1 Muitas pessoas dizem: "Eu tive sentimentos gays toda a minha vida — desde a idade dos três ou quatro anos." Não concordamos que aqueles sentimentos fossem realmente uma expressão da sexualidade da pessoa. A atração por outras pessoas do seu próprio gênero resultou da necessidade *emocional* legítima de afirmação do mesmo sexo, não do desejo de fazer sexo com aquela pessoa.

2 Jeanette Howard, *Out of Egypt* (Fora do Egito) (Speldhurst, Kent, England: Monarch Publications, 1991), p 177.

3 Ibid, p 178.

4 Algumas das idéias chave nesta seção foram extraídas da fita cassete "Masculinity" (Masculinidade) de Alan Medinger (Exodus International, 1985).

5 Dois exemplos de tais romances são *He Who Wept: An Epic Novel of Jeremiah* (Aquele Que Chorava: Um Romance Épico de Jeremias) e *Daniel: The Man Who Saw Tomorrow* (Daniel: o Homem Que Viu o Amanhã), ambos de Thom Lemmons (Sisters, Ore.: Questar Publishers, 1991).

Capítulo 9:
Criando Amizades Sadias

1 Lori Rentzel, *Emotional Dependency* (Dependência Emocional) (Downers Grove, Ill.: InterVarsity Press, 1990), p 7.

2 Ibid, pp 8-9.

3 Henri J.M.Nouwen, *Reaching Out* (Entrando em Contato) (Garden City, N.Y.: Doubleday, 1975), p 30.

Capítulo 10:
Fazendo as Pazes com os Abusos do seu Passado

1 Isamu Yamamoto, ed. *The Crisis of Homosexuality* (A Crise da Homossexualidade) (Wheaton, Ill.: Victor Books, 1990), p 30.

2 Mike Lew, *Victims No Longer: Men Recovering from Incest and Other Sexual Child Abuse* (New York: Harper & Row, 1988, 1990), p 41.

3 D. Finkelhor, conforme citado em *Males at Risk: The Other Side of Child Sexual Abuse* (Homens em Perigo: O Outro Lado do Abuso Sexual da Criança) Frank G. Bolton Jr. Harry A. Morris e Ann E. (Newbury Park, Calif.: Sage Publications, 1989), p 86.

4 Adaptado de Paula Sandford, *Healing Victims of Sexual Abuse* (Curando Vítimas do Abuso Sexual) (Tulsa, Okla.: Victory House, 1988), pp 28-41; e John e Paulo Sandford, *Healing the Wounded Spirit* (Curando o Espírito Ferido) (South Plainfield, N.J.: Bridge Publishing, 1985), pp 100-102.

5 Connie Haney, "Out of Bondage" (Fora da Escravidão), *Covenant* 1, nº 2:2. (New Direction for Life Ministries, Box 1078, Stn F, Toronto, Ontário, Canadá M4Y 2T7). Usado com permissão.

6 Howard Milton, "Ministry to the Male Incest Survivor" (Ministério com os Sobreviventes Masculinos do Incesto) (Exodus International, 1991). Algumas das idéias nesta seção foram tiradas desta fita cassete.

7 Melinda Reinicke, "Adults Molested as Children: Resolving Self-Blame" (Adultos Molestados quando Crianças: Resolvendo a Culpa) (Exodus International, 1992).

8 Grace H.Ketterman, *Verbal Abuso* (Abuso Verbal) (Ann Arbor, Mich.: Servant, 1992).

9 Ibid, pp 35-36.

10 Adaptado de Cynthia A. Kubetin e James Mallory, *Beyond the Darkness* (Além das Trevas) (Dallas: Word Inc./Rapha Publishing, 1992), pp 123-24. Usado com permissão.

11 Lynda D. Elliot e Vicki L. Tanner, *My Father's Child* (A Filha do Meu Pai) (Brentwood, Tenn.: Wolgemuth e Hyatt, 1988, 1991), pp 50-52.

12 Kubetin e Mallory, *Beyond the Darkness* (Além das Trevas), p 166.

13 Exemplos tirados da fita cassete "Healing Damaged Views of Masculinity" (Curando Opiniões Prejudicadas de Masculinidade) de Janine Puls (Exodus International, 1990).

Capítulo 11: Namoro e Romance

1 Veja, por exemplo, William L. Coleman, *Cupid Is Stupid!* (O Cupido é Estúpido!) (Downers Grove, Ill.: InterVarsity Press, 1991) e Tim Timmons e Charlie Hedges, *Call It Love or Call It Quits* (Chame de Amor ou Chame de Ponto Final) (Dallas: Word Books, 1988). Também recomendamos os livros que dão conselhos práticos ao sexo oposto em todos os seus relacionamentos, tais como os dois livros de Charlie W. Shedd, *Letters to Karen* (Cartas a Karen) (New York: Avon, 1976) e *Letters to Philip* (Cartas a Felipe) (Old Tappan, N.J.: Revell, 1969).

2 Algum material deste capítulo foi extraído de uma palestra sobre namoro feita por John Paulk para o programa de internato de "Love In Action" (Amor em Ação) (San Rafael, Calif.), Novembro de 1991.

3 R. Paul Stevens, *Getting Ready for a Great Marriage* (Preparando-se para um Grande Casamento) (Colorado Springs: NavPress, 1990), p 73.

4 "Ex-Lesbians and Ex-Homosexual Men: Why and When You Should Take the HIV Antibody Test" (Ex-lésbicas e homens ex-homossexuais: "Por que e quando vocês deveriam fazer o teste HIV" por Brad Sargent é um manual útil que explica os comportamentos que expõem ambos, homens e mulheres, ao risco da infecção HIV. Para receber uma cópia, entre em contato com "The Barnabas Center", P.O.Box 3875, San Rafael, CA 94912, EUA.

5 Margaret A.Fischl et al, "Heterosexual Transmission of Human Immunodeficiency Virus (HIV): Relationship of Sexual Practices to Seroconversion" (Transmissão Heterossexual do Vírus de Imunodeficiência Humana: Relação de Práticas Sexuais com Seroconversão), Terceira Assembléia Internacional sobre AIDS, junho 1-5, 1987, *Abstracts Volume*, p 178, conforme citado em "In Defense of a Little Virginity" (Em Defesa de uma Pequena Virgindade), *Focus on the Family* (Focalizando a Família), 1992.

6 Ross e sua esposa também utilizaram o creme espermicida nonoxynol 9. Contudo, contrariando evidências anteriores, um estudo de 1992 mostrou que o nonoxynol 9 *aumentava* a transmissão da infecção HIV. (Joan Kreiss et al, "Efficacy of Nonoxynol 9 Contraceptive use Sponge in Preventing Heterosexual Acquisition of HIV in Nairobi Prostitutes" [Eficácia da Esponja Contraceptiva Nonoxynol 9 na Prevenção da Contaminação Heterossexual com HIV nas Prostitutas em Nairobi], *Journal of the American Medical Association* [Jornal da Associação Médica Americana], julho 22/29, 1993, pp 477-82). Estudos posteriores podem confirmar esta descoberta. *Portanto, é essencial que os leitores obtenham informações médicas atualizadas de seus médicos antes de dar início a atividades sexuais com um cônjuge infectado com HIV.* Além disso, inúmeros livros seculares disponíveis dão informações úteis sobre as precauções que podem reduzir o risco da infecção.

7 Pudemos encontrar poucos recursos disponíveis para a pessoa soropositiva que está começando a namorar ou vai se casar. A maior parte do material para os homens casados, por exemplo, presume que você foi infectado após o casamento ou que se casou sem conhecer o seu status de HIV-positivo. Entre em contato com a "Christian AIDS Services Alliance" (P.O.Box 3612, San Rafael, CA 94912, EUA) para obter uma lista dos recursos atuais sobre esta questão.

Capítulo 12: Preparando-se Para o Casamento

1 Veja, por exemplo, o capítulo 20, "Understanding the Fear of Commitment" (Compreendendo o Medo do Compromisso), em *Should I Get Married?* (Deveria me Casar?) de M.Blaine Smith (Downers Grove, Ill.: Inter Varsity Press, 1990), p 191.

2 Colunas de Ann Landers, conforme publicadas no *Chicago Sun-Times*, 14 e 15 de janeiro de 1985.

3 *What Wives Wish Their Husbands Knew About Women* (O Que as Mulheres Gostariam Que Seus Maridos Soubessem Acerca das Mulheres) de James C.Dobson (Wheaton, Ill.: Tyndale, 1975), p 116, itálicos de Dobson.

4 Ibid, p 129.

5 *Getting Ready for a Great Marriage* (Preparando-se Para Um Grande Casamento) de R.Paul Stevens (Colorado Springs: NavPress, 1990), p 74.

6 Tais como *Intended for Pleasure* (Projetados para o Prazer) de Ed Wheat e Gaye Wheat (Old Tappan, N.J.: Revell, 1981) ou *The Gift of Sex* (O Dom do Sexo) de Clifford Penner e Joyce Penner (Dallas: Word Books, 1981).

7 Kathleen Fischer Hart e Thomas N.Hart, *The First Two Years of Marriage* (Os Dois Primeiros Anos do Casamento) (Ramsey, N.J.: Paulist Press, 1983), p 81.

8 Essas mesmas emoções que podem tentar os homens ex-gays a buscar o adultério homossexual são emoções idênticas que

tentam os homens normais a cometer adultério heterossexual. Veja Henry A.Virkler, *Broken Promises* (Promessas Quebradas) (Dallas: Word Books, 1992), p 25.

9 Doug Fields, *Creative Romance* (Romance Criativo) (Eugene, Ore.: Harvest House, 1991), p 9.

10 Dobson, *What Wives Wish* (O Que as Mulheres Desejam), p 89.

11 Hart e Hart, *The First Two Years* (Os Dois Primeiros Anos), p 13).

12 Dobson, *What Wives Wish* (O Que as Mulheres Desejam), p 92.

13 Em um levantamento informal de homens ex-gays casados, apenas um em 14 confirmou que se excita sexualmente apenas pela vista. Allan P. Medinger, "Visual Stimulation and Healing" (Estímulo Visual e Cura), *Regeneration News*, fev./ 1992, pág. 1 (P.O.Box 7067, Minneapolis MN 55407). Utilizado com permissão.

Capítulo 13: Crescendo na Intimidade Conjugal

1 Adaptado de *Outpost News*, jan./1992 (publicado por Outpost, P.O.Box 7067, Minneapolis, MN 55407), Utilizado com permissão.

2 R. Paul Stevens, *Getting Ready for a Great Marriage* (Preparando-se para um Grande Casamento) (Colorado Springs: NavPress, 1990), p 24.

3 Adaptado de Barbara Trump, *Forgive Love* (Amor que Perdoa) (Edina, Minn.: Jeremy Books, 1979),pp 32-34.

4 Algumas idéias-chave e citações desta seção são adaptadas do artigo "For the Married Man Struggling with Homosexuality" (Para o Homem Casado que Luta Contra a Homossexualidade) de Alan Medinger (publicado por Regeneration, P.O.Box 9830, Baltimore, MD 21284). Utilizado com permissão.

5 Adaptado do testemunho "Beckie to Rebecca" (De Bequinha para Rebeca) por Rebecca Anne (Baeder) Johnston (publica-

do por Metanoia Ministries, P.O.Box 33039, Seattle, WA 98133). Utilizado com permissão.

6 Richard Brzeczek e Elizabeth Brzeczek, *Addicted to Adultery* (Viciado em Adultério) (New York: Bantam, 1989), conforme citado por Henry A.Virkler, *Broken Promises* (Promessas Quebradas) (Dallas: Word Books, 1992), p 61.

7 Virkler, *Broken Promises* (Promessas Quebradas), p 60.

8 Kathleen Fischer Hart e Thomas N.Hart, *The First Two Years of Marriage* (Os Dois Primeiros Anos do Casamento) (Ramsey, N.J.: Paulist Press, 1983), p 19.

9 J.Allan Petersen, *The Myth of the Greener Grass* (O Mito da Grama mais Verde) (Wheaton, Ill.: Tyndale House, 1991), pp 161-62, 165.

10 Se o encontro foi há menos de seis meses, você precisa abster-se de relações sexuais com o seu cônjuge até fazer um teste HIV administrado seis meses completos depois do encontro.

11 Em um estudo de casais que utilizavam camisinha, três entre 18 parceiros foram infectados. (Citado por Joseph Carey, em "Condoms May Not Stop AIDS" (Preservativos Não Impedem a AIDS), *U.S.News & World Report,* 19/out/1987, p 16). Em outro estudo, um em dez cônjuges que utilizaram a camisinha foram infectados. Entre casais que *não* utilizavam camisinhas, 12 em 14 cônjuges foram infectados (Margaret A. Fischl et al, "Evaluation of Heterosexual Partners, Children, and Household Contacts of Adults with AIDS" [Avaliação de Parceiros Heterossexuais, Crianças e Contatos Domésticos de Adultos com AIDS], *Journal of the American Medical Association* (Jornal da Associação Médica Americana), 6/fev/1987, p 640-44).

12 Muitas de suas perguntas também podem ser respondidas por telefone. Para informações médicas grátis, entre em contato com a "CDC National AIDS Clearinghouse" em 800/342-AIDS (Spanish: 800/344-7432; Surdos: 800/243-7889), ou em seu escritório local da Cruz Vermelha, ou com a saúde pública de seu município. Para conselhos sob uma perspectiva cristã, entre em contato com "Americans For a Sound AIDS/HIV Policy", P.O.Box 17433, Washington, DC 10041; 703/471-

7350. Existe também um crescente número de grupos de apoio para os cristãos com HIV/AIDS. Para detalhes, entre em contato com "Christian AIDS Services Alliance", P.O.Box 3612, San Rafael, CA 94912, EUA.

13 Willard F.Harley, *His Needs, Her Needs* (Necessidades Dele, Necessidades Dela) (Grand Rapids: Revell, 1986), p 9.

14 Adaptado de Medinger, "For the Married Man" (Para o homem casado), p 3.

15 Lois Mowday, *The Snare* (A Armadilha) (Colorado Springs: NavPress, 1988), p 92.

Capítulo 14: Uma Visão do Futuro

1 Gerard van den Aardweg, *Homosexuality and Hope* (Homossexualidade e Esperança) (Ann Arbor, Mich.: Servant, 1985), p 80.

2 Concordamos que descartar-se do rótulo "ex-gay" ou "ex-lésbica" é saudável. Contudo, por causa da clareza e brevidade, utilizamos essa terminologia por todo este livro como meio conveniente de referir-se a indivíduos com envolvimento homossexual no passado.

3 Andy Comiskey, "Beyond the Ex-Gay Plateau" (Além do Platô Ex-Gay), *The Exodus Standard* (O Padrão Êxodo) (P.O.Box 2121, San Rafael, CA 94912), Spring 1988, p 1. Algum material nesta seção foi adaptado desse artigo. Utilizado com permissão.

4 Ibid.

5 Ibid, p 4.

6 Extraído da fita cassete "Emotional Dynamics Common to Recovery" (Dinâmica Emocional Comum na Recuperação) de Joe Dallas e Jeff Konrad (Exodus International, 1990).

7 Ibid.

8 Algum material extraído de "Releasing the Woman Within" (Libertando a Mulher Interior) de Starla Allen, em *Pursuing Sexual Wholeness Guide* (Guia da Busca da Inteireza Sexual), (Lake Mary, Fla.: Creation House, 1988), pp. 172-74. Utilizado com permissão.

Apêndice A: Respostas a Argumentos Pró-Gay Comuns

1 Derrick Sherwin Bailey, *Homosexuality and the Western Christian Tradition* (Homossexualidade e a Tradição Cristã Ocidental) (Harlow, England: Longmans, Green, 1955). Veja também John Boswell, *Christianity, Social Tolerance and Homosexuality* (Cristianismo, Tolerância Social e Homossexualidade) (Chicago: University of Chicago Press, 1980), p 94.

2 Ronald M. Springett, "What Does the Old Testament Say About Homosexuality?" (O que o Antigo Testamento diz acerca da Homossexualidade?) em *The Crisis of Homosexuality* (A Crise da Homossexualidade), ed. J.Isamu Yamamoto (Wheaton, Ill.: Victor Books, 1990), p 137.

3 Ibid, p 138.

4 John Oswalt, "What the Old Testament Says About Homosexuality" (O que o Antigo Testamento diz acerca da Homossexualidade), em *Answers to Your Questions About Homosexuality* (Respostas a Suas Perguntas acerca da Homossexualidade), ed. Cynthia Lanning (Wilmore, Ky.: Forum Script, Bristol Books, 1988), p 45.

5 Ibid.

6 Ronald M. Springett, "What Does the New Testament Says About Homosexuality?" (O que o Novo Testamento diz acerca da Homossexualidade?) em *The Crisis of Homosexuality* (A Crise da Homossexualidade), pág. 151.

7 Richard F. Lovelace, *Homosexuality: What Should Christians Do About It?* (Homossexualidade: O que os Cristãos Devem Fazer Acerca Disso?) (Old Tappan, N.J.: Revell, 1978, 1984), p 92.

8 J.Harold Greenlee, "What the New Testament Say About Homosexuality", em *Answers to Your Questions About Homosexuality* (Respostas a Suas Perguntas acerca da Homossexualidade), p 63.

9 William Barclay, *The Ten Commandments for Today* (Os Dez Mandamentos para Hoje) (New York: Harper, 1973), p 154; conforme citado por Greenlee, p 61.

10 Greenlee, "What the New Testament Says" (O que o Novo Testamento diz), p 66.

11 Ibid, p 67.

12 Springett, "What Does the New Testament Say" (O que o Novo Testamento diz), p 157.

13 Lovelace, *Homosexuality* (Homossexualidade), p 102.

14 Ibid, p 103.

15 John Stott, *Homosexual Partnerships? Why Same-Sex Relationships Are Not a Christian Option* (Sociedade Homossexual? Por que os relacionamentos do mesmo sexo não são uma opção cristã) (Downers Grove, Il.: InterVarsity Press, 1984, 1985), pp 15-16.

16 Lovelace, *Homosexuality* (Homossexualidade), p 104.